D0041274

ПЕРВАЯ СРЕДИ ЛУЧШИХ

ТАТЬЯНА УСТИНОВА

ПЕРВАЯ СРЕДИ ЛУЧШИХ!

Читайте детективные романы:

ТАТЬЯНА
УСТИНОВА

КОЛОДЕЦ
ЗАБЫТЫХ ЖЕЛАНИЙ

МОСКВА

ЭКСМО

2007

УДК 82-3
ББК 84(2Рос-Рус)6-4
У 80

Оформление серии **Д.** *Сазонова*

Устинова Т. В.
У 80   Колодец забытых желаний: Роман / Татьяна Устинова. — М.: Эксмо, 2007. — 352 с. — (Первая среди лучших).

ISBN 978-5-699-21130-2

Вот сейчас, в этот самый миг, в это самое мгновенье, когда он должен принять судьбоносное решение, Олег Петрович испугался. Испугался и подумал: зачем ему это нужно?! Эта женщина, эта новая жизнь?! Но события последних дней все перевернули, все поставили с ног на голову... Икона с ликом преподобного Серафима Саровского, которая словно сама попала к нему в руки, кража из музея уникальной демидовской коллекции, убийство его старого приятеля антиквара Василия Дмитриевича... Ясно как божий день — все это было предопределено. Предопределено кем-то свыше. Кем-то, кто послал ему на жизненном пути эту женщину...

УДК 82-3
ББК 84(2Рос-Рус)6-4

ISBN 978-5-699-21130-2

> «...О, как много попыток, как мало проку. Это значит, придется мне вам и вашему королю в сотый раз показывать этот фокус. Запускать во вселенную мелкую крошку из ваших тел, низводить вас до статуса звездной пыли. То есть можно подумать, что мне приятно. Я не хотел, но не я виноват, что вы все забыли! Раз-два-три. Посчитать расстояние по прямой. Небольшая вспышка в точке прицела. До чего надоело, господи боже мой. Не поверишь, боже, как надоело».
>
> *Дмитрий Быков. Двенадцатая баллада*

Глухим звоном, как из подполья, вдруг зашелся телефон, и Василий Дмитриевич, пробормотав: «Простите великодушно, юноша», проворно потрусил в полумрак, куда не доставал желтый свет лампочки.

Олег неторопливо перевернул икону и взглянул на нее с обратной стороны, хотя все равно ничего особенного не высмотрел бы — в иконах он совсем не разбирался. Но именно в этой была какая-то странность, причем не простая, а радостная странность, иначе он не мог ее определить. Лик был светел, и от него не хотелось отводить глаз. Олегу вдруг подумалось, что радость исходит именно от лика. Пожалуй, он даже чувствовал ее, как тепло.

Удивительно.

В пахнущей пылью и мышами глубине что-то стукнуло, по-немецки пробормотали: «Atzend» (дурак, козел), телефонные трели оборвались, и Василий Дмитриевич сказал солидно:

— У аппарата.

Собственно, Олегу ничего не было нужно, и зашел он просто так. Он любил старика, а тут вдруг срели бела дня оказался на Фрунзенской набережной, как не зайти!.. Прислушиваясь к разговору и по опыту зная, что беседа может затянуться очень надолго, Олег аккуратно поставил икону на богатый секретер, который он на глаз определил как недурную подделку под модерн, и стал пробираться к выходу.

На пути ему попались китайские вазы, «Ундервуды», два дивных портрета — на одном прекрасная дама на летней веранде, глаза возведены к небу, в пухлых руках груда незабудок, а на другом Сталин в окружении колхозной детворы, — несколько парчовых кресел с вытертой обивкой, напольные часы без стрелок, как пить дать из салона Анны Павловны Шерер, и еще много всякого разного, в чем он так любил копаться, когда у него было время!..

Он дошел почти до заваленного бумагами и всяким старьем письменного стола, за которым обычно сидел Василий Дмитриевич и читал под зеленой лампой толстую засаленную книгу, помедлил и оглянулся на поддельный модерн с оставленной иконкою.

Нужно забрать, вдруг сказал кто-то у него в голове. Забрать и отдать кому-нибудь, кто понимает, чтобы посмотрели и оценили. А вдруг это подлинник?..

— Голубчик вы мой, — бормотал за ширмой Василий Дмитриевич, — да где же я вам возьму второй точно такой же?! Этому торшеру черт знает сколько лет, черт знает сколько!.. А плафон я вам заказал, заказал, голубчик! Вася к среде не обещал, но сказал, что на следующей неделе уж точно!.. Нет, нет, и супруге вашей передайте, что плафон будет в точности... Да где же мы с вами достанем второй?! Нет, я очень уважаю вашу супругу, но где же?!

Олег сунул руки в карманы джинсов, пошевелил там пальцами, вынул и еще раз оглянулся на икону.

Да. Странно.

...или на самом деле забрать?

Зачем? Он ничего не понимает в иконах, и даже специалистов никаких не знает!..

У порога звякнул меланхоличный колокольчик, проскрипели замороженные петли тяжелой двери, и по каменному полу процокали каблучки.

Девушка сощурилась в полутьме, поизучала его, улыбнулась и сказала негромко:

— Привет.

— Привет, — согласился Олег.

— Я пришла, — объявила девушка, — как договаривались, после двух!

— Я рад, — сказал Олег, не найдя ничего лучшего.

Она поводила головой, разматывая шарф, локоны падали ей на щеки, и она досадливо смахивала их рукой в перчатке.

— Ужас, — воскликнула она, сняв шарф, — ну и мороз!.. Градусов триста!

Она сунула шарф ему в руки, и он его принял, а девушка стянула перчатки и протянула ладошки к раскаленному рылу допотопного рефлектора, который среди прочих нужных вещей был помещен на столе у Василия Дмитриевича.

— Тепло, хорошо, — сказала она весело. — А как вас зовут?

— Олег Петрович.

От ее шарфа пахло духами и улицей, и мех щекотал ладонь, и Олег никак не мог придумать, куда бы его деть.

— Значит, Олег, — подытожила девушка. — Называть вас по отчеству я не буду. А мое имя Виктория.

Олег не понял, почему она не будет называть его

по отчеству, хотя именно так его называет большинство знакомых, но слегка поклонился.

— Ну, показывайте! — велела Виктория. — Я так давно жду! Вам ведь наверняка Василий Дмитрич оставил все инструкции. Кстати, а где он сам?..

Олег помолчал, а потом принял решение.

Он пристроил пахнущий духами шарф на крюк поверх потертой, выгоревшей и довольно пыльной кепки с надписью «Динамо», заглянул за ширму и сказал громко:

— Василий Дмитриевич! Тут к вам прекрасная барышня! Говорит, что вы должны были оставить мне инструкции!..

Старик пробормотал по-немецки: «Blödsinn»[1], зажал желтую телефонную трубку большой рукой и стал делать Олегу знаки лицом.

— Я не понимаю ничего, — громко и весело признался тот. — Вы мне словами скажите!

— Да пойдите же, пойдите к ней, — прошипел Василий Дмитриевич и локтем подтолкнул Олега Петровича. — Ну, покажите ей что-нибудь!

— Василий Дмитриевич! Вы где? — позвала сзади прелестная барышня Виктория. — Я пришла!..

— Она пришла, а у меня ничего! А она платит!.. Большие деньги! — телеграфно выстукивал Василий Дмитриевич на ухо Олегу. От его фуфайки несло нафталином, табаком и кофе. — Займите ее! Только пусть не уходит! Давайте, вы должны ее очаровать!

— Васи-илий Дмитриевич!

Старик прокричал в телефон, который шмелиным басом гудел у него в ухе:

---

[1] Глупость, идиотство, чепуха (*нем.*).

— Да, голубчик мой, да! Сейчас! — И опять зажал трубку.

— А что хоть она просила-то?! — тревожным шепотом спросил Олег.

— Ах, ну что они все нынче просят! Стулья из дворца! Непременно кресло и непременно гамбса! Давайте, идите! Покажите ей секретер! — И снова в телефон: — Голубчик вы мой, да где же я вам возьму второй точно такой же, даже любя вашу супругу более самого себя?!

Олег вышел из-за ширмы и оценивающе посмотрел на девушку.

Локоны, распахнутая шуба, замшевый жакет, каблучки. Ногти — лепестки, щечки — пионы.

— Ну?! — спросила она весело. — И что дальше?!

— Посмотрим, — ответил Олег Петрович уклончиво. — Только никакого гамбса у Василия Дмитриевича, конечно, нет, а я уполномочен показать вам секретер. Хотите?

— Как нет?!

Он удивился, что она до сих пор не догадалась.

— Да вот так. Не повезло вам.

— Ну, он же обещал! — беспомощно вскрикнула Виктория. — Мне так нужно! Мне для мамы нужно, не себе! У нее ремонт заканчивается!

— Хотите, покажу секретер?

— Ах, зачем мне секретер?! Он же обещал кресло, и именно гамбсоновское!

Олегу вдруг стало ее жалко.

— Ну, ведь Василий Дмитриевич не сам их делает! Он же не Гамбс!

Виктория посмотрела на него подозрительно.

— Смеетесь?

— Ну, вот не Гамбс и не Гамбс, — повторил Олег

Петрович. — Итак, или секретер, или мне придется откланяться и вверить вас заботам Василия Дмитриевича, хотя он и не Гамбс!

— Подождите, — сказала она с недоумением, — а разве вы здесь не работаете?

Олег Петрович признался, что работает совершенно в другом месте.

— А зачем вы мне тогда столько времени голову морочите?!

Олег Петрович решительно отказался от того, что он в принципе может морочить голову такой прекрасной барышне.

— А тогда вы кто?

Олег Петрович поинтересовался, в каком смысле «кто», а Виктория окончательно рассердилась и повернулась к нему спиной.

Игра неожиданно стала его увлекать, да и девушка на самом деле была красивой. Красивой и забавной.

— Извините меня, — сказал он с известным раскаянием в голосе. — Я правда здесь не работаю, я просто дружу с Василь Дмитричем и иногда к нему заезжаю. У него действительно нет сейчас никакого гамбса, хотя, быть может, он вам его и обещал.

— Но ведь...

— Ну нету! — перебил Олег и развел руками. — Хотите посмотреть секретер? Подделка, конечно, но очень хорошая!

Он и сам толком не знал, чего именно ему больше хочется — развлекать барышню или вернуться к оставленной иконе.

Виктория пожала плечами под легкой шубкой и посмотрела на Олега оценивающе.

Да. Ничего такого, что можно было бы оценить в положительном смысле. Одеваться он не умел и не любил. Следуя за ее изучающим взглядом, он осмотрел свои джинсы — джинсы как джинсы, не слишком новые, но любимые, — черный свитер грубой шерсти с полосой на животе и ботинки на толстой подошве.

— Олег Петрович, Олег Петрович, — сокрушаясь, часто повторял Гена Березин, его водитель, — мне бы ваши возможности да ваши денежки, я бы выглядел, как Микки Рурк!

Олег Петрович всегда в таких случаях представлял себе Гену с набриолиненным пробором, в ботинках на босу ногу, пиджаке на голое тело и с гарденией в петлице, и разговор о моде как-то сам собой увядал.

Должно быть, джинсы и свитер Виктории тоже не внушили никаких оптимистических надежд, потому что она стала изучать его лицо.

Лицо у него тоже так себе, Олег знал это совершенно точно. Кроме того, он рано начал лысеть и уже много лет брился наголо, что общей красоты ему решительно не добавляло.

Вот так возьмешься произвести впечатление на барышню, распушишь хвост, встопорщишь перья, как-то даже притопнешь молодцевато, словно парубок на гулянье, а тут раз — череп лысый, рожа небритая, ботинки так себе, джинсы посредственные, на пузе полоса. И что дальше?..

Виктория еще какое-то время смотрела на него почти с отвращением, потом вздохнула тихонько и сказала обреченно:

— Ну, пойдемте, что ли! Показывайте ваш секретер. Хотя он мне совершенно, совершенно не нужен!

Мимо «Ундервуда», динамовской кепки, скрытой под ее норковым шарфом, мимо китайских ваз, Сталина в окружении детворы и дамы в окружении незабудок они добрались до секретера, на котором светлым ликом сияла давешняя иконка, и уставились на него.

Собственно, Олег смотрел на икону, а Виктория на секретер.

Что такое, думал он напряженно. Почему меня тянет взять икону в руки и больше никогда и никому ее не отдавать?! Может, так и сделать, и шут с ней, с экспертизой?..

Что такое, думала она расстроенно. Почему нет кресла, маме так хотелось, и я ей обещала, и этот старый хрыч сказал, что достанет! Ну, не в Лондон же лететь, на самом деле! Нет, можно и слетать, но контейнер оттуда придет неизвестно когда, а маме хочется именно сейчас! И еще этот бритый привязался! Можно подумать, что он мне пара!..

— Ну вот, собственно, — промямлил Олег и указал рукою на секретер. — Это не модерн, конечно, но вполне может статься, что в похожем секретере хранил свои рукописи Осип Мандельштам или... или...

— Анна Ахматова, — мрачно подсказала Виктория.

— Ну, это скорее мужская мебель, чем женская, но почему нет?.. Почему, собственно, не Анна Андреевна?..

— Да потому что мне не нужен секретер, а нужно кресло!

Щеки у нее еще горели с мороза, и она была розовая, хорошенькая, вкусно пахнущая. И тут Олег Петрович все придумал.

— Слушайте, — сказал он, — давайте начнем все сначала. Как будто вы не приняли меня за приказчика, а я вам вовсе не хамил. Я приглашаю вас на... — Он отогнул манжету своего рыбацкого свитера и посмотрел на часы. Во-первых, потому, что так делал герой в каком-то кино, приглашая на свидание героиню, а во-вторых, потому, что на пять у него была запланирована встреча, которую он отменить никак не мог, и необходимо было управиться. — На кофе с бутербродами.

— Меня?! — поразилась Виктория.

Он помолчал.

— Если бы я хотел пригласить Василия Дмитриевича, то сделал бы это заранее.

Лицо у нее стало насмешливым, и он совершенно точно знал, о чем она думает.

Конечно, ты мне не пара. Конечно, я тебе нравлюсь, я красавица, а ты урод. Конечно, тебе до смерти хочется показаться со мной на людях. Но я сейчас тебе откажу. И я не понимаю, как ты вообще решился!.. А впрочем, день все равно испорчен! Кресла-то нету!..

— Ну... хорошо, — сказала она, запнувшись именно там, где нужно, и именно так, как нужно. — У меня есть полчаса, раз уж так вышло!.. А вы знаете где-нибудь поблизости приличное место?

Олег Петрович знал поблизости много разных мест — разных как раз по степени приличия и неприличия, — но особенно разгоняться не стоило. В пять встреча, и вообще он видит ее первый раз в жизни!

— За углом чудесная французская кофейня. Называется «Кадо». Вы знаете, что означает это слово?

— Подарок, — буркнула девушка, и Олег Петрович порадовался, что не ошибся. Мало того, что хорошенькая, еще и по-французски говорит. А может, и не говорит, так, нахваталась где-нибудь!..

Аккуратно и чуть брезгливо неся полы шубки над пыльной рухлядью, она пробралась к выходу, а Олег Петрович помедлил и взял с секретера икону. Старец смотрел теперь прямо на него, и ему показалось, что одобрительно.

Господи, что за чепуха! Blödsinn, сказал бы Василий Дмитриевич, любивший крепкие немецкие словечки.

— А это что такое?

— Где?

— Да у вас в руках.

Олег не понял вопрос.

— Икона. Вы разве не видите?

— Да уж вижу, — сказала Виктория с сарказмом. — А вы что? Православный любитель икон?

— В какой-то степени, — пробормотал Олег, — в какой-то степени любитель.

— Дайте посмотреть.

Выпускать икону из рук Олегу не хотелось. Ну вот совсем не хотелось!.. И он просто повернул ее ликом к девушке. Она глянула насмешливо.

— Что это вы в нее так вцепились? Боитесь, что отниму?

Он пожал плечами. С ним уже давно — сто лет! — никто не разговаривал в таком тоне, и он... терялся немного.

За ширмой продолжали бормотать, и время от времени слышались немецкие ругательства.

— Василий Дмитриевич, мы пошли! — громко сказал Олег в сторону ширмы. — До свидания!

— Голубчик, простите великодушно, но как раз привезли ваш плафон, — залихватски соврал старик за ширмой, и Олег улыбнулся. — Да, да, непременно перезвоню, голубчик! Непременно! Как только увижу своими глазами, так сей же момент перезвоню!..

— Ну, дайте мне уже мой шарф, — приказала Виктория. — Или вы думаете, я сама буду его оттуда... стягивать?

— Да, да, всенепременнейше, голубчик, а супруге передайте поклон и уважение и уверения во всяческом...

— Держите ваш шарф, и где-то здесь была моя куртка...

— Вон на стуле что-то валяется, это не она?

— Вы не поверите, но как раз она.

— Да, да, голубчик вы мой, вынужден прервать, чтобы бежать. Плафон, знаете, вещица хрупкая...

Олег натянул куртку, не выпуская из рук икону. Ну, вот не хотелось ему ее выпускать!..

— Василий Дмитриевич, мы пошли! Прекрасную барышню я у вас забираю! — Он почти выговорил «похищаю», но в последний момент чувство юмора все же вмешалось и не позволило так уж напрямую следовать законам жанра.

— Нет, нет, постойте! Ради бога, простите!.. Нет, это я не вам!

— А икону я возьму, покажу специалистам, — негромко продолжил Олег, заглядывая за ширму. Старик посмотрел на него несчастными глазами и попилил рукой по синему шарфу, который был намотан у него на шее. Олег еще понизил голос. — Да я все понимаю, и она все понимает и не обижается! Выгодного клиента вы не потеряете, я вам точно говорю. Икону на следующей неделе привезу.

— Да, да, да, только вы уж с девушкой поласковее, Олег Петрович! Платит много! Хорошая девочка и платит много!..

После полумрака антикварной лавки свет морозного дня показался Олегу ослепительным, почти невыносимым. В лицо дохнуло холодом с реки, он прищурился, и глаза сразу заслезились.

Виктория, поправляя на носике темные очки, посмотрела на него насмешливо.

— Ну, и где это ваше «Кадо»?

— Да вот направо и за угол. — Он вытер глаза, сознавая, что выглядит не очень, и показал рукой, куда именно.

— Мы что?! — спросила Виктория. — Пешком пойдем?! В такой мороз?!

Олег открыл глаза, уже немного привыкшие к свету, набрал полную грудь мороза, с силой выдохнул и посмотрел на Нескучный сад на той стороне замерзшей реки. Сад стоял белый, торжественный, недвижимый, как немецкая рождественская декорация возле вертепа.

— Мы пойдем пешком, и вы вполне можете взять меня под руку, — сказал галантный Олег Петрович, согнув руку кренделем. — Это всего в двух шагах.

Краем глаза он видел свою машину и Гену, который, перегнувшись через руль, пристально на него смотрел.

Никаких подвохов со стороны Гены он не ожидал. Тот все сообразит правильно и окажется в нужное время в нужном месте, в этом можно не сомневаться. Они работали вместе уже много лет и никогда друг друга не подводили.

Раз хозяин ведет барышню за угол, да еще выставив локоть крендельком, значит, так нужно, значит, в машину он приглашать ее не изволит — у него свои планы. А мы потихонечку тронем, и никакая барышня нас не заметит!.. Мы дадим им отойти подальше и уж только потом тронем, и машинка у нас тихая, прокрадется неслышно, а уж когда Олег Петрович выйдет — мы тут как тут!

Виктория брать своего новоявленного кавалера под руку не стала, опять зачем-то поправила на носу очки и раздраженно засеменила рядом, а он еще раз взглянул на торжественный сад на той стороне реки, услышал, как аппетитно скрипнул снег под колесами его тяжеленной машины, понял, что Гена Березин тронулся следом, и поудобнее пристроил икону под курткой.

— Итак, что у нас в программе? — лихо спросил он у Виктории и все же поддержал ее под локоток, когда она чуть-чуть споткнулась. — Горячий кофе и французский сливочный торт! Или вы любите шоколадный?

— Я вообще не ем никаких тортов.

— Напрасно! В Париже напротив Люксембургского сада есть чудесная кофейня, называется «Delvayou», там подают изумительные шоколадные тарталетки с вишней.

— А вы что? Бывали в Париже?

— Бывал, — признался Олег Петрович, — и не раз, Виктория! И в Париже бывал, и в кафе! Завсегдатаи там французские старушки с фиолетовыми кудрями, старики в клетчатых пиджаках, ну и, разумеется, их бульдоги. И какое-то количество молодежи из Сорбонны, способной заплатить за кофе с пирожным сорок евро или около того.

— Господи боже мой, — пробормотала Виктория и пожала плечами. — Сорок евро, какая чепуха!..

— Не скажите, дорогая Виктория, не скажите, — развлекая себя, продолжал Олег Петрович, — может быть, для нас с вами это и чепуха, но для огромного большинства людей...

— Ах, какая мне разница! Если у человека нет денег, особенно у мужчины, он или туп, как пробка, или ничего не может, или слабак.

— Вы уверены? Вы совершенно уверены в этом, Виктория?

— Ну конечно! И какое мне может быть до них дело?! У моего папы есть деньги, и у всех его друзей есть, и у мамы тоже — папа ей дает! Па-адумаешь, сорок евро!

— То есть все до одного, кто не может потратить сорок евро на кофе, — сплошь слабаки и тупицы?

— Ну конечно! Если остальные могут, почему они не могут?

Он помолчал, потому что девушка неожиданно стала его раздражать, и рука, сложенная кренделем, утратила всякий смысл, и пионовые щечки потеряли привлекательность, и приключение превратилось в глупость.

Сорок евро?.. Сорок евро на кофе?..

И он опять прищурился на Нескучный сад на той стороне.

...денег не было. Денег не было никогда. Он писал статьи в научные журналы, во все подряд, и иногда ему давали гонорар. Долларов, может быть, тридцать, и это было счастье, праздник, сказка! Он ехал в Академию наук, подгадывая электрички так, чтобы успеть, пока открыта касса, расписывался в ведомости, которую подавала ему толстая насморочная женщина в шали. Он до сих пор помнил, как ее звали — Любовь Петровна, вот как. Шмыгая носом, она подвигала к нему бумагу, а он всегда ревниво изучал в разграфленных прямоугольниках другие фамилии, против которых были суммы, казавшиеся ему огромными, — некто Дынин должен был получить сто восемьдесят долларов тридцать семь центов. Как он тогда завидовал этому неведомому Дынину! Сто восемьдесят долларов, да еще тридцать семь центов, они-то откуда взялись?!. Олег расписывался, и получал денежки, и бережно складывал их в бумажник, где болтался рубль или два и мелочь в отдельном карманчике! Потом ехал домой, чувствуя себя богачом, миллионером, дельцом, доллары в кошельке придавали ему уверенности в себе и в том, что он все может, что он хороший муж и отец!.. В кооперативном гастрономе на площади он обязательно покупал колбасу, ма-аленький кусочек, и десяток яиц, и молоко, и тогда наутро у них был омлет, райское наслаждение, пища богов! И жена светлела лицом, когда он вынимал десятки с американским президентом, — две он всегда привозил «нетронутыми», шиковал на одну, а разменянные рублики они прятали. Ну, вот просто брали и прятали, куда придется, в карман шубы, если было лето, или в сарафан, если зима. Прятали, чтобы потом «найти»! Какое это было счастье — неожиданно найти в кармане неучтенный рубль, и как это было много!..

Он тогда все время думал лишь о том, как ему добыть денег. Он был совершенно уверен, что, как только он придумает и добудет, его жизнь станет сказочно прекрасной. Счастье, которого и так полно, можно будет просто хлебать ложкой, как щи.

Сорок евро!..

Он придумал, как добыть денег, и добыл их, и только бог знает, чего ему это стоило. Жена ушла — или он от нее ушел, сейчас уже и не вспомнишь, — дочка почти выросла и почти без него, и к сорока годам выяснилось, что счастье — это когда есть два свободных часа и можно заехать к Василию Дмитриевичу, покопаться в пыльном старье, найти непонятную икону, сунуть ее под куртку и шагать по скрипучему снегу, прищуриваясь на Нескучный сад.

Такое счастье выпадает нечасто.

Девушка — он вдруг позабыл, как ее зовут, — стрекотала рядом с ним, кажется, на что-то сердилась, а он все щурился и слушал, как скрипит снег под подошвами его тяжелых ботинок.

Тут он сообразил, что они идут не просто так, а «на кофе».

Кофейню они прошли, и пришлось немного вернуться, и, пока они возвращались, он пристально смотрел на Гену, а Гена из-за лобового автомобильного стекла — на него, и казалось, водитель спрашивает, что это такое Олег Петрович затеял ни с того ни с сего, да еще в середине дня.

Отвечая на безмолвный Генин вопрос, Олег Петрович пожал плечами и придержал дверь перед Викторией — вот как ее зовут, теперь он вспомнил!..

Внутри никого не было и вкусно пахло — кофе, сдобой, свежим пирогом, — и все столики у окна оказались свободны, и он сел так, чтобы Гене было его видно. Они и так все время ругались, что Олег Петрович фланирует в одиночестве, без охраны.

— Мне бы ваши возможности и ваши денежки, — восклицал Гена, — на меня бы такие профессионалы работали, что блоха носа не подточит!

Олег Петрович моментально представлял себе Гену в окружении профессионалов, почему-то исключительно в темных очках и спецагентовских костюмах, и еще представлял блоху, которая не может подточить свой нос, и они кое-как договаривались, что, покамест Олег Петрович начальник, а Гена водитель, никаких профессионалов в свою жизнь они привлекать не будут. Обойдутся как-нибудь.

И вот как только Олег разместился сам, пристроил на свободный стул икону, и Викторию усадил, и меню попросил, у него зазвонил телефон. Полдня не звонил, а тут вдруг на тебе!..

— Простите великодушно, — сказал Олег, решив придерживаться выбранного тона до конца, вытащил трубку, посмотрел и удивился. Звонил Василий Дмитриевич, с которым они десять минут назад насилу расстались.

— Что такое у вас случилось, дорогой вы мой Василий Дмитриевич?

— Может, мой стул нашелся? — не глядя на Олега, спросила Виктория, положила ногу на ногу, достала из крохотной сумочки серебряный портсигар, щелкнула блеснувшей на солнце крышечкой и достала тонкую коричневую пахитоску. Олег оценил и портсигар, и пахитоску.

В трубке молчали, и он повторил удивленно:

— Алло? Что вы там сопите?..

— Может, заедете, Олег Петрович? — вдруг умоляюще сказал старик прямо ему в ухо. — Мне бы... потолковать с вами.

— Да я только от вас! За угол зашел!

— Очень нужно, — почти простонал Василий Дмитриевич. — На пять минут, клянусь честью моего покойного отца, а он был кристальный человек! Просто кристальный!

Олег Петрович даже растерялся немного.

— Я верю в кристальную честность вашего покойного батюшки, но, может быть... до завтра, Василий Дмитриевич? У меня сегодня еще встреча, да и сейчас я не один, если вы помните!..

— Blödsinn! Чепуха! Она и без вас обойдется, ваша барышня!

— Позвольте, но вы сами просили меня...

— Да, да, просил, ну и что?! Все изменилось! Если вы не приедете, Олег Петрович, я погиб, пропал, уничтожен!

— Хорошо, — сказал Олег довольно холодно. Театральные представления, которые время от времени устраивал Василий Дмитриевич, не доставляли ему удовольствия. — Только не раньше чем через час и не больше чем на три минуты.

— Отлично, — деловым тоном резюмировал старик и пропал из трубки.

— Ну что? Моего стула у него как не было, так и нет?

— Нет, — сказал Олег Петрович, раздумывая над тем, что именно могло понадобиться антиквару, да еще так срочно. — Да, может, и бог с ним, с гамбсом, Виктория! Купите чиппендейл, их кругом полно!

Виктория разобиделась.

— Про Чипа и Дейла смотрит моя сестра, ей девять лет! И вообще, вы обещали больше мне не хамить.

— Не буду, — торопливо, чтоб не хихикнуть невзначай, сказал Олег Петрович. — Ни за что не буду, вы правы. Давайте лучше говорить о вас. Чем вы занимаетесь? Учитесь?

— Учусь.

— В МГИМО?

— Откуда вы знаете?

— Факультет международной журналистики?

— Да откуда вы знаете-то?!

— Что-то подсказало мне, что иначе просто и быть не может!

Виктория недоверчиво посмотрела на него сквозь сигаретный дым.

— Да вам, наверное, сказал кто-нибудь. Или вы меня по телевизору видели. Видели, да?

— А вас показывают по телевизору?

— Ну да, — сказала она совершенно спокойно, — конечно. Нас всех показывают. Есть такая передача — «Светский раут». Наверняка вы видели! И еще на третьем канале молодежный проект, про студентов, меня туда тоже часто приглашают. Ну, признайтесь, видели, да?

Последняя программа, которую Олег Петрович видел по телевизору, была посвящена обзору мировых фондовых рынков и состояла из диаграмм, индексов, стрелок и разноцветных треугольников. В ней не было ни слова о светской жизни и про студентов тоже речь не шла. Тем не менее Олег уставился на Викторию — губки коралл, щечки пион, зубы жемчуг, посмотреть есть на что — и как бы вспомнил.

— Вы правы! — заключил он, откинулся на спинку стула и сложил большие руки на полосе, которая проходила поперек его живота. — Точно! Я видел вас по телевизору.

— Ну конечно, — опять спокойно согласилась Виктория. — А вы чем занимаетесь? Оценкой разного старья?

— Да... пожалуй, — согласился Олег Петрович. — Пожалуй, оценкой.

Она красиво затянулась и посмотрела в окно.

— И вам это интересно?

— Было бы неинтересно, я бы не занимался.

— Это вы по своим антикварным делам в Париж летаете?

— Да по разным делам я летаю в Париж, — сказал Олег Петрович, любуясь ее профилем, очерченным солнцем.

А что?.. Может, поиграем в декаданс? Закрутим студенческий романчик? Но за столиком в любимой кафешке разреши поцеловать тебя в щечку!.. Будем ходить в кино и в клубы — Олег Петрович терпеть не мог клубы и никогда в них не ходил, — пить «Манхэттен», курить коричневые пахитоски, тусоваться с мажорами, слушать странные сентенции модных фотографов, скучные сентенции модных писателей и вовсе невразумительные сентенции модных светских львов и львиц постпубертатного возраста. Мажоры, а также львы и львицы чуть более старшего возраста тусуются в других местах. В других, но очень похожих.

Ну что?.. Играем?.. Или скучно?

К сорока годам Олег Петрович понял совершенно отчетливо, что скука — это не отсутствие веселья, а полное отсутствие какого бы то ни было смысла.

Как там у нас со смыслом?.. Есть или нет? Кажется, вовсе никакого смысла ни в чем этом нету!

— Ужасно не люблю холод, — говорила между тем Виктория, — просто какой-то ужас, а не климат! Ну что нам стоило поселиться где-нибудь на Средиземноморье, а не здесь?

— Нам — это кому? — уточнил Олег Петрович.

— Ну, славянским племенам, кому же еще! — воскликнула хорошо образованная Виктория. — Почему именно здесь, где зима девять месяцев в году?

— Вы вполне можете переселиться на Средиземноморье, а племена покамест останутся на прежнем месте. Раз уж они все равно поселились именно здесь.

— Нет, ну у нас, конечно, есть дом в Ницце, но я же учусь! Хотя мама мне все время твердит, что такие морозы очень вредны для кожи. Она говорит, что от любых морозов можно преждевременно состариться. Она считает, что нужно перевестись в любой университет, в Париж или в Лондон. Или в Рим на худой конец, но мама считает, что там плохое образование.

— А вы что же?

— А я не хочу. Здесь друзья, папа, ну и вообще... интересно. А там скука такая!

— А как же преждевременная старость?

Виктория взглянула на него подозрительно, как давеча в антикварной лавке.

— Смеетесь?

Олег кивнул.

Он все не мог решить, как ему быть с романом. Хорошенькая, молоденькая, губки, глазки, щечки, каблучки — это все плюсы. Мама, папа, МГИМО, куча времени впустую — это минусы.

Хотя что он теряет?..

Она все что-то стрекотала про маму, по Ниццу, про климат, про институт, а он уже совсем не слушал, и время его поджимало — впереди еще впавший в трагический пафос Василий Дмитриевич и гораздо более важная встреча, которую он не мог отменить и на которую не мог опоздать.

Итак, нужно решаться. Ну?..

И он решился.

— А где ваша машина? — перебив ее на полуслове, спросил Олег Петрович.

Она пожала плечами. Она все время пожимала плечами, он заметил.

— А... меня привез папин водитель.

— И бросил здесь одну?! — изумился Олег Петрович. — Практически на произвол судьбы?! А вдруг вас похитят страшные лесные разбойники? Во главе со своей атаманшей?

Она чуть забеспокоилась, и это было видно.

— Какие же тут... лесные разбойники?

— Я вас подвезу.

— Спасибо, не нужно. Я поймаю машину.

Он не стал возражать. Он твердо знал, что, когда она увидит его автомобиль, моментально согласится на все, не только на то, чтобы он ее подвез!..

Как хорошо, что я это понимаю, вдруг подумал он с некоторой иронией в свой адрес.

Мой автомобиль производит на девушек гораздо более сильное и неизгладимое впечатление, чем я сам, и в этом нет ничего ужасного, это не хорошо и не плохо, это просто правила игры, а играть можно по любым правилам, самое главное — их знать!..

Олег помахал рукой официантке, чтобы принесла счет. Та сделала вид, что не заметила. Она вообще на них сердилась, особенно на Викторию — из-за ее шубы, каблучков, щечек и всего остального. Официантка была неопределенного возраста и замученная, поэтому на Викторию сердилась, а Олега презирала — такой взрослый, лысый дяденька, а туда же, за красотками ухлестывает!.. Нет бы дома сидеть и какую-нибудь работу работать! Развелось вас таких, которые в середине дня по кофейням шастают!..

Олег Петрович потащился за счетом самостоятельно, а барышня у него за спиной моментально прошмыгнула в дверцу, на которой была нарисована девочка в юбочке. Она хоть и светская львица, и по телевизору ее показывают, но по малолетству еще не знает, как сбегать в туалет так, чтобы остаться в глазах малознакомого мужчины трепетной ромашкой и нежной фиалкой.

Он заплатил, пристроил под куртку свою драгоценную икону, подхватил с вешалки шубку, пахнущую духами и хорошо выделанным мехом, посмотрел в окно на Гену и кивнул.

Гена думал, наверное, секунду, а потом тронул машину и аккуратненько причалил к крыльцу, так что задняя дверь оказалась прямо напротив расчищенных ступеней. Не зря они так много лет проработали вместе!..

Облачив Викторию в меха, Олег опять согнул руку кренделем, и опять она сделала вид, что не заметила, и, чуть опередив ее на ступенях и заранее наслаждаясь, он распахнул перед ней дверь своей машины.

Глаза у нее стали круглыми, и розовый, свеженапомаженный в туалете ротик открылся.

— Может, я вас все-таки подвезу? — осведомился Олег Петрович. — Идти пешком холодно, да и страшные лесные разбойники не дремлют! Во главе со своей атаманшей.

Генин затылок выражал массу эмоций, в основном, конечно, одобрение. Девушка была высокого класса, Гене явно понравилась. Почему-то такие девушки особенно нравятся именно водителям.

Рукой в перчатке Виктория взялась за блестящую черную дверь, сделала неуловимое движение, и оказалась внутри, и изящно подобрала полу шубки, и даже ее нос выражал восторг.

Все правильно. Все правильно, дорогая, так и должно быть.

Олег обошел машину, Гена уже поджидал его с другой стороны у распахнутой двери и снизу вверх вопросительно кивнул головой. Олег чуть заметно приподнял брови.

«Это кто?»

«Пока не знаю. Пока просто барышня».

«А-а. Ну-ну».

— Как называется эта машина? — спросила Виктория, едва лимузин тронулся, и огляделась, словно пришла в картинную галерею. Впрочем, в салоне было на что посмотреть.

— «Мейбах». Хорошая немецкая марка.

— Я знаю, что хорошая, — весело сказала она. — А... откуда у тебя такая машина? На антиквариате хорошо зарабатываешь?

Он отметил и «ты», и веселость тона. Правила игры — великая вещь, особенно когда ты о них хорошо осведомлен.

— Я вообще прилично зарабатываю.

В просторном салоне они сидели совершенно свободно, но Виктория, посмотрев плутовским взглядом, чуть-чуть придвинулась к нему поближе.

Мама будет в восторге! Кавалеров на «Мейбахе» у дочки еще никогда не было. Ну, подумаешь, лысый и одевается как-то странно! Это все мы поправим. Волосы можно нарастить в клинике, теперь все лысые делают себе волосы в разных клиниках. Переодеть тоже можно, и она искоса взглянула на Олега, прикидывая, какая из итальянских марок ему больше всего пойдет. Пожалуй, он был бы вполне хорош в том стиле, в котором одевается знаменитый адвокат Павел Астахов. Вот ведь несправедливость жизни какая!.. Того и переодевать не нужно, и собой хорош во всех отношениях, но... занят. Женат давно и надолго, у них на курсе это даже обсуждали как-то, и все сошлись на том, что развести его с женой не удастся, хоть что ни делай!..

Машина притормозила у знакомой промерзшей двери, Олег вытащил из-под куртки икону и сунул ее в сторону Гениной спины. Икона моментально исчезла, как и не было ее!..

— Я на пять минут зайду к Василию Дмитриевичу, — сказал Олег, натягивая перчатку. — Ты меня подождешь или зайдешь со мной?

— Не хочу я больше видеть этого старьевщика, — объявила Виктория. — Он мне кресло не нашел, хоть и обещал! Я лучше тут посижу, в тепле. У нас такой ужасный климат!..

— Ужасный, — согласился Олег. — Славянские племена совершили роковую ошибку, решив здесь поселиться, тут я с тобой полностью согласен. Гена, ждите меня, я скоро.

— Проводить, Олег Петрович?

Вопрос был задан просто так, потому что его полагалось задать по сценарию. Сценарий следующий: мы производим впечатление на девушку сказочной красоты. Машина в сценарии шла в первой картине, а во второй должна идти вооруженная до зубов личная королевская охрана.

Эх, Олег Петрович, мне бы ваши денежки да ваши возможности, у меня бы такая охрана была, не то что девушка, сам президент бы позавидовал!..

— Провожать не нужно, — сказал Олег Петрович внушительным тоном — все в соответствии со сценарием. — Виктория, не скучай, я скоро вернусь.

И он выбрался на улицу, подышал морозным воздухом — как он любил мороз, ледяной застывший воздух, скрип снега, громкие голоса детворы, катавшейся с горки посреди лысого скверика!.. — и второй раз за сегодняшний день поднялся по хорошо знакомым обледенелым ступеням и толкнул примерзшую дверь.

— Василий Дмитриевич! А Василий Дмитриевич?! Вы где?

Рефлектор пыхал в полумраке раскаленным рыльцем, что-то тоненько звенело, как будто кто-то задел хрустальную подвеску на старинном торшере и звон все еще тянется, длится в тишине.

— Василий Дмитриевич! Вы в прятки играете? Выходите, будет вам!

Никто не отзывался, и звук постепенно затих, и Олег вдруг насторожился.

Что-то не так. Что-то явно не так.

— Василий Дмитриевич!

Слабый стон раздался из-за ширмы, и у Олега что-то взорвалось в голове, словно вспыхнула и погасла перегоревшая лампочка. Он еще постоял, а потом осторожно приблизился и заглянул за ширму.

В середине дня с работы вдруг нагрянула мать, а это в его планы никак не входило.

— Федька! — позвала она с порога. — Федь, ты дома, что ли?

Он сделал вид, что не слышит. Ему некогда было разговаривать с матерью.

Некогда и страшно.

— Федька! Ты почему не на работе?! Где ты?

Он сопел, застегивая неудобные «болты» на джинсах.

За дверью зашуршало, потом загремело, по полу знакомо зашаркали подошвы, и дверь распахнулась. Федор все никак не мог застегнуть проклятые штаны.

— Федя! — зачем-то удивилась мать. — Ты дома?!

Он молчал, сопел, застегивал.

— Федь, ты чего? Ты ж с утра на работу ушел! А?!

— Чего пристала, — пробормотал нежный сын себе под нос. «Болты» все никак не давались.

Мать помолчала.

— Да я не пристала, — грустно сказала она. — Просто так спрашиваю.

— А ты не спрашивай. — Он наконец справился с железяками и схватил со стула рюкзак. Рюкзак потянул за собой штаны, а за ними потянулось еще что-то, и он с досадой сгреб одежду в огромный ком и швырнул обратно на стул.

Мать проводила ком глазами, хотела что-то сказать, но промолчала.

Федор протиснулся мимо нее в коридорчик — быстрей из дома, и чтоб не отвечать ни на какие вопросы, и не слушать претензий, и не видеть мать с ее жалостливым овечьим взглядом!..

— Фе-едь! Ты хоть полслова-то мне скажи!

— Чего тебе сказать?

— Ты почему не на работе?

— У меня выходной, — соврал он с ходу, и неудачно соврал. В этом вопросе мать была подкована хорошо.

— Да какой у тебя сегодня может быть выходной, когда ты только что два дня отгулял!

Он зашнуровывал ботинки — высокие, неудобные солдатские ботинки, вечно натиравшие косточку на щиколотке и собиравшие гармошкой бумазейные носки, нелепейшие, истончившиеся на пятке, унижающие его человеческое и мужское достоинство, но никаких других у него не было — ни ботинок, ни носков!..

— Фе-едь!

— Мам, я пошел, короче!..

— Куда пошел? А придешь когда? А?

— Когда, когда!.. Когда надо, тогда и приду!..

Мать еще помолчала.

— Ну, сегодня-то придешь?

Он шуровал на полке, искал завалившуюся шапку — куда без шапки в такой мороз! А на улице, может, придется долго простоять. Может, день целый, откуда он знает!..

— Сыночек, ты мне хоть чего-нибудь скажи! — И тон такой специальный, добрый, чтобы он почувствовал, как виноват перед ней. Перед ней все и всегда были виноваты.

Он ненавидел слово «сыночек» и ее просительный тон, и, кажется, в этот момент мать ненавидел тоже.

Он выпрямился, став сразу почти вдвое выше ее.

— Может, поел бы, Федь? А?

Она умоляла его, будто затягивала обратно в болото, из которого он мечтал вырваться всю жизнь и уже почти вырвался, немножко ему осталось, последнее усилие, самое последнее, малюсенькое усилие, и он будет свободен!..

Свободен, а там посмотрим!.. Может, окажется, что и он чего-то стоит, может, не так-то уж он плох и никчемен и из него будет толк!..

Про толк ему Светка сказала. Он бы сам не догадался.

— Не будет из тебя никакого толку, — сказала она и зевнула, потом подумала и натянула на голое молочное плечо капроновые кружевца халатика, который она гордо называла почему-то «кардиган». Не знала, бедная, что это называется пеньюар, а Федор знал, но поправлять ее не решался. — И мама говорит, что толку не будет, и денег тоже, и ничего никогда у нас с тобой не будет.

Он тогда перепугался и заверещал, что все будет, будет, будет, но Светка слушать не стала, поднялась с дивана, с неаппетитных, скомканных, серых от многочисленных стирок простыней, ушла на кухню и стала там курить. Наверное, форточку открыла, потому что оттуда сразу потянуло пронзительным холодом и свежим сигаретным дымом.

И у него в мозгу именно так все и сложилось: нет никакого толку — это когда застиранные простыни, подмерзающие на крашеном полу босые ноги, морозный воздух с кухни и запах сигаретного дыма!..

Федор наконец нашел шапку, нахлобучил ее и поплотнее пристроил к ушам, чтоб не поморозить. Видела бы его сейчас Светка!..

— Короче, я пошел, мам!..

— Феденька, ну, придешь сегодня?..

— Не знаю! — заорал он. Специально так заорал, чтобы разозлиться на нее, чтобы не жалеть, ничего не чувствовать к ней — она не заслуживала его чувств.

Мать даже отшатнулась и пробормотала:

— Не кричи, не кричи...

— Да чего там — не кричи! Что ты все пристаешь ко мне?! Что ты лезешь?! Свою жизнь загубила — и мою хочешь загубить?! А я не хочу, понимаешь?! Я нормальный мужик, я жить хочу, как все нормальные люди живут!

— Да кто ж тебе не дает, сынок? — испуганно таращась овечьи глаза, спросила мать, и он взвился, чуть ногами не затопал:

— Да ты мне не даешь! Все лезешь, все пристаешь, контролируешь — куда пошел, да с кем пошел, да зачем пошел!! Какое твое собачье дело, куда я пошел и с кем?!

Мать заплакала. Из глаз вдруг ручьем полились слезы, прозрачные, как у маленькой девочки, у которой отобрали мячик.

— Федя, да я же ничего... ничего не хотела... я просто...

— Чего просто! — проорал он, ненавидя себя. — Просто! Не была б ты такая дура, жили бы мы как люди, а ты дура!.. Вот и сиди в дерьме, а я не хочу, не хочу!.. А еще все про Париж мне толкуешь!

— Федя, я же... я... тебя одна растила, и трудно было, и болел ты, и свинка у тебя была... А Париж... это я просто так...

— Просто так, — повторил он с отвращением. — Все, дай мне пройти. Я опаздываю уже!

— Куда ты опаздываешь?

— Куда, куда! На кудыкину гору!

Он поддал ногой стул, так что от него отвалилось сиденье, вытертое до такой степени, что из засаленной и прорванной ткани в разные стороны торчали нитки и грязный поролон, кинулся к двери, кое-как отпер и выскочил на площадку, где было холодно и гулял сквозняк.

На площадке обреталась бабуся Ващенкина с пятого этажа, наверняка подслушивала. У ног ее стояла нейлоновая сумища в странных выпуклостях — за картошкой, что ли, ходила? — и терся облезлый длинный черный кот.

Дверь в квартиру с грохотом захлопнулась.

— Здрасти, — рявкнул Федор на бабусю и, тяжело топая, ринулся вниз.

— И тебе не хворать! — бодро проорала в ответ бабуся. — Все с матерью лаисся?! Все жисти ее учишь?!

— А вам-то что?! — Это он крикнул, не сбавляя ходу, уже с площадки.

— А мне-то ниче! Только вот помрет мать, будешь знать тогда! Сведешь ты ее в могилу и останешься один-одинешенек!

Получалось, что он кругом виноват — перед Светкой виноват в том, что от него нет никакого толку, и

перед мамой виноват!.. Только, если б не бабуся Ващенкина, ему бы никогда и в голову не пришло, что
она на самом деле может... умереть. Вот просто взять
и умереть, и он тогда останется один!

Впрочем, он ничего в жизни так не хотел, как чтобы его оставили одного!.. Одного и в покое!

Он бабахнул подъездной дверкой из тонкой фа-
нерки, под которую лезли широкие языки снега, на
миг ослеп от солнца, поскользнулся и со всего маху
шлепнулся на задницу посреди раскатанной пацана-
ми ледяной дорожки.

Да что за день такой сегодня!..

— Дядь, шапку не потеряй!..

— Смотри, как брякнулся, копыта в разные стороны!

— Бежим, Тимон, а то он нам щас ка-ак наваляет!

— Наваляю, — пообещал Федор и стал, кряхтя на
манер бабуси с пятого этажа, подниматься на ноги.
Поднимался он неловко, задницей вверх, и перчатка
отлетела далеко в снег, и проклятая шапка съехала на
глаза, закрыла весь белый свет!

Морщась от боли в спине и в пятой точке, он кое-
как добыл свою перчатку, уронив шапку в снег, и за-
махнулся на пацанов, которые все скалились неподале-
леку.

Они даже не стали делать вид, что испугались.

— Па-адумаешь, — задумчиво сказал самый здоровый и, должно быть, храбрый, — чего вы обосса-
лись-то? Чего он вам сделает? А сделает, так ему Ви-
тек даст!.. Ты, банан облезлый!.. Шапку свою подбе-
ри, чтоб она тута не отсвечивала!

Даже пацанье подъездное его не уважало и нисколько не боялось!

У него было два дела, и оба ему не нравились, и

из-за них он нервничал так, что наорал на мать и она заплакала, а он так жалел ее, когда она ни с того ни с сего принималась плакать!..

Впрочем, ему нужно только одно — чтобы его оставили в покое, и точка!..

Первое дело, трудное, почти невыполнимое, тяготило его значительно больше, чем второе, тоже трудное, но какое-то веселое и как будто ненастоящее, словно он и не должен его делать, а просто посмотреть про него кино. И хотя непонятно еще, хорошее кино или плохое и чем оно закончится, но это просто кино, и больше ничего!

Начать придется с первого, трудного и невыполнимого, да он и не мог приняться за второе, пока не разделается с первым!

Федор Башилов надел шапку, вбил пальцы в мокрую и холодную перчатку, подтянул на плече рюкзак и под гогот пацанов, которые совсем разошлись и теперь выкрикивали ему в спину что-то уж вовсе непристойное и оскорбительное, зашагал к остановке.

Морозный ветер налегал, заставлял ежиться, и кожа на лице становилась будто картонной. Куртчонка у него была так себе, не то чтоб не по сезону, вроде даже на меху, но на рыбьем. Мать всерьез называла этот мех «искусственный кролик», а Федору всегда было стыдно — мало того, что кролик, так еще искусственный!..

Троллейбус пришел не сразу, и Федор к тому времени совершенно окоченел. Стуча зубами, он полез в теплое и влажное с мороза нутро, где покачивались немногочисленные пассажиры, похожие в своих дубленках и шубах на тюленей и котиков, какими маленький Федор видел их в зоопарке. Он залез, уцепился за поручень и огляделся, прикидывая, есть ли на линии контролер, или, может, обойдется. Хорошо бы обошлось. Платить ему не хотелось.

В зоопарк его тогда отец водил. На табличке было написано «Тюлени и морские котики», и Федор все тянул и тянул отца за руку в ту сторону, куда показывала стрелка на табличке, а когда они пришли к огромному, огороженному высокой решеткой бассейну, наполненному мутной водой, в которой плавали куски булки, фантики от конфет и какие-то ветки и палки, Федор был страшно разочарован. Он ожидал, что морские котики похожи на настоящих котов, только... как бы это выразиться... ну, просто как будто обыкновенные коты, только здоровые и плавают, а на лапах у них... ласты. А тут какие-то непонятные туши выползают на камень из грязной воды!.. Он даже и не разобрал толком, кто из них котики, а кто тюлени. И те и другие были противные, мокрые, и щетинистые морды у них ничего не выражали, кроме равнодушия и усталого презрения к людям, которые толклись вдоль решетки и все швыряли им разную еду вроде кусков хлеба и конфет, но они это не ели.

Ужасно. От горя он тогда даже стал сопеть носом и всхлипывать, а отец сердился — в кои-то веки повел ребенка в зоопарк, а тот недоволен, вон глаза на мокром месте!..

Впрочем, они никогда не понимали друг друга, и Федор привык думать, что мать виновата в том, что они друг друга не понимают.

Вскоре после того, как они смотрели моржей и котиков, отец ушел от них — Федору тогда было шесть лет, но он почему-то запомнил, как тот уходил. Он почти ничего не помнил из детства, только зоопарк, и вот как отец уходил — запомнил.

Накануне вечером родители сидели на диване, и у

них были странные лица — не тревожные, а грозные, и шестилетний Федор очень боялся, что разразится скандал. Он ненавидел скандалы, а родители сканда-лили то и дело. Из-за пустяка, ерунды, самой распо-следней малой малости они начинали орать друг на друга, а Федор метался между ними, поскуливал, ис-кательно заглядывал в глаза, просил молока, или во-ды, или поесть, или тянул за руку в свою комнату, где нужно срочно приделать Буратино оторванную голо-ву или почитать то место из книжки, где Кролик хо-тел избавиться от Тигры, а сам заблудился, а Тигра выскочил и всех спас! Это было самое любимое место в книжке — где Тигра всех спас, и маленький Федор все время представлял, что это он заблудился в лесу вместе с мамой, а папа выскочил и их спас! И они все тогда стали обниматься, целоваться и поняли, как любят друг друга!

Федор очень сильно любил их обоих и, когда они ссорились, так боялся, что до крови обкусывал ногти на руках, и мать потом водила его к врачу, который назывался очень трудно и непонятно, и врач, погля-дывая на Федора, говорил матери, что он — «очень нервный мальчик». Федор не знал, хорошо это или плохо, но на всякий случай пугался и начинал ску-лить, и мать в сердцах вытирала ему слезы носовым платком, у которого был жесткий, противный кру-жевной край.

А в тот вечер они не ссорились. По крайней мере, Федор из своей комнаты, в которую его услали, ниче-го не слышал, хотя только делал вид, что играет, а на самом деле не играл, а, весь напрягшись, слушал, что происходит в большой комнате.

Он сидел на полу, вытянувшись в струнку и при-слушиваясь изо всех сил, и бессмысленно складывал из конструктора нелепейшую башню такой высоты, что она постепенно все кренилась и кренилась набок. И точно знал, что, как только он положит еще одну, последнюю деталь, башня обрушится со страшным грохотом, обломки разлетятся по всей комнате, и нужно будет лезть под кровать и подползать на животе в самый дальний и темный угол, где всегда было пыльно и про который он придумал, что там живет страшенный паук. И он уже заранее боялся этого паука и со сладким ужасом ждал, что башня рухнет и нужно будет ползти.

Потом мать громко сказала:

— Прекрати шуметь!

Голос у нее дрожал.

А отец сказал:

— Хоть к нему-то не вяжись! — подошел и плотно прикрыл дверь.

Тогда шестилетний Федор бросил свою башню и лег на бок у закрытой двери, чтобы не пропустить скандал, вовремя выскочить, если понадобится.

Тот самый непонятный врач, который назывался длинным и трудным словом, часто говорил матери, что ее сын «не по годам серьезен», и, лежа под дверью, Федор вдруг вспомнил это выражение и некоторое время думал о том, что значит «не по годам». Как это — не по годам? По годам ему шесть, он знал это точно, скоро будет семь, и он тогда в школу пойдет. Тут он стал думать, что бы ему хотелось на день рождения, и придумал, что ему хочется красную пожарную машину с лестницей. Только непременно с лестницей. Нужно об этом сказать отцу, потому что машины — Федор это знал — дело мужское.

За дверью что-то говорили, довольно тихо, и, устав бояться и прислушиваться, он лег щекой на руку и стал изучать свою комнату из этого неудобного положения. Комната казалась странной и по-другому устроенной. Вон шкаф, там на нижней полке лежат его пожитки, а все остальные полки заняты плоскими белыми штуками. Штуки сложены аккуратными стопками. Время от времени мать достает из шкафа такую штуку, взмахивает ею, и она превращается в пододеяльник или простыню. Вон столик и стульчик, за ними он должен играть. Отец всегда говорит, что у человека должно быть место, чтобы играть, как будто можно играть за столом!.. Как там играть-то? Даже к паровозу вагоны не прицепить. Паровоз на столе помещается, а вагоны уже нет!.. Вон медведь на кровати, его бабушка подарила, отличный такой медведь, с кофейной мягкой шерстью и коричневым носом. Медведя Федор обожал и звал его Мишей.

Так он лежал, размышлял, удивлялся и совершенно отвлекся от того, что происходило за дверью, и вдруг вбежала мать. Она так резко распахнула дверь, что ударила его, но Федор от удивления даже не захныкал. Мать больно схватила его под мышки, подняла, как будто он был тяжелой сумкой, и стала трясти им перед отцом. У Федора с ноги даже сандалик свалился, и колготки съехали и болтались.

— Ты бы хоть его пожалел! — говорила мать и трясла Федором. — На меня наплевать, а он как же?!

Она не кричала, и Федор решил, что ничего страшного не происходит, можно не бояться, и не боялся.

Отец сидел отвернувшись, на него и на мать не смотрел.

А потом посмотрел с отвращением.

— Не так, а эдак хочешь меня достать, — сказал он, но тоже негромко. — Нашла чем меня останавливать, идиотка! Да я его знать не хочу! Весь в тебя... урод!

Это Федор потом понял, что отец про него сказал «урод», уже когда был большой, а раньше никак не понимал. Он только знал, что «урод» — плохое слово и бабушка его говорить не велит.

— Папа, — сказал шестилетний Федор и стал болтать ногой, чтобы скинуть и второй сандалик тоже, — бабушка говорит, что про людей нельзя говорить, что они уроды. Ты про кого так сказал?

— Убери его, — попросил отец ласково. — Убери его сейчас же, или я за себя не отвечаю!

Федор тогда тоже не знал, как можно отвечать или не отвечать за себя, и собрался было даже спросить, но не успел. Мать прижала его к себе крепко-крепко, так что ему стало неудобно, хотя он любил с ней обниматься и обнимался всегда от души, с чувством, подолгу, и потащила обратно в комнату.

Тут он вдруг заподозрил неладное и встревожился. Ему показалось, что мать вот-вот заплачет, а для него не было худшего горя, чем ее слезы.

— Мам, ты чего? — спросил он испуганно и посмотрел ей в лицо. — Ты чего, а?

— Ничего, ничего, сыночек. Все хорошо, — сказала мать, и он понял, что не зря заподозрил — у нее был странный, насморочный голос и нос покраснел. Может, простудилась? Федор не любил простуживаться. Бабушка натирала его скипидаром и ставила горчичники, которые жгли.

— Мам... я макарон хочу!

— Сейчас, сейчас будем ужинать. Скоро.

— Ну, я пошел, — объявил с порога отец. — До свидания. Вещи мои завтра соберешь, я заеду.

Мать вцепилась в Федора так, что он взвизгнул:

— Больно!

— Прости меня, сыночек.

Держась очень прямо и не выпуская плечика Федора, за которое она ухватилась, мать повернулась, и Федор вынужден был повернуться вместе с ней.

— Мам, пусти!.. И я макарон хочу.

— Почему прямо сейчас? — спросила мать ужасным, не своим, мертвым голосом. — Зачем сейчас? Что за спешка? Может быть, утром поедешь?

— Да какая разница, утром, не утром, — устало ответил отец. — Самое главное, мы все решили.

— Решили? — переспросила мать.

— И не начинай! — Отец повысил голос, и Федор окончательно перепугался. Выходит, скандал все-таки будет, а он не успел, не сообразил, не отвел беду заранее!

— Мама, — заскулил он в надежде отвлечь ее, — я макарон хочу!.. Или каши! Каши даже еще лучше!

Он не любил кашу, но знал, что мать всегда была довольна, когда он ее ел. Каша считалась «полезнее» макарон.

— Ну и уходи, — выговорила мать. — Давай, мчись, вдруг опоздаешь! Или тебе там по шее дадут, если вовремя не примчишься? Давай-давай, мы и без тебя справимся! — И она опять больно подхватила Федора под мышки и прижала к себе. — Правда, миленький? Правда, мой хороший? Никто нам не нужен, мы сами, сами!..

Вот этого подросший Федор и не мог ей простить — того, что они «сами»!.. Он помнил это очень отчетливо всю жизнь и, когда подрос, стал помнить даже острее, чем в детстве.

Отец ушел не за хлебом и не к бабушке поехал, он ушел навсегда, вот что означало их сидение на диване с грозными напряженными лицами. Он ушел и как-то очень быстро про них забыл — и про мать, и про Федора.

Несколько раз он приезжал, и Федор тогда все еще до конца не понимал и каждый раз удивлялся, почему отец забирает его на улицу и они торчат там так долго. На улице, на продуваемом со всех сторон унылом пространстве московского двора, было скользко и неуютно. Они слонялись возле гнутых ржавых железок, которые когда-то давно были каруселькой и лестничкой — в этих каруселях и лестничках выражалось «благоустройство московских новостроек».

Все время была зима, из своих немногочисленных встреч с отцом Федор Башилов помнил почему-то только зиму, или отец больше никогда и не приезжал?..

Они слонялись, и Федор даже пытался лазать по гнутым железкам — так он себя развлекал — и катался с деревянной облезлой горки, только кататься было неудобно. В волосатые рейтузы моментально забивался снег и смерзался в ледяную корку, шапка съезжала на глаза, и узковатое пальтецо мешало ужасно. Отец смотрел на него с отвращением, а может, это Федор потом придумал, что с отвращением!.. После он приводил сына домой, где всегда пахло одинаково — щами и стиральным порошком. По выходным мать стирала и варила огромную кастрюлю щей, чтобы хватило на неделю. В будни готовить ей было некогда. После того как отец ушел, она устроилась еще на какую-то дополнительную работу, и Федор за это на нее очень сердился — она совсем перестала бывать дома, и книжку про Тигру они больше не читали. Она теперь приходила поздно, садилась на кухне прямо в сапогах и дурацкой вязаной беретке, которая очень ее портила, закрывала глаза и сидела так подолгу, Федору казалось, что несколько часов. С сапог натекала небольшая грязная лужица, и Федор, сопя, тащил из ванной огромную жесткую тряпку и сосредоточенно ползал по полу вокруг ее ног, подтирал лужицу.

Иногда она открывала глаза, улыбалась и говорила ему, что он ее «помощник».

— Никто нам не помогает, — говорила она тогда, — ну и ладно. Мы сами справимся, правда, Феденька, сыночек?..

Он соглашался, пока был маленький, а потом перестал соглашаться.

Она никогда не плакала, наверное, чтобы не пугать его, и заплакала только один раз.

Ему было уже лет двенадцать, и он уже ненавидел жизнь, которой они живут. Ненавидел крохотную квартирку, где был слышен каждый звук, ненавидел двор, нищету и запах щей и стирального порошка. И постоянную усталость, в которой жила мать, он тоже почти ненавидел и все вечера проводил у телевизора, где показывали совсем другую планету: дорогие машины, красивые женщины, романтика и фейерверк развеселой бандитской жизни — вот что было тогда в телевизоре!

Мать однажды пришла с работы и, как обычно, сидела на кухне, закрыв глаза, а в телевизоре очень красивый комментатор значительно говорил что-то про Париж, про коллекцию картин, про культурные связи и все в таком духе.

Мать вдруг разлепила веки, тяжело поднялась и зашла в комнату, где Федор неотрывно смотрел в экран.

— Сапоги бы хоть сняла, — пробурчал он.

Он уже не ползал с тряпкой вокруг ее ног и не старался навести чистоту, ему тогда уже почти на все было наплевать.

— Я там была, — вдруг сказала мать.

— Где? — не понял Федор.

— В Париже, — и головой она показала на экран.

— Когда? — поразился Федор.

— Еще в институте. Тогда это называлось по обмену. Я же учила французский язык, и меня на практику послали в Сорбонну. Я прожила там сорок восемь дней.

Федор перевел взгляд на экран, где уже рассказывали о чем-то другом, и пожал плечами.

Его мать не могла иметь никакого отношения к той жизни, которую показывали по телевизору. Не могла, и все тут!

Она вдруг сорвала с головы беретку, прижала ее к груди и одной рукой стала неловко стаскивать сапоги.

— Сейчас, сейчас, — бормотала она, — сейчас я тебе покажу!.. Как же я про них забыла!..

Прямо в пальто, с береткой в руке, которая ей мешала, она проворно протиснулась к серванту, стала на колени, раскопала в вазе, заваленной телефонными счетами и какими-то желтыми от времени и пыли квитанциями, потайной ключик от нижнего отделения, распахнула дверцу и стала вываливать что-то на пол.

Федор знал, что нижнее отделение серванта всегда заперто, и знал, где лежит ключик, и не раз туда заглядывал, но там не было ничего интересного — какие-то бумаги в картонных папках с белыми тесемками, альбомы с черно-белыми фотографиями стариков и старух с неулыбающимися застывшими лицами, корочки дипломов, всякая дребедень.

Возле серванта выросла целая куча бумаг, и Фе-

дор, заинтересовавшись, слез с дивана, подошел и
стал на колени рядом.

— Сейчас, сейчас, сынок, — говорила мать, и глаза у нее сияли, и прядь вывалилась из пучка. — Я тебе
покажу!

— Что покажешь, мам?..

Из самого дальнего угла она вытащила маленький
альбомчик с выпуклой розой на бархатной крышке.
Берет все еще был у нее в руке, и она нетерпеливо сунула его в карман.

— Вот смотри.

Бережно, как нечто драгоценное и хрупкое, мать
открыла альбом, и Федор с любопытством в него заглянул.

Там не было стариков и старух с чопорными черно-
но-белыми лицами. Там был какой-то цветной сказочный город, слегка выцветший и поблекший и, может быть, именно поэтому показавшийся Федору
таким настоящим. Он был жемчужно-серый, бесконечный и в то же время уютный. По этому городу
бродила девушка. Она рассматривала витрины, бол-
тала ногой на мосту, пила кофе из маленькой белой
нерусской чашечки и даже ехала на мотоцикле, короткие волосы развевались, и щеки горели!..

Федору девушка понравилась, и он спросил, кто
это.

— Дурачок! — сказала мать и засмеялась. — Это
же я!

Он не поверил.

Вот эта девушка на мотоцикле не может быть его
матерью! Что бы ни случилось с ней потом, та девушка никак, ну уж точно никак не могла превратиться в
его мать, с ее вечно усталым лицом и потухшим взглядом!..

— Да точно тебе говорю! Мне здесь... сколько же? Да, девятнадцать лет, — весело сказала мать. — Слушай, неужели я так изменилась, а?

Он пожал плечами. Он не знал, что ответить. Почему-то эти фотографии вдруг показались ему оскорбительными. И даже мысль о том, что та девушка — его мать, показалась оскорбительной тоже.

Мать рассматривала себя, и лицо у нее было светлым.

— Через год ты родился. Я вернулась, вышла замуж и...

Он молчал.

Рукой в цыпках, с ногтями, остриженными почти до мяса, она погладила фотографию, словно приласкала.

— Погода тогда была замечательная! И свитер я себе там купила, вот этот самый, я даже помню, сколько он стоил. Двадцать франков, а это ерунда. И он мне так нравился! И мне очень хотелось его носить, и как раз похолодало, и я все время его носила!

Федор помнил этот свитер. Собственно, он все еще был в употреблении — немного вытянутый и протершийся на локтях, старательно подлатанный, он лежал в гардеробе в его комнате, и мать надевала его, когда ей приходила фантазия покататься в выходной на лыжах. Она любила всякие глупые увеселения вроде катания зимой на лыжах или похода летом по грибы!..

— А это Монмартр, холм в центре Парижа, мы туда пешком шли, к самому собору! Вот видишь, собор. Оттуда такой вид! И я еле-еле дошла. У меня туфли были неудобные, и я ноги стерла. А это мы на пикнике. Нас было-то всего трое русских, а все остальные — французы с нашего курса. Вот с этим мы... дружили. Его звали Лоран, а друзья звали его Лоло, и это было... так... смешно. Видишь, какой здоровенный? И Лоло!..

Она еще посмотрела на фотографию, вдруг закрыла альбом и заплакала.

Федор тогда все еще пугался и не любил ее слез. Он сунулся к ней, разметая коленками папки с тесемками и старухами, обнял ее и прижал к себе. От нее пахло нафталином — она работала в фондах Музея изобразительных искусств, и от нее всегда так пахло.

— Мамочка, — говорил Федор и гладил ее по голове, — ты чего это, а? Ты не плачь, мамочка!

— Я не плачу, — отвечала мать, и ее слезы, горячие, крупные, девчоночьи, падали ему на руки, — я совсем не плачу, что ты, сынок! Просто я так давно об этом не вспоминала и даже думала, что совсем забыла, а тут... видишь как...

Он все обнимал ее и даже сам чуть не заплакал, так ему было жалко ее и так он ее любил, и тут она вдруг отстранилась, взяла его за уши и посмотрела ему в лицо. У нее были заплаканные глаза, очень серьезные.

— Федя, — попросила она. — Ты... свози меня когда-нибудь в Париж, а? Свозишь? Ну, пообещай мне!

Он пообещал, он готов был пообещать ей все, что угодно, и с тех пор у них так повелось — иногда, редко, когда все было хорошо и они не ссорились и даже любили друг друга, она говорила ему:

— Помнишь, ты обещал отвезти меня в Париж?

Он соглашался и отвечал, что помнит, и тогда она спрашивала:

— Отвезешь?

Он обещал отвезти, а потом они перестали играть в эту игру.

Федор как будто совсем разлюбил мать.

Разлюбил, когда понял, что именно она, мать, и никто другой, испортила и изломала ему всю жизнь. Навсегда.

Отец никогда не приезжал, и мать время от времени непонятно говорила, что им не нужны его деньги, и Федор ее почти не слушал. Для него деньгами считалось то, что мать приносит в день зарплаты и долго, мучительно пытается распределить так, чтобы хватило до следующей зарплаты, и по подсчетам всегда получалось, что хватит, а на самом деле никогда не хватало, и приходилось занимать у бабушки, и ехать на другой конец Москвы, и выслушивать ее нотации, а потом тащиться обратно и знать: то, что лежит у тебя в кармане, — последнее, больше помощи ждать неоткуда.

А потом Федор поступил в институт, и не просто в какой-нибудь, а в самый что ни на есть престижный, в Историко-архивный! Мать ходила к директору музея, и директор, кажется, хлопотал о том, чтобы Федора приняли, хотя он получил всего лишь одну четверку, по истории, и набрал вожделенный проходной балл! Впрочем, если бы не директор, может быть, и не приняли бы, и директора следовало «отблагодарить», но как благодарить — ни Федор, ни мать понятия не имели.

И тогда она позвонила отцу.

Федор ничего об этом не знал, слышал только, что она несколько раз звонила куда-то и говорила сначала специальным холодным голосом, а потом умоляющим, а потом плачущим. Федор не хотел слушать ее причитаний, нарочно не хотел, потому что в тот момент чувствовал себя победителем жизни, а плачущий голос матери с этим чувством никак не вязался.

Он победил. Он поступил. Поступил в такой престижный вуз, и теперь, конечно же, вся его жизнь изменится навсегда! Он будет хорошо учиться, он найдет достойную работу, сделает сумасшедшую карьеру, и все у него будет, как у тех самых людей из телевизора, которые не давали ему покоя.

Должно быть, отцу быстро надоели приставания матери, потому что в один прекрасный день он вдруг приехал.

Он не приезжал лет десять или даже больше, а тут вдруг приехал.

Федор был дома и открыл ему дверь — и ничего не понял. Отец почти не изменился, сын запомнил его именно таким — высоченным, широкоплечим, поджарым, с отросшими, очень темными волосами.

— Привет, — поздоровался отец, странно морщась. — Мать дома?

Федор кивнул.

— Дай пройти-то, — помолчав, сказал отец. — Мне, знаешь ли, некогда.

Федор сообразил, что стоит в дверях, и торопливо посторонился, пропуская отца. Тот вошел в узкую прихожую, остановился, взглянул на Федора и усмехнулся:

— Мать дома, я спрашиваю? Или ты немой?

— А... дома. Проходи...те.

— Ну, позови ее! — приказал отец.

Какой-то человек в кожаной куртке и с витым проводком за ухом остался на лестничной площадке и теперь заглядывал в квартиру. Лицо у него было точно такое же, как у отца, — насмешливое и брезгливое.

Федор кинулся в комнату, уронил на пол что-то сильно загрохотавшее и заорал очень громко:

— Мама!

— А?

— Мам, пойди сюда! К тебе... пришли!

— Кто?

— Мама!!

Она выскочила из кухни, увидела в прихожей отца и стала сдирать фартук — не слишком чистый, в неаппетитных пятнах. У Федора покраснели скулы и стало жарко загривку — от стыда.

— Привет, — сказал отец и велел Федору закрыть дверь на площадку.

Протискиваясь мимо него — тот стоял неподвижно, — Федор почувствовал, как отец пахнет — чем-то дорогим и очень свежим.

На площадке стоял второй, со шнуром за ухом.

Федор понятия не имел, кто это может быть.

— Вы... не зайдете? — спросил он вежливо и по лицу того понял, что спросил глупость. Он осторожно прикрыл дверь и ринулся в комнату, где происходило нечто невиданное.

— Я привез тебе денег, — заявил отец, не вынимая рук из карманов. — Только это первый и последний раз. Ты поняла?

Мать кивнула. Лицо у нее дрожало.

— И не звони мне больше, не приставай. Ты поняла?

Мать еще раз кивнула.

— Денег я больше не дам, а разговаривать нам с тобой не о чем. Согласна?

Мать кивнула снова.

Отец вынул из кармана длинный белый конверт, но матери не дал, а швырнул его на стол, так что конверт проехал по полированной поверхности и свалился на пол. Федор подхватил — конверт был плотный и довольно увесистый. Должно быть, там было немало. Федор осторожно положил его на стол.

— Значит, в институт поступил, — глядя только на мать, продолжал отец. — Ну, это неплохо, наверное. Отделение платное?

Мать отрицательно качнула головой.

— Ну, тогда это все мартышкин труд. — Он всем телом повернулся и взглянул на Федора. — Тебе не учиться, тебе работать давно пора. Ты же мужик здоровый!..

Федор сглотнул.

— А где же мне... работать? Без образования никуда не возьмут.

Отец снова перевел взгляд на мать.

— Узнаю, — сказал он весело, — узнаю старые песни о главном! Воспитала в своем духе, значит?

Мать насупилась. Пучок волос у нее на голове мелко затрясся.

— Значит, больше ко мне не приставай, ничего не дам, — заключил отец. — А ты бы поработал немного, парень! Глядишь, чего бы и заработал!

Он повернулся на каблуках, вышел в прихожую, и входная дверь громко захлопнулась за ним.

Федор вопросительно посмотрел на мать. Она закрыла лицо руками.

Он сейчас уедет, вдруг подумал Федор. Он уедет, и я больше не увижу его *никогда*. Он же велел ему не звонить! Сердце тяжело стукнуло и пустилось в галоп.

Федор Башилов подхватил с вешалки свою куртку, сунул ноги в разбитые кроссовки и ринулся вниз.

— Подождите! — крикнул он в пролет, но, видимо, опоздал.

Сейчас он уедет, уедет навсегда, этот странный чужой, родной человек, и я больше не увижу его, и ни о чем не успею спросить, и ничего не смогу ему сказать, и он ничего обо мне не узнает, а мне так хочется, чтобы узнал!

Федор выскочил на улицу, скатился с залитого весенней капелью крыльца и налетел прямо на громадные черные машины, которые, урча моторами, стояли, перегородив все подходы, и какая-то перепуганная бабка с девчонкой на буксире лезла через подтаивающий сугроб, пытаясь прорваться к подъезду.

В одну из черных садился его отец.

— Подождите!.. — Федор хотел крикнуть, но не осмелился, перетрусив перед машинами, и как-то жалобно, хрипло попросил еще раз: — Подождите!..

— Это ты мне? — осведомился отец негромко. — Что тебе нужно?

Федору решительно нечего было ответить на этот вопрос. Да и как на него ответишь?..

— Я это... — и он шмыгнул носом, — я ничего. Я просто... так.

— Как — так? — переспросил отец.

Тот самый человек, с витым шнуром за ухом, стоял одной ногой на подножке второй машины и переводил взгляд с отца на сына.

— Я... просто поговорить... хотел. — Тут Федор окончательно понял, что затея его глупа, и, махнув рукой, повернулся, чтобы идти в подъезд.

— Подожди, — остановил его отец. — Иди сюда.

Федор помедлил и подошел.

— Садись, — решившись на что-то, велел отец. — Только побыстрее!..

Оскальзываясь и чуть не падая, Федор Башилов обежал машину, и еще какой-то, третий или пятый, человек открыл перед ним другую заднюю дверь. Он ввалился в салон как-то очень неловко, головой вперед, и машина сразу же рванула с места.

— Ну? — спросил отец где-то над ним. — И о чем ты хотел со мной говорить?

Федор сел прямее, кое-как пристроил ноги и боязливо огляделся.

В салоне было просторно и чисто, как в небольшой ухоженной комнате. Отец сидел свободно, раскинувшись на диване, и полы его пальто показались Федору мантией Воланда. Крепкий затылок водителя ничего не выражал. За тонированными стеклами летело серое весеннее московское небо.

— Твоя мать просила у меня денег, — сказал отец жестко, — и я ей дал. Больше ни на что не рассчитывайте.

— Да мы и... то есть я... я и не рассчитываю.

Кажется, отец немного смягчился.

— Как это тебя угораздило поступить в такой бабский институт?

— В какой? — не понял Федор.

— В бабский, — повторил отец охотно и фыркнул. — Историко-архивный! Старики учат баб копаться в пыли, всех и делов! И тебя туда же понесло! Вот мамкино влияние-то!

— Мне... нравится история.

— Да ладно! — сказал отец и махнул рукой в перчатке. — Нравится ему! А мне, может, география нравится! И чего?

— Что? — не понял Федор.

— Самое главное в жизни — деньги, — сказал отец совершенно серьезно. — За деньги можно купить все: историю, географию, образование, баб, детей! Да все, что хочешь! Ты не умеешь зарабатывать или мамка не велит?

Федор молчал, насупившись. Он никогда не называл мать «мамкой», и крепкий затылок водителя очень его смущал. Как-то не так они говорили с отцом и не о том!..

Это уже потом, осмыслив, он понял, что они говорили все правильно и только об этом — о деньгах! — и имело смысл говорить, и что отец прав, тысячу, миллион раз прав!

Все в жизни упирается только в деньги, и точка. Все построено и замешено только на них.

— Да, — сказал отец, помолчав. — Не моя порода.

— Я не собака, — пробормотал уязвленный Федор, — и нет у меня породы.

— Да какая из тебя собака! — согласился отец. — Вот у меня собака, породы зенненхунд, слыхал? Вот это собака так собака, пять тысяч зеленых на выставке за нее отвалил! А ты? За тебя и пяти баксов никто не даст!

И тут он рассмеялся.

Федор смотрел на него во все глаза. У отца были молодые белые зубы и гладкая загорелая кожа на лице, и вообще он казался совсем молодым человеком. Разве он мог быть женат на его матери, которая всегда выглядела как старуха, и одевалась как старуха, и вела себя как старуха?! Конечно, нет! Это какая-то ошибка.

— Что смотришь? — спросил отец, перестав смеяться. — Осуждаешь, что ли? Зря. Оправдываться перед тобой я не буду и объяснять тебе ничего не стану. Да ты и сам, лоб здоровый, все понимаешь!

— Что... понимаю?

— Как живет твоя мать, а как я!.. Две большие разницы. Я так жить никогда не хотел, так что все справедливо. Каждый получает по заслугам.

Федор хотел было возразить, что мать ничего этого не заслужила — ни отчаяния, ни одиночества, ни скучной однообразной работы за гроши, — но промолчал. Отцу вряд ли пришлись бы по вкусу его возражения, а Федору неудержимо хотелось нравиться ему.

Наверное, это было подло, но за мать он не заступился.

Мать была несчастной и слабой, а он вдруг почувствовал, как выгодно быть на стороне сильного!..

— Впрочем, она всегда знала, что связывает мне руки, и все-таки держала на коротком поводке! А я не могу быть на поводке! Не могу и не хочу! И оправдываться не хочу!

Федору тогда не пришло в голову, что отец именно оправдывается, он лишь удивился, что мать «держала его на поводке»! Мать, которую даже кот Василий не ставил ни в грош и решительно не желал ее слушаться!..

— Так что я тебе ничем не могу помочь, — заключил отец неожиданно. — Денег не дам, не проси.

— Да я и не прошу, — пробормотал Федор.

— Делать ты ничего не умеешь. Машину водишь? Федор сказал, что нет, не водит.

— Ну, вот видишь! Даже водилой тебя никто не возьмет! Валяй, учись своей истории! Научишься, поступишь в музей, будешь там пыль глотать, как мать, всю жизнь за три копейки!

— А вы... то есть у вас... какая работа?

— У меня бизнес, а не работа, — сказал отец и потянулся на сиденье, запрокинув черноволосую голову. — А это тоже две большие разницы.

— Какой бизнес?

— Мебельный, — ответил отец легко. — Салоны видел «Элитная мебель для элиты»?

Федор мебелью не особенно интересовался, но на всякий случай сказал, что видел.

— Вот то-то. Все мои! Ну, фабрики, заводики тоже. В Дмитрове сейчас фабрику перекупаю, надоело в командировки мотаться. Хотя под Москвой производство недешевое, да что теперь делать!..

— А что делать? — наивно спросил Федор, и отец засмеялся, вновь показал крепкие молодые зубы.

— Расширяться надо, говорю, олух ты царя небесного! Большой бизнес, большие планы! Я так думаю, что народ в столицу как валом валил, так валить и будет, следовательно, будет покупать квартиры и мебель, мебель и квартиры! А у меня уж все готово!

Он перестал улыбаться, посмотрел на часы, а потом в окно.

— Ну, где тебя высадить?

Федор такого поворота не ожидал. Они даже ни о чем не поговорили — только про какую-то мебель, на которую Федору было решительно наплевать! Он хотел спросить отца, почему тот ушел, почему ни разу не позвонил и перестал приходить к нему, к Федору! Ну, мать ладно, допустим, мать он разлюбил, а его, сына, тоже, что ли, разлюбил? Или просто никогда не любил? Или он не угодил ему чем-то?..

— Сейчас к метро подъедем. Костя, притормози там.

— Хорошо, Алексей Дмитриевич.

— А это... охрана? На той машине?

Отец весело и победительно взглянул на сына:

— Охрана, браток. Нынче по Москве без охраны мне никак не полагается! А ты чего думал, я музейный работник, вроде матери твоей?!

Машина стала медленно забирать вправо, и Федор

понял, что аудиенция окончена, а отец вдруг сказал, доставая из нагрудного кармана визитную карточку:

— Звони, если захочешь! Денег не дам, а так, если совета спросить, можешь набрать. Я тебя по-отечески, так и быть, проконсультирую бесплатно!

— В чем... проконсультируете?..

— Да хоть в чем. — Отец хлопнул его по плечу, как делают в сериалах, и махнул рукой. — В бизнесе, когда надумаешь делом заниматься. Выметайся. Во-он за ту ручку потяни и выметайся! Пока.

— Пока, — пробормотал Федор и кое-как вывалился из причалившей к обочине машины.

Под ногами была каша из воды и снега, и он сразу начерпал полные кроссовки этой каши, и какая-то девчонка шарахнулась в сторону, испугавшись громадных черных исполинов с тонированными стеклами. И на Федора, вывалившегося в лужу, она посмотрела, как ему показалось, с интересом. Девчонка была красивой, и просто так, если бы не эти самые исполинские машины, она на него вообще бы не взглянула, это уж точно!

Он стоял по щиколотку в снеговой воде и смотрел вслед машинам, пока они не скрылись из глаз, а потом выбрался из лужи, бессмысленно потопал ногами и побрел в сторону дома. Он выскочил без денег, а ломиться мимо контролера «внахалку» ему не хотелось, да и подумать было о чем.

Он шел и думал о своем отце, и все время одними и теми же словами — вот, значит, он какой! Высоченный, красивый, молодой, сильный!.. И машины, и охрана, и водители — повелитель мира, одним словом! Конечно, такой человек не мог жить с его матерью, просто не мог, и все тут. Она была словно из альбома — старуха с черно-белым угловатым лицом, как из прошлой жизни, — а отец такой земной, деятельный, должно быть, очень жизнелюбивый!

Федор вроде бы позабыл о том, что отец много лет не приходил и вообще не интересовался его существованием и сегодня, когда они наконец встретились, все время повторял, что денег не даст, хотя Федор не просил у него ничего! Сын как будто оптом все ему простил — за победительность, за молодое лицо, громкий смех, за уверенность, которой самому так не хватало!

Он брел домой, стискивал кулаки и думал все время об одном и том же — он хочет быть таким, как его отец, у него, Федора, ведь есть отцовские гены, значит, и он сможет, раз тот смог! И как он там сказал про его институт? Бабский? Старики учат баб пыль глотать? Ну, и прав он! Прав! Прав!

И гордость от поступления в «элитный» вуз как-то моментально слиняла, и учеба потеряла всякий смысл, и все пять лет Федор Башилов учился словно через силу.

Нет, не так.

Он словно делал все время вид перед отцом, что учится через силу! Отца он с тех пор видел всего пару раз, и про учебу тот ничего не спрашивал, но Федор старательно изображал — и перед самим собой, и перед матерью, — что просто «тянет лямку», угождает матери, которая «запихнула» его в такое неподходящее место.

Деньги, которые тогда отец швырнул на стол, предназначались в благодарность директору музея, тот, ясное дело, их не взял, да еще и накричал на мать, чтобы та и думать не смела взятки ему давать! И она, вернувшись домой, снова плакала обильными благодарными слезами и денежки отнесла «на книжку», а там было немало — три тысячи долларов. Мать сказала, что начало положено — теперь они будут копить Федору на машину или на свадьбу. А Федор совершенно точно знал, что на машину они не накопят никогда, а свадьба дело в принципе очень неопределенное!

За пять лет денежки разошлись. Бабушка болела, и ей нужно было покупать лекарства, только она все равно умерла. Потом Федор задумал бизнес — он пыжился изо всех сил, все мечтал быть похожим на отца! — и прогорел, конечно. Он взялся ремонтировать квартиры, и его тут же надули. Два парня, с которыми он открыл этот самый «ремонтный бизнес», получив первую зарплату, долларов двести, купили себе по мобильному телефону и Федора бросили. Он остался один, а заказчик, какой-то молдаванский торгаш с рынка, усатый, пузатый, вальяжный, с выпученными карими глазами, чуть было не взял его в рабство — отобрал паспорт и несколько дней не выпускал на улицу, все требовал, чтобы Федор закончил начатый ремонт, а потом отнял все деньги и пинками выгнал его за дверь, резонно рассудив, что в Москве держать человека в рабстве не с руки — еще менты застукают, и не откупишься от них!..

Денежки разошлись, ничего от них не осталось, и машина не получилась, и свадьба не состоялась. Впрочем, какая там свадьба!.. Светка сказала, что ничего из него никогда не выйдет, а им, девчонкам, нужны победители, а не какие-то драные оболтусы в куртке из «искусственного кролика»! Да еще и «музейные работники»!

После «элитного» Историко-архивного института Федор Башилов стал музейным работником. Все в точности так, как говорил ему когда-то отец. Он работал в музее и получал семь тысяч восемьсот тридцать три рубля семьдесят копеек, тютелька в тютельку, согласно штатному расписанию.

И хотя в последнее время мать уже не спрашивала Федора про Париж, он все-таки еще немножечко ее любил. И жалел.

Федор Башилов, занятый своими горестными мыслями, пропустил самое главное.

Он пропустил троллейбусных контролеров, а когда увидел, было уже почти поздно!

Как обычно, их было двое — две толстые тетки в пальто и шапках надвигались на него с двух сторон, как охотники на волка, и от них не было спасения. Платить штраф Федору было нечем, и он знал, что дальше начнется отвратительная, унизительная волынка с высаживанием его из троллейбуса, долгими объяснениями и ничего уже не поможет! И как это он их проглядел?!

Понимая, что ничего не поможет, он все же стал бочком продвигаться к задней двери, но контролерша, кажется, уже его заметила, наметанный глаз определил, что длинноволосый голодранец заметался, и Федору показалось, что на большом, плоском контролерском лице мелькнули злорадство и удовлетворение — должно быть, им *на самом деле* нравится ловить зазевавшихся «зайцев»!

Он сделал вид, что уронил что-то под сиденье, нагнулся и стал шарить, краем глаза поглядывая на своих приближающихся загонщиков.

— Ты чего там ищешь? — равнодушно спросил сидящий дедок и покрепче обнял свою сумку. — Чего там тебе надо?

— Ничего, — пробормотал Федор. Волосы вылезали из-под шапки, падали на глаза.

— Чего надо-то, спрашиваю? — повысил голос дедок, и Федор с тоской подумал, что не избежать ему скандала — сейчас, когда выяснится, что билета у него нет и денег нет, и они станут тащить его из троллейбуса, дедок непременно вмешается и понесет что-нибудь про то, какая нынче пошла молодежь, и что сажать таких — не пересажать, и раньше бы нашли управу, а нынче все распустились!

И тут произошло непредвиденное.

Возле передней двери произошли скандал и потасовка.

Передняя контролерша выловила вожделенного «зайца», видимо, менее опытного, чем Федор Башилов, который знал, что самое главное — с ними не спорить, а держаться тише воды ниже травы и тогда, может быть, отпустят. «Заяц» пустился во все тяжкие, закатил глаза и начал верещать, и все пассажиры моментально обернулись и вытянули шеи — еще бы, такое развлечение!.. И дедок совершенно позабыл про Федора, приподнял с дерматинового сиденья худосочный зад и стал коршуном глядеть в ту сторону, где скандалили.

— Ни-и-на! Ни-ина! — на весь салон протяжно закричала передняя контролерша, и задняя двинулась ей на помощь, как ледокол к застрявшему во льдах «Челюскину»!

— Пропустите, молодой человек! — сказала она Федору и отстранила его с дороги рукой, а тут и троллейбус затормозил, и добрый-добрый женский голос из динамика объявил на весь салон остановку и призвал не забывать свои вещи.

Федор Башилов ринулся к задней двери, скатился со ступенек, и свобода приняла его с распростертыми объятиями!..

Он не доехал всего пару остановок — а в центре они короткие, и пешком недалеко, — и за билет не заплатил, и в скандал не ввязался. Красота!

Он дошел почти до цели и уже видел сверкающие шпили и башни здания, к которому шел, и тут у него в нагрудном кармане затрезвонил телефон.

Ему редко звонили, и он сам почти не звонил — все экономил — и очень удивился, когда телефон затрезвонил. Еще больше он удивился, когда увидел, что это Светка, с которой он вроде как поссорился недавно, а она была не из тех, что кидаются мириться первыми.

— Да? — осторожно спросил в трубку Федор Башилов. Может, она хочет сказать ему, что они расстаются навсегда?!

— Федя, — прорыдала Светка в трубе, — Феденька-а-а!

Он перепугался так сильно, что стал как вкопанный, содрал с головы шапку и зачем-то кинул ее на заплеванный снег.

— Что?! Что случилось?!

И еще ему почему-то показалось, что беда приключилась с матерью. Он бы этого не пережил.

— Феденька, отдай им все, что они просят! Отдаай, Федя! Или они меня убью-ут!

За ширмой сидел старик Василий Дмитриевич, уронив голову на руки. Он сидел совершенно неподвижно, и Олег Петрович облизнул вмиг пересохшие губы.

— Василий Дмитриевич! — позвал он и сделал осторожный шаг. — Вы слышите меня?

Пожалуй, зря он оставил Гену Березина в машине.

Пожалуй, зря он все время выпендривался и ездил без охраны. Зря он вообще притащился сюда!..

— Василий Дмитриевич?!

Олег, никогда не любивший детективы, тем не менее точно знал, что именно в такой позе герой чаще всего и находит убитого. Сейчас он возьмет его за плечо, и тяжелое мертвое тело подастся, поползет со стула и обрушится на пол с ужасающим ненатуральным грохотом!..

— Все, все пропало! — пробормотало предполагаемое «мертвое тело». — Теперь уж точно все пропало!

Олег сильно выдохнул, постоял и взялся рукой за висок, в котором сильно и равномерно стучало.

Тело Василия Дмитриевича, пока еще вполне живое, зашевелилось на стуле и обратило к Олегу мученический лик.

— Великий бог! — возликовало тело, и лик преобразился, из мученического стал вполне человеческим. — Какое счастье, что вы приехали, Олег Петрович! Какое непередаваемое счастье, мой дорогой молодой друг!

Олег достал из кармана сигарету и закурил, не спрашивая разрешения.

— Так, — сказал он, стараясь не глядеть на старика, чтобы тот не обнаружил, как перепугался его «молодой друг». — Что такое случилось, Василий Дмитриевич?

— Голубчик! — простонал тот. — Дайте старику глоток коньяку! Один глоток, и я буду готов поведать вам все, что со мной стряслось! Только один глоток!

— Да где же я вам возьму коньяк?!

— Как где? Вон там, за дверкой, в шкапчике все приготовлено! Только налить и осушить, для успокоения стариковских нервов!

— В каком... шкапчике, Василий Дмитриевич?

— Во-он, в буфетике восемнадцатого века, то ли подлинная Анна Иоанновна, то ли подделка под нее, сердешную, я еще не разобрался. Бироновщина, бироновщина, дорогой мой, тогда мучила Россию!.. Ее все время мучило то одно, то другое... Там все и приготовлено.

Большими шагами Олег дошел до то ли подлинного, то ли поддельного «буфетика» времен Анны Иоанновны, распахнул створку, и точно! На полке было все приготовлено: и коньяк в хрустальном водочном графинчике, который с коньяком никак не вязался, и лимончик кружочками на блюдечке, и даже нарезанное толстыми кусками сало — это уж совсем ни к чему! Сервировано все было на подносе, и Олег достал поднос и водрузил перед антикваром. Видимо, Василий Дмитриевич как раз собирался подкрепить свои силы, и тут случилось нечто «кошмарное», из-за чего весь сыр-бор разгорелся.

— А вы? Со мной за компанию?

— Под сало, Василий Дмитриевич?

— Да вы ведь не на обеде с принцем Альбертом, дорогой мой! — парировал старик. — Это там у них коньяк салом не заедают, а у нас тут — отчего же?

Олег налил темную, вкусно пахнущую жидкость в две пузатые узкогорлые рюмки, взял свою, понюхал, покрутил в руке, еще раз понюхал и выпил залпом.

Коньяк оказался не так уж плох, как можно было предположить. Старик проглотил свою порцию, немедленно налил из графинчика еще, и опять проглотил, и снова налил.

— Василий Дмитриевич, — глядя на его манипуляции, сказал Олег Петрович. — Если вы намерены продвигаться такими темпами, я, пожалуй, поеду.

Старик схватил его за руку и чуть было не прижал ее к груди, но Олег не дал.

— Друг мой! — вскричал старик страшным голосом, покосился на свою рюмку, подхватил ее и опрокинул в себя. — Вы даже представить себе не можете, в какое ужасное положение я попал!

— Не могу.

— Вы даже не знаете, какая опасность мне угрожает!

— Не знаю.

— Вы и не предполагаете...

— Не предполагаю, — перебил его Олег Петрович. — Но у меня встреча, я не могу опоздать. Намек понимаете?

— Конечно, конечно, понимаю! — Антиквар снова налил себе и снова тяпнул и только тут заел лимончиком. — Итак, я грешен! Страшно грешен, Олег Петрович!

Олег потушил сигарету в замысловатой пепельнице, напоминавшей то ли цветок лотоса, то ли морскую раковину. Пепельница была пыльная, и в тесном пространстве сразу завоняло жженой шерстью.

— Каяться — это к батюшке. — Олег выразительно посмотрел на часы. — Я-то чем могу служить?..

— Секунду, секунду, одну небольшую, самую маленькую секундочку...

Старик проворно подскочил со стула, с сожалением посмотрел на графинчик, где еще порядочно оставалось янтарной жидкости, и побежал в сторону облупленной сейфовой двери, за которой, Олег знал, у него была комнатка, где он держал самое ценное.

— За мной, за мной, Олег Петрович! — и распахнул дверь.

В комнате было совсем не повернуться, и яркий

свет лампочки без абажура, болтавшейся на длинном витом проводе, делал помещеньице похожим на камеру пыток из фильма про фашистов.

Ловко маневрируя между нагромождениями и баррикадами из вещей, старик добрался до огромного несгораемого ящика с поцарапанной дверью, нашарил ключи, отомкнул многочисленные замки и, косясь на Олега, еще набрал какой-то шифр на кодовом замке.

Олег усмехнулся и отвернулся.

Тяжелая дверь отворилась, чуть скрипнув.

— Вот, — сказал старик. — Вот они, мои прегрешения. Полюбуйтесь.

Олег заглянул внутрь.

Никаких особенных прегрешений он не увидел, зато на средней полке, прямо у него перед глазами, оказалась превосходная небольшая коллекция серебра и бронзы. Здесь были изумительные настольные часы, поднос с кувшином и стаканами, чернильный прибор, небольшое кабинетное распятие превосходной работы, кофейник с печатью Османов и — в лучших традициях! — малахитовая шкатулка с наборной крышкой, отделанная черненым серебром и самоцветами.

Олег длинно присвистнул.

На глаз он датировал коллекцию примерно серединой восемнадцатого века.

Василий Дмитриевич смотрел на него, не отрывая беспокойных глаз.

— Откуда это у вас?

— Да в том-то все и дело, голубчик мой...

— Можно?

— Да конечно, конечно! Берите! Смотрите!

Олег взял в руки то, что притягивало неимоверно — шкатулку, — и даже охнул, такая она оказалась тяжелая. Он покрутил ее так и эдак, вернул на полку, попробовал открыть, и она поддалась! Олег был уверен, что шкатулка не открывается! Стенки у нее были толщиной в два пальца, и внутри она оказалась значительно меньше, чем можно было предположить снаружи.

— Шкатулка-то не простая, — самому себе сказал Олег. — С секретом шкатулочка.

— Да ведь, — старик оглянулся по сторонам и сунулся к уху Олега Петровича, — да ведь батюшка Серафим был взят отсюда...

Олег быстро на него взглянул. Василий Дмитриевич закивал.

— Да, да, икона, что вы забрали, с ликом Серафима Саровского. Я ведь ее отсюда и достал.

— Как... отсюда?

— Да вот прямо из шкатулочки!

Олег уже ничего не помнил о встрече, на которую опаздывает, о прелестной барышне Виктории, ожидающей в машине. Его интересовало только одно — изумительная коллекция, в которой непонятно как оказалась еще и икона!..

Он поискал глазами, куда бы ему поставить шкатулку, чтобы рассмотреть получше, и, бережно взяв обеими руками, пристроил на деревянные козлы, тянувшиеся вдоль стены и заваленные всякой всячиной.

— Василий Дмитриевич, — начал Олег, рассматривая работу по серебру, — давайте-ка все сначала. Я ничего не понимаю. Откуда у вас эта коллекция?

Старик заюлил, завздыхал, стал отводить глаза и понес околесицу.

— Василь Дмитрич! — прикрикнул «молодой друг». — Коллекция откуда?

— Ах, бог мой, ну, просто коллекция, и все тут! Ее мне дали всего на несколько дней, для того чтобы оценить и подтвердить подлинность. Во вторник нужно вернуть.

— Да что тут подтверждать, все и так понятно! И мне понятно, и вам наверняка тоже!

— Хорошо, но могут быть обстоятельства, в которых людям просто нужно подтверждение, и все тут! Разве таких обстоятельств не бывает?

— Полно врать, Василий Дмитриевич, — сказал Олег не без укора. — За кого вы меня принимаете? Говорите все, как есть!

Он подозревал нечто не слишком красивое и, главное, не слишком законное, но все оказалось еще хуже.

Коллекцию антиквару принес совершенно неизвестный и дотоле Василием Дмитриевичем никогда не виденный молодой человек. Просто в сумке принес. Расставил все на столе и попросил оценить.

— Вы же не эксперт. Вы антиквар, — заметил Олег Петрович. Он все никак не мог оторвать глаз от шкатулки, рассматривал, открывал и закрывал тяжелую толстую крышку.

Василий Дмитриевич махнул рукой:

— То-то и оно. Das ist ja unerhört![1] Черт знает что!

— То есть этот самый молодой человек понятия не имеет, кто может, а кто не может оценивать подобные вещи, и тем не менее располагает такой коллекцией! И он принес ее вам просто по недомыслию. Правильно я понимаю?

---

[1] Это неслыханно!

Старик посмотрел на него несчастными глазами.

— Вы, конечно, моментально поняли, что коллекция краденая, но все же взяли ее, как бы для оценки.

Старик кивнул с похоронной мрачностью.

— Тяжкий грех, — объявил он и стукнул себя кулаком в грудь. — Тяжкий.

Он лукавил, и Олег прекрасно это понимал.

Отказаться невозможно — как наркоману от дозы. Невозможно, и все тут! Когда ты видишь *это* своими глазами, можешь подержать в руках, когда, как Скупой рыцарь, трясешься над сокровищами, когда единственная мысль — немедленно забрать все себе, — где уж тут отказаться?!

Олег и сам такой.

Старина притягательна, опасна и вечна, как бриллианты. Неистовое желание обладать может в два счета обратить в преступника любого, самого законопослушного человека!

— А икона при чем?

— А икона была вынута вот отсюда, Олег Петрович.

Василий Дмитриевич приблизился, повернул на козлах шкатулку так, что задняя ее стенка оказалась на свету, и показал пальцем:

— Видите?

— Что?

— Вот здесь зазорчик. И вот с этой стороны, изволите наблюдать, тоже. О чем нам это говорит?

— О том, что в задней стенке тайник?

— А вот и нет-с, мой молодой друг! Тайник, конечно! Только не в задней стенке. Дайте-ка мне вон там, видите, медную проволочку! Ах, боже мой, ну вон же, вон, слева от чайника!

Олег подал ему кусок медной проволоки. Антиквар аккуратно просунул ее в уголок, где неплотно сходились две серебряные пластины, легонько потянул и выдвинул дно шкатулки. У Олега от предвкушения сладко замерло сердце.

— Вот здесь я и обнаружил лик батюшки Серафима.

— Шкатулка с секретом? — сам у себя спросил Олег Петрович. — Да еще с таким? Откуда бы ей взяться?..

Он задвинул потайной ящик, взял из пальцев Василия Дмитриевича проволочку, засунул в зазор, потянул, и ящичек вновь легко выдвинулся. Внутри он был полностью серебряный, с замысловатым клеймом мастера.

— Лупа есть, Василий Дмитриевич?

Старик вздохнул.

— Лупа есть, разумеется, — пробормотал он. — Но неужели вам действительно нужна лупа?! Неужели вы без лупы не можете определить?

— Фамилию мастера не могу.

— Да зачем вам фамилия, дружочек мой! Вы... принадлежность коллекции определите по фамильному гербу владельца.

Олег еще раз со всех сторон осмотрел шкатулку, потом снова заглянул в несгораемый шкаф и по очереди выставил на козлы и часы, и поднос, и чернильный прибор, и распятие, и кофейник. Василий Дмитриевич расчищал ему место и поглядывал нетерпеливо.

Олег ощупал и осмотрел каждую вещицу.

— Ну хорошо, допустим, — сказал он, отвечая на немые ужимки Василия Дмитриевича. — Допустим. А кофейник откуда? Кофейник-то османский!

— Ну как же откуда, дорогой вы мой?! Как же откуда? Вы припомните, припомните хорошенько!

Олег подумал.

— Вы хотите сказать — Николай Никитич? Тот, что был адъютантом Потемкина во вторую турецкую кампанию?

Старик просиял и закивал.

— Да, — Олег задумчиво потер пальцами выбитую в серебре печать Османов, — вполне возможно. Вполне возможно, что Николай Никитич басурманский трофей привез на родину и дополнил, так сказать, семейную коллекцию.

— Ну? — выдохнул старик. — Ну-с? Резюме!..

— Да все понятно, — заключил Олег. — Это остатки знаменитой фамильной коллекции Демидовых.

Василий Дмитриевич счастливо засмеялся и отечески похлопал Олега по плечу.

— Предположим, шкатулка принадлежала Акинфию Никитичу, сыну Никиты Демидова, того самого, которого Петр Первый во время войны со шведами сделал поставщиком ружей, а потом пожаловал ему уральские земли. В то время именно так работали по серебру, довольно грубо, и это видно. — Олег прищурился на серебро и продолжал: — Собственно, именно Акинфий Демидов и открыл алтайские серебряные рудники, а в тысяча семьсот двадцать шестом году получил вместе с братьями потомственное дворянство. Его внук Павел Григорьевич активно жертвовал Московскому университету. Громадные демидовские коллекции пожертвовал Павел Григорьевич, громадные! Ничего не жалел для отечества и науки.

Василий Дмитриевич кивал при упоминании каждого имени.

— Частично демидовские коллекции были привезены из Франции и из Флоренции, где жил еще один Демидов, Анатолий Николаевич, женатый, если па-

мять мне не изменяет, на какой-то родственнице На-
полеона. Это уж девятнадцатый век!

— Не изменяет, не изменяет, рано вам еще жало-
ваться на память! А женат он был на племяннице им-
ператора, Матильде.

Олег помолчал и еще раз осмотрел каждый предмет. И вдруг удивился:

— Слушайте, а как все это могло оказаться у какого-то молодого человека в сумке?! Ну, если только,
конечно, он не знаменитый музейный вор!

Старик пожал плечами и отвел глаза.

Было совершенно ясно, что вещи краденые. Да
еще не просто краденые, а именно — из музея!

— Так, хорошо, — быстро сказал Олег. — А Серафим? Он откуда? Первые известия о его жизни были
напечатаны только в середине девятнадцатого века.
А про изображения я вообще ничего не знаю, кажется, они появились значительно позже... или нет? И кому могла в то время принадлежать шкатулка, непонятно; когда в нее положили икону, мы с вами сейчас
не установим, может, в конце девятнадцатого века,
может, в начале или даже середине двадцатого! Не
зная, откуда была... изъята коллекция, мы этого не
установим. — Он немного подумал. — А вы знаете
что-нибудь про изображения преподобного Серафима, Василий Дмитриевич?

— К стыду своему, должен признаться, что...

— Вот и я тоже — к стыду... Значит, придется искать эксперта. А про икону этот загадочный молодой
человек с сумкой вам вообще ничего не говорил?

— Нет, ни словом, ни полусловом не помянул,
Олег Петрович! Я так подозреваю, что он того... не в
курсе, что шкатулка с секретом и что там батюшка
Серафим, так сказать, нашел временное пристанище.

Олег покосился на Василия Дмитриевича.

— Пристанище? — переспросил он.

И они оба молча еще немного полюбовались коллекцией.

Акинфий Демидов, думал Олег Никонов, второй Демидов из всех известных в истории. Может быть, ему эту шкатулку на день рождения поднесли? Или он сам заказал для каких-то своих надобностей, для тайной переписки, к примеру! Как странно, что он, Олег, нынче может подержать ее в руках, открыть потайной ящичек, потрогать серебряную чернёную пластину!

Как будто потрогать руками *время*.

Нужно было сделать над собой усилие и оторваться от созерцания *времени*, и Олег его сделал.

Осторожно, одну за другой, он переставил вещицы обратно в несгораемый шкаф и прикрыл тяжеленную бронированную дверь.

Старик антиквар наблюдал за его действиями с беспокойством. До сих пор они были объединены общей страстью — к старине и к загадкам, которые так вкусно и сладко отгадывать. Настал момент объяснений, а объясняться старику не хотелось, и было страшно.

— Ну? — спросил Олег Петрович. — Я так понимаю, что это не конец истории, а только начало. Верно?

Василий Дмитриевич с горечью покивал и стал сосредоточенно запирать сейфовые замки. При этом многотрудном деле он посапывал, покряхтывал, но не произносил ни слова.

Олег дал ему закончить дело, а потом крепко взял под локоть и повел вон из комнатки.

— Нет, вы не думайте, Олег Петрович, что я хочу, так сказать, оставить себе, но...

— Давайте поговорим, — душевно предложил Олег.

Тут, как нарочно, и назначенная на пять встреча всплыла в памяти, и моментально вернулась окружающая действительность. Олег почувствовал, что замерз — в сокровищнице едва тлела единственная чугунная батарея, а за окнами мороз! — и сипение рефлектора стало отчетливо слышно, и приглушенные крики детворы, катавшейся на бульваре с ледяной горки.

— Садитесь, Василий Дмитриевич! И я присяду. — Олег устроился верхом на ненадежном венском стуле, который скрипнул под его тяжестью.

Старик вздыхал, маялся и снова налил из графинчика.

Молчание затягивалось.

— Василий Дмитриевич?

— Стыд, стыд, Олег Петрович!..

Олег подумал.

— Вы что, обещали... купить коллекцию?

Старик опрокинул коньяк, ссутулил плечи и кивнул.

— Ну, так не покупайте! Ее нельзя покупать! Она явно краденая, и даже не из частной коллекции, это же понятно. Остатки демидовских коллекций в частных собраниях есть только за границей, а в России все по музеям! Или вы хотите, чтобы вас объявили в международный розыск и в национальный заодно?! Поместили портрет в дежурной части «Их разыскивает милиция»?!

— Все гораздо хуже, Олег Петрович.

— Как?!

— Бес попутал! Говорю вам точно — бес попутал!

Олег начал догадываться.

— Вы что... уже купили?! Быть такого не может! Вы же опытный человек, вы все знаете! И с краденными вещами никогда дела не имеете!

— Да ведь бес попутал! Armleuchter! Старый идиот! Олег Петрович решительно не знал, верить ли ему своим ушам. Приходилось верить.

— Рассказывайте, как все было.

Молчание, сопение и вздохи.

— Василий Дмитриевич! — прикрикнул Олег. — Если вы мне не расскажете, я, ей-богу, уеду! И не стану вам помогать! Я не знаю, как мне вам помочь!

— Ну хорошо, хорошо!.. Молодой человек принес вещицы. Я сразу, так сказать, сообразил, что коллекция несметной цены, даже не потому, что серебро и бронза, а потому что...

— Ясно, ясно, — перебил Олег, — а потому, что демидовская. Там на каждой вещи как будто фамилия написана.

— Именно, Олег Петрович, именно! И потому, что не музейная, а именно фамильная, то есть до новейшего времени не музейная! Кувшинчик-то турецкий явно позднейший, значит, его Николай Никитич Демидов, как вы справедливо изволили заметить, вполне мог привезти в качестве трофея с Турецкой войны. И Серафим! Самое главное — Серафим! Он-то в шкатулке мог очутиться только в начале двадцатого века, в крайнем случае в конце девятнадцатого!

— Ну, про Серафима вы ничего знать не знали, — резонно возразил Олег Петрович. — Тот, кто вам принес коллекцию, про икону тоже не знал, а то, что шкатулка с секретом, вы сразу обнаружить не могли. Верно?

— Верно, — согласился Василий Дмитриевич не сразу.

— Если икону никто до вас не нашел, а она оказалась в тайнике, допустим, в девятисотом году — ну допустим! — значит, эта коллекция по крайней мере до семнадцатого года находилась в частном владении. Вот интересно-то. Очень интересно, Василий Дмитриевич!

— То-то и оно, — скорбно согласился старик. — Потому я и не устоял.

— На сколько не устояли?

— В каком смысле?

— Сколько вы заплатили неизвестному молодому человеку?

— Олег Петрович, вы же понимаете, что я не мог дать настоящей цены именно потому, что явное незаконное происхождение...

— Сколько?

Антиквар вздохнул:

— Пять тысяч.

— Пять тысяч... чего?

— Долларов, конечно!

— Господи помилуй, — пробормотал Олег Петрович. — Просто так, наличными?

Старик вдруг рассердился:

— Ну не выписывал же я ему банковский чек!

— И он счел сумму достаточной?!

Молчание и сопение.

— И вы просто отсчитали деньги?!

Молчание и горестное сопение.

— А... расписку взяли?! Нотариально заверенную?! Хотя какая расписка, когда вещи краденые!

Олег Петрович закурил сигарету и негромко чертыхнулся. Таких... экзерсисов от умудренного опытом Василия Дмитриевича он никак не ожидал.

— Но и это не самое плохое, — вдруг громко сказал старик. — Самое плохое то, что сегодня по телевизору туманно намекнули на кражу из какого-то крупного музея и велели ждать подробностей в вечерних новостях.

Олег смотрел на него во все глаза.

— Это первое самое плохое. А второе самое плохое то, что мне позвонили.

— Кто?

— Я не знаю. Мне позвонили и пригрозили... убить, если я не верну старье, кажется, именно так они и выразились — старье.

— Почему вы говорите — они?

— Потому что со мной разговаривали двое. Один ласково, а второй... Второй разговаривал со мной ужасно! Он говорил ужасным тоном ужасные слова, Олег Петрович.

— Вам... всерьез угрожали?

Старик кивнул. В лице у него что-то дрогнуло.

— Я старый человек, Олег Петрович, и прожил, должно быть, не самую праведную жизнь, да и с коллекцией бес попутал, но я ничем не заслужил, чтобы со мной разговаривали... подобным образом!

— Да им наплевать, — морщась, сказал Олег Петрович, — какую жизнь вы прожили!

— Да, но говорить мне, что с помощью паяльника можно забрать у кого угодно что угодно... тьфу, даже повторять не хочу!

— Паяльник — это не ново, — задумчиво пробормотал Олег. — Паяльник — это, можно сказать, ретростиль, Василий Дмитриевич. Хотя действует безотказно.

Старик открывал и закрывал рот, как большая рыба, выброшенная на берег.

— Итак, — подытожил Олег Петрович. — Неизвестный юноша забрал ваши пять тысяч долларов, которые вы ему выдали просто так. Другие неизвестные молодые люди позвонили вам и потребовали вернуть «старье», которое, собственно, и продал вам за эти пять тысяч юноша номер один. Вдобавок они вам угрожали.

— Гнусно угрожали, Олег Петрович.

— А по телевизору вы слышали о музейной краже, сложили два и два и получили, что наша коллекция — как раз и есть эта самая музейная кража.

— Точно так и есть. Atzend! Ужасно.

— Когда они хотят забрать коллекцию?

— Завтра я должен привезти все вещи до одной на станцию метро «Павелецкая». Ко мне подойдет человек и спросит, не продаю ли я столовое серебро. Я должен сказать, что продаю, и пригласить его в свой магазин.

— Как пригласить? Назвать адрес?

— Я должен сказать, чтобы он приезжал за столовым серебром сюда, на Фрунзенскую набережную... — Старик помолчал. — Вы знаете, от страха я даже забыл номер дома. Можете себе представить?

— Могу. И что дальше? Человек на «Павелецкой» заберет у вас сумку, и все?

— Да. Они оставят меня в покое.

— Или сдадут в милицию, — предположил Олег Петрович. — Если ваши предположения относительно музея верны, сдать вас в милицию ничего не стоит. Как раз когда вы будете передавать сумку. С поличным.

— Да, но... зачем?! Это же бандиты! Зачем им сдавать меня в милицию?!

— Мы не знаем, кто это, Василий Дмитриевич! С равной долей вероятности это могут быть и бандиты, и менты.

— Как?!

— Да так. Вашего юношу, который принес серебро и бронзу, вполне могли задержать. Судя по всему, он просто шестерка, никто, дурашка. Юноша мог рассказать, что отдал все вам. И теперь у них одна забота — разоблачить воровскую шайку так, чтобы ликовала вся страна. Милиция не дремлет! А шайка — это, собственно, вы и ваш молодой друг. Понимаете?

— Великий бог, — пробормотал Василий Дмитриевич убитым голосом и хлебнул коньяку прямо из графина.

— А может быть, вас просто развели на деньги.

— Раз... развели?

— Как ребенка. Один принес ценности, явно ворованные. Вас бес попутал, вы решили, что можно получить несметные сокровища за пять тысяч долларов, и вы их прямо тут, на месте, и отвалили. Подельники юноши должны у вас коллекцию забрать. Они и заберут — завтра на «Павелецкой»! И сдадут ее профессионалам, тем, кто всю жизнь занимается скупкой краденого. А вы считайте, что погорели на пять тысяч долларов и еще дешево отделались, вот и все.

— Великий бог, — жалобно пробормотал Василий Дмитриевич. — Великий бог!

Олег докурил сигарету и снова затушил ее в пепельнице, от которой воняло жженой шерстью.

— У вас продается славянский шкаф? — спросил он у старика. Старик только моргал воспаленными несчастными глазами. — Шкаф уже продан, — сам себе ответил Олег Петрович. — Могу предложить никелированную кровать!

— Все шутите, Олег Петрович.

— Какие уж тут шутки, Василий Дмитриевич! — И он взглянул на часы.

Старик переполошился.

— А... вы что, спешите, Олег Петрович?

— Да я вам об этом битый час толкую!

— А... мне что делать?

Олег подумал немного.

— Делать?.. Завтра... во сколько там вам велено быть на «Павелецкой»?

— В три часа.

— Завтра в три часа вы поедете на «Павелецкую» и выполните все инструкции, которые вам были даны по телефону. То есть сложите всю коллекцию в сумку и отдадите человеку, который спросит вас, не торгуете ли вы серебром. Прямо кино про шпионов какое-то!

— И что дальше?

— Дальше вы вернетесь сюда, откроете свой магазин и будете жить, как и прежде жили, но без демидовских серебра и бронзы.

— Позвольте! А мои пять тысяч долларов?!

— Тю! — сказал Олег Петрович и махнул на старика рукой. — Спохватились! Позабудьте про ваши пять тысяч! Для вас теперь самое главное, чтобы встречу назначили бандиты, а не менты! Бандиты просто заберут у вас сумку — и дело с концом. А менты возьмут вас с поличным.

— Как же так!

— Да так. Поэтому на всякий случай вас подстрахует мой водитель, Гена. Вы его знаете. Он довезет вас до места встречи и проконтролирует ситуацию.

— Да, но что ваш Гена сможет сделать в случае, если мышеловка захлопнется?!

Олег засмеялся, взялся рукой за спинку стула, наклонился и интимно шепнул старику:

— Тебя, Дима, посодют, а ты не воруй!..

— Олег Петрович!!

— Ну, мы попробуем что-нибудь сделать. Гена вполне опытный в таких делах человек.

— Да, но что он сможет?..

— По крайней мере, он известит меня, а я постараюсь замять скандал. И заметьте, я ввязываюсь во все это только из хорошего к вам отношения.

— Олег Петрович, дорогой, я отслужу, голубчик вы мой! И кресло вашей барышне! Первое же кресло Гамбса по совершенно, совершенно смехотворной цене.

— Во-первых, барышня не моя, это вы мне ее сплавили. Во-вторых, по-моему, в данном случае благотворительность неуместна. Кроме того, вам же нужно возместить убытки, пять тысяч долларов!

Старик спросил совершенно серьезно:

— Вы считаете?..

Олег покатился со смеху.

— Я поеду, Василий Дмитриевич. Меня время совсем поджимает. Да, и прежде чем ехать на «Павелецкую», не забудьте протереть все предметы. Можно просто мокрой тряпкой, а лучше со спиртом.

— Зачем?

— Чтобы не было ни ваших, ни моих отпечатков! А если по телевизору на самом деле говорили именно об этой краже?! В крайнем случае будем упирать на то, что сумку вам просто принесли и попросили подержать, а вы в нее даже не заглядывали. Вряд ли нам поверят, но все же лучше, если отпечатков не будет. Сделаете, Василий Дмитриевич?

— Конечно, конечно! Я вас не подведу.

— Вы меня уже подвели, — сказал Олег негромко.

Оставался еще один нерешенный вопрос, и — вот ей-богу! — он понятия не имел, как его следует решать.

...или сделать вид, что никакого такого вопроса вообще нет?

Искушение велико.

Поддаться ему — значит ввязаться в еще более темные дела, чем те, в которые ввязался Василий Дмитриевич.

Не поддаваться — значит потерять нечто драгоценное, такое, что потерять ни за что не хочется!

Олег помедлил, поглядывая на старика и прикидывая свои возможности.

Решимость улетучилась куда-то, как будто растаяла в сигаретном дыме, который неподвижно висел в тесной комнатке.

Старик, сгорбив плечи, грустно смотрел на графинчик, видимо, прикидывал, на сколько его хватит, если регулярно прикладываться.

Неприятности мне не нужны, сам себе сердито сказал Олег Петрович. Мне и без того хватает забот.

— Икону я верну вам завтра, — неприятным голосом проговорил он. — Гена привезет. Вы положите ее в тайник, только не забудьте и ее как следует протереть!

— Голубчик мой, Олег Петрович, а может, икону... того? Может, не надо икону? — заскулил Василий Дмитриевич. — Никто ведь не знает, что она там... была, а? Может, не стоит ее возвращать?

— Василий Дмитриевич!

— А что такого, что такого? Этот, который принес коллекцию, ни словом, ни звуком, а там поди разбери, когда она пропала и кто ее... того... попер!

Сердясь на себя за то, что, с одной стороны, ему до боли хотелось оставить икону себе, а с другой — он уже принял решение вернуть, и это единственно возможное решение, еще сердясь на то, что обстоятельства и глупость Василия Дмитриевича заставляют его ввязываться в какое-то вовсе темное дело, Олег громко отчитал старика.

Тот слушал, вздыхал, а потом сказал:

— Нет в вас искорки, мой дорогой друг. Все вам хочется быть святее папы римского!

На это Олег отвечать не стал, быстро вышел из полумрака антикварной лавки на мороз, плюхнулся в машину и крепко захлопнул за собой дверь.

Гена в зеркало заднего вида посмотрел на него.

«Что случилось?»

«...твою мать!»

Гена весело пожал плечами и тронул машину с места.

Все ясно. Шеф не в духе, но придет время, и он все расскажет. Они всегда дружно жили, хозяин и водитель, и отлично понимали друг друга.

— Что так долго? — спросила рядом прекрасная барышня, придвинулась и взяла его под руку.

Он опять позабыл, как ее зовут. «Что-то с памятью моей стало!..»

— Дела, — проскрипел Олег Петрович.

— Вот с тем старым перечником дела? — весело удивилась барышня. — Да ладно тебе! Или ты решил ему отсвинярить, чтобы он мне кресло добыл?

Олег сбоку посмотрел на нее. Ах, какая хорошенькая, глаз не оторвать!

— Что я... решил? — спросил он осторожно.

— Ой, ну так все говорят! Ну, денег дать, чтобы он кресло достал! Ну, признайся, да? Да?

А может, ну ее на фиг, и роман с ней тоже на фиг?! Может, не стоит?!

Отсвинярить!..

Олег Петрович повел шеей, которой вдруг стало

неловко в высоком воротнике свитера, и посмотрел в окно.

Гена неспешно разворачивался на расчищенном от снега пятачке перед лавкой Василия Дмитриевича, а по обледенелым ступеням уже кто-то поднимался, и Олег вдруг подумал, что старик, в отчаянии опрокинувший уже примерно две трети графинчика, вряд ли будет в состоянии принимать посетителей и клиентов.

Он еще раз взглянул в окно, и что-то смутно знакомое почудилось ему в человеке, который не торопясь поднимался по ступеням и уже взялся за медную ручку, чтобы потянуть на себя дверь.

Но прекрасная барышня держала его под руку, щебетала рядом, и он не стал приглядываться к посетителю старика.

Человек, проводив глазами громадную, как кит, машину, помедлил и вошел в лавку.

У него был пистолет, и поэтому руку из кармана он не вынимал.

— Василий Дмитриевич! — позвал он. — Это я!

— А? — отозвался из-за ширмы старик. — Здравствуйте, батюшка!

— Василий Дмитриевич, вы достали то, что я просил?

Старик, который выглядел сегодня совсем неважно, подслеповато на него прищурился, завздыхал, забормотал по-немецки, загремел ключами и двинул в свою кладовку. Посетитель постоял у двери и пошел следом за ним. Он был проверенным и давним клиентом, и старик его нисколько не опасался.

Пистолет в кармане становился как будто все тяжелее, и вороненая ручка словно обжигала ладонь.

Он знал, что должен это сделать, и вдруг всерьез перепугался.

Ты сможешь, сказал он себе. Ты должен.

Он вытащил из кармана пистолет и заложил руку за спину.

Старик возился в кладовой, гремел ключами.

Посетитель подошел к двери и остановился.

Старик обеими руками вытаскивал из сейфа тяжеленную серебряную шкатулку, отделанную самоцветами.

— Вот, извольте видеть, батюшка, вот и наш, так сказать, тайник! — Он поставил шкатулку на какую-то длинную полку, тянувшуюся вдоль стены и заваленную всяким хламом. — Если вы повнимательнее присмотритесь, то обнаружите именно здесь отверстие, при помощи которого можно тайник открыть. Да вы посмотрите, посмотрите, какая работа, а ведь середина восемнадцатого века! Да что мы здесь, пойдемте к моему столику, там у меня и лупа, и свет получше!

И старик поволок шкатулку из комнаты, обнимая ее, как живое существо.

Человек помедлил и вышел следом. Рука с пистолетом у него за спиной мелко дрожала.

— Вот-с, две пластины, и между ними небольшой зазорчик! Если вы потянете за нижнюю, ящичек выедет, и...

Давний и проверенный клиент вынул из-за спины руку, в которой был пистолет.

— А это что такое? — удивился старик. — Голубчик вы мой, зачем же оружие? Здесь же нет никого, кроме нас, у меня здесь, вот видите...

Гость вдруг взвизгнул страшным голосом, поднимая руку, старик отшатнулся, но выстрел настиг его, грянув в тесном помещении, как взрыв.

Антиквар упал на колени, прижимая руку к боку, из которого вдруг полилось черное и горячее.

Он все еще был жив, этот вздорный старик, и гость выстрелил еще раз — и как будто лопнули и разорвались барабанные перепонки! Старик закашлялся и пополз как-то странно, боком, и стал вытягивать руку, и почти достал до его ботинок, и эта страшная рука умирающего показалась убийце омерзительной. И тогда он стал стрелять в тело, которое подпрыгивало и корчилось, и не остановился, пока не расстрелял все патроны.

У Федора зуб не попадал на зуб, когда наконец он добрался до широких ступеней, которые вздымались из затоптанного и кое-как расчищенного от снега тротуара и, казалось, вели прямо в рай.

Где-то он потерял свою шапку и совершенно не мог взять в толк, где именно. Волосы лезли в глаза, он все время заправлял их за уши и шмыгал носом, которому тоже было очень холодно.

Руки у него дрожали.

Он подозревал, что все будет плохо — на пути к свободе непременно случается что-нибудь ужасное, так уж заведено! — но даже представить себе не мог, что все *будет настолько плохо*!

На последней ступени он поскользнулся и влетел в широкие, сверкающие раздвижные двери.

Он должен, должен!.. Он не может позволить себе отступить.

Даже просто войти в просторный вестибюль с чистейшими мраморными полами, с конторкой, охранником и двумя одинаковыми секретаршами в строгих костюмах и очках было почти немыслимо.

Федор отчаянно трусил, и каждый шаг по сверкающему мрамору давался ему с трудом. Он шел к конторке и боковым зрением видел, как охранник негромко сказал что-то, будто сам себе, и не спеша двинулся в его сторону, а секретарши в одинаковых очках переглянулись и уставились на Федора во все глаза.

— Здрасти, — хрипло сказал Федор и нервно заправил волосы за ухо. — Можно мне увидеть Алексея Дмитриевича Башилова?

Секретарши молчали, как воды в рот набрали. Охранник приближался. Из каких-то потайных дверей в углу огромного и роскошного вестибюля вышел еще один и стал у турникета.

Федору стало жарко.

Секретарши еще раз переглянулись, и та, что была справа, спросила замороженным голосом, есть ли у него пропуск.

Федор ответил, что нет, но, если позвонить, может быть, его и примут.

Та, что была слева, пожала плечами, повернулась вместе с креслом и стала глядеть в компьютер. Федор ее больше не интересовал. Та, что была справа, тоже пожала плечами, но тем не менее взяла крошечную перламутровую трубку со сверкающей подставки, потыкала острым ноготком в кнопки и совершенно другим, оттаявшим, весенним и радостным голосом сообщила, что к Алексею Дмитриевичу просится какой-то человек, но у него нет пропуска. Тут она прижала ладошкой трубку и спросила у Федора, как его зовут.

Он сказал.

— Как?! — удивилась секретарша и почти по слогам повторила в свою перламутровую трубку: — Федор Алексеевич Башилов.

Та, что была слева, перестала печатать и уставилась на него. Охранник замер у него за плечом, поправляя витой шнурок за ухом. Федор оглянулся на него затравленно. Он чувствовал себя ужасно.

Перламутровая трубка что-то прострекотала, секретарша кивнула и неспешным движением вернула ее на подставку.

— Ваш паспорт, пожалуйста, — сказала она Федору уже не замороженным, но и не весенним, а удивленным голосом. — Или водительские права.

Федор полез в нагрудный карман и извлек паспорт.

— Знаете, куда идти?

Он не знал.

— Пожалуйста, в лифт и на двенадцатый этаж. Там вас проводят.

Охранник у турникета смерил его равнодушным ящеричьим взором, но турникет, к которому Федор приложил выданную ему пластиковую карточку, беспрепятственно пропустил его к сверкающим лифтам. Федор уже совершенно изнемог от напряжения, и жарко ему было ужасно.

— Зачем ты притащился сюда? — первым делом недовольно спросил отец, когда сына провели в кабинет. — Я тебя не приглашал.

— У меня... дело, — запнувшись, ответил Федор. — Я хотел поговорить.

— Какое у тебя может быть дело! — фыркнул отец презрительно.

Он стоял в фонаре огромного окна, словно вынесенного на улицу, и там, за окном, до самого горизонта простиралась окутанная морозной дымкой Москва, и красное лохматое солнце низко стояло над замерзшей рекой.

Отец оглянулся на Федора, топтавшегося в дверях, и приказал:

— Садись! Да не сюда! Вон стол для переговоров, туда и садись!

Федор решительно не знал, который из двух стол для переговоров, и отец нетерпеливо, подбородком, указал ему, куда именно нужно садиться.

Федор сел.

— Ну?

Отец все еще продолжал смотреть в окно, стоя в эркере, и казалось, что он летит над замерзшей Москвой, со своими длинными, зачесанными назад волосами, в черной рубашке и лакированных ботинках.

Демон, неожиданно подумал Федор.

— Ну?! — повторил отец с нажимом. — У меня времени нет! Говори или... проваливай!

Федор рывком вытащил рюкзак, на который плюхнулся с размаху. Сидеть на нем было очень неудобно.

Он аккуратно прислонил его к стулу и поднял на отца глаза.

Я ничего не смогу сказать, подумал он с ужасом. Ничего.

Этот человек завораживал его, как удав — глупого кролика.

Отец какое-то время молча рассматривал его.

— Тебя мать, что ли, прислала? Денег опять дать?!

— Н-нет! — быстро и горячо воскликнул Федор. — Она даже не знает, что я здесь... у вас.

— Ты у меня, да, — язвительно сказал отец. — Но мне некогда с тобой валандаться! Что тебе от меня нужно?

Федор не знал, как начать. Он не знал, что говорить. Он вообще больше ничего не знал!

Ночью он продумал до десяти редакций предстоящего разговора, и некоторые казались ему вполне убедительными, но теперь выходило, что он вообще не может рта раскрыть.

Слюнтяй, тряпка, Светка права!..

Тут он вспомнил про Светку. Он и не забывал о ней, но в эту секунду он услышал, на самом деле *услышал*, как она горько плачет в трубку, и никто, никто на свете, кроме него, не сможет ей помочь! Они все пропадут — и Светка, и мать, — и только он один будет в этом виноват.

Вот вам и свобода!..

— Ну, как хочешь. — Отец пожал плечами, вынул руки из карманов и знакомым движением откинул назад длинные волосы. — И больше сюда не являйся! А то проложил дорогу, будешь теперь таскаться!

Это Федора задело. Все-таки он никогда не таскался к отцу и ничего у него не просил!

— Зачем тогда вы меня приняли? — мрачно спросил он и тронул ногой свой рюкзак. — Если сразу выгоняете?..

— Даже не надейся, — сказал отец весело, прошагал к двери в приемную и настежь распахнул ее, — вовсе не потому, что я мечтал с тобой повидаться! Но ты вроде как мой сын, и могло получиться неловко. У нас с тобой фамилия одна, а я вроде как тебя не принимаю! Понял, олух? И давай, давай отсюда. Ко мне сейчас должны прийти.

Все это он договаривал уже у раскрытой двери, за которой маячила еще одна секретарша сказочной красоты. Но те, внизу, были как из рекламы образцового офиса, а эта, из приемной, была словно из рекламы интимных услуг по телефону. У нее были пухлые губы, намазанные яркой помадой, декольте и какая-то на редкость порочная походка. Еще когда она провожала Федора в кабинет, он никак не мог оторвать глаз от ее задницы, хоть и старался изо всех сил не смотреть.

— Ну, спасибо тебе за визит вежливости, и пока!

— Подождите, — попросил Федор и поднялся в волнении. — Я сейчас все вам... расскажу.

— Да не надо мне ничего рассказывать, я занят!

Он ничем не был занят, и это было совершенно очевидно. Телефон даже и в приемной не позвонил ни разу, и порочная красавица раскладывала на компьютере пасьянс, а больше ничего не делала!

— Подождите, — повторил Федор умоляюще. — Мне... очень нужно, правда.

Отец помедлил возле открытой двери, а потом приказал красавице:

— Лада, дайте мне кофе и сигарету, — и закрыл дверь в приемную. — Говори, только скорее. Вот сделаешь один раз в жизни доброе дело, а потом хлебаешь за свою доброту! Я слушаю. Коротко и ясно.

— Помогите мне, — попросил Федор, ненавидя себя за жалобный тон. — Пожалуйста.

Отец молчал. Он снова подошел к окну и стал смотреть на плывущую в морозной дымке Москву.

— Ну?! Да что ты мямлишь все время! Мать воспитала!..

Федор вытер о джинсы мокрую от пота ладонь.

— У меня случайно оказались... ценности. Меня попросили их оценить и продать. — Он врал и был совершенно уверен, что отец моментально догадается, что все это вранье. — Я их... продал. А потом оказалось, что их нужно вернуть. А тот человек, которому я ценности продал... ну, короче, он не хочет отдавать. А мне нужно, понимаете, очень нужно их вернуть! Это... — он хотел было сказать «вопрос жизни и смерти» и не стал, — это очень важно!

Пока он говорил, отец отвернулся от окна и теперь с интересом рассматривал Федора. С интересом и насмешкой.

— Какие ценности? — спросил он, не дав ему договорить. — Ты что, с дурьей башки кому-то чего-то втюхал, а теперь хочешь все отыграть обратно?

— Ну да, да, в некотором роде! А тот человек... он не хочет отыгрывать, понимаете? А оказалось, что он мало заплатил, а теперь мне говорят, чтобы я вернул, а как я верну, когда он не отдает?!

Отец откинул голову и захохотал, показывая крепкие белые зубы. Федор смотрел на него почти с ненавистью.

Он пришел за помощью, он совершенно точно знал, что отец — единственный человек, который может ему помочь, а тот хохочет. Хохочет!..

— И чего ты от меня хочешь?

— Я хочу, чтобы вы помогли мне вернуть то, что я... отдал, — быстро выговорил Федор и скосил глаза на какую-то картину на стене, чтобы не смотреть на отца.

Боже, помоги мне, почему-то пронеслось у него в голове. Боже, если ты есть, помоги мне сейчас!

— Как ты это себе представляешь? — спросил отец весело. — Ты чего-то втюхал, взял за это деньги — заметь, я даже не спрашиваю у тебя, что именно ты втюхал! — а теперь хочешь, чтобы я помог возвратить?!

— Я попал в беду, — сказал Федор, косясь на картину. — Я прошу вас... я вас очень прошу...

— Да не надо меня просить, мать твою!.. — вдруг закричал отец, и это было так неожиданно, что Федор вздрогнул. — Вот мамка вырастила мужика! Какой ты мужик, если тебе нянька нужна?! Чего-то продал, да еще не за те деньги, а теперь давай обратно возвращать! И правильно тот мужик делает, что тебе не отдает ничего, вас, недоумков, надо учить и учить, но вы не выучитесь ничему!

— Это очень серьезно, — умоляюще произнес Федор, — вы понимаете?! Мне нужно все вернуть, а я не могу! Помогите мне! У вас же есть...

— Что у меня есть?!

— Охранники. Помощники. Как они называются?.. — Федор вдруг с ужасом понял, что сейчас заплачет, вот просто заплачет, и все тут, и еще он понял, что отец не станет ему помогать.

Он не стал бы ему помогать, даже если бы Федор тонул в холодном море, а отец проплывал бы мимо на яхте.

Он просто стоял бы и смотрел, как Федор тонет, и напоследок, в самую-пресамую последнюю секунду перед тем, как вода захлестнула бы Федоровы легкие, еще презрительно сказал бы с палубы, что его сын, выращенный мамочкой, слюнтяй и слабак. Для чего такого спасать?.. Все равно от него никакого толку!

— Мои помощники не про твою честь! — Отец потер лицо, словно смахивал паутину. — Еще охранников каких-то придумал! С чего ты взял, что я полезу в твои дела?! Как тебе в голову это пришло?!

— Я думал, вы поможете мне договориться!

— Пусть мамочка твоя договаривается! Она это умеет! А мне недосуг с тобой валандаться! Тебе сколько лет, мужик?

— Двадцать пять, — сквозь зубы вытолкнул Федор.

— Вот именно. Ладно бы пять!

— Ты не помогал мне и когда было пять тоже, — тихо сказал сын. — Никогда.

— Что?! Что ты бормочешь?!

Неизвестно, чем бы все закончилось, если бы дверь в кабинет, словно парящий над Москвой, не распахнулась и легкий и веселый голос не провозгласил с порога:

— Привет, папуля!

Федор подскочил, как ужаленный. Это было почти невероятно, но ему показалось, что и отец тоже подскочил.

Подскочил, но быстро взял себя в руки.

Через минуту он уже шел по глухому и чистому ковру, на ходу раскидывая руки:

— Привет, радость моя! Что же ты мне не позвонила?

Девушка подошла и чмокнула отца сначала в одну, а потом в другую щеку.

— Я звонила, — сказала она и чуть-чуть надула губы. — Я звонила, а у тебя телефон вне зоны действия сети!

— Быть такого не может!

Тут она засмеялась:

— Ну ладно, ладно, я просто не звонила, не звони-и-ила! Ну что? Поедем?

— Да, да, — быстро сказал отец. — Я уже готов.

Девушка повернулась на каблучках и оказалась лицом к лицу с Федором.

— Ой, простите, — сказала она, и в лицо ей как будто брызнули смехом. — Я вас не заметила.

— Здрасти, — неловко поздоровался Федор.

— Здравствуйте.

— Пойдем, зайка. — Отец потянул девушку за локоть, а на Федора даже не взглянул. — А то опоздаем.

— А... это кто? Он остается?

Отец мазнул по сыну равнодушным взглядом.

— Он не остается. Не ходи ко мне больше. Забудь сюда дорогу, понял?

— Папуль, а кто это?

— Да никто, — равнодушно сказал отец. — Курьер. Мы его увольняем.

Федор Башилов от ненависти почти не мог дышать. Он сам не понял, когда его липкий и потный страх переродился в такую первосортную, едкую, как кислота, ненависть.

«Курьер?! Мы его увольняем?!»

— С каких пор ты сам увольняешь курьеров?!

— Зайка, подожди секунду, я куда-то дел бумажник. — Отец вернулся к столу и стал шуровать среди немногочисленных бумаг. — Лада, я обедать ходил с портмоне или без?!

Секретарша с фигурой порнозвезды возникла на пороге. Вид у нее был постный.

У Федора вдруг невыносимо заболела голова.

— Да ты вечно его бросаешь, папуля! В прошлый раз дома оставил, тебе водитель в ресторан привозил! А еще, помнишь, в бане!

Отец хлопал себя по карманам, секретарша не поднимала глаз и почему-то молчала, как воды в рот набрала, девушка веселилась, и Федору с каждой секундой становилось все невыносимей.

И тут отец вдруг про него вспомнил. Он бросил портфель, твердым шагом дошел до сына, крепко взял его под локоть и почти выволок в приемную.

Секретарше пришлось посторониться, иначе они не протиснулись бы.

Дверь в кабинет закрылась. Секретарша, не поднимая глаз, вернулась за стол и уставилась в свой монитор.

— Я тебе сказал — пошел вон отсюда, — прошипел отец. — Ты чего? Не понял, что ли?!

— Я пришел за помощью, — с ненавистью процедил Федор.

— Ко мне?!

— Мне больше не к кому.

— Ну, поздравляю тебя! И не смей больше сюда являться! — Отец оглянулся на дверь, за которой осталась девушка, называвшая его «папулей». — У меня и без тебя забот полно!

— Это ваша дочь?

Он и сам не знал, зачем спросил. Просто так. Ему и в голову не приходило, что у него могут быть братья или сестры.

— Не твое собачье дело! Моя жизнь не имеет к тебе никакого отношения.

Секретарша усиленно изучала компьютерный монитор, в котором больше не было пасьянса, и виделось совершенно ясно, как, захлебываясь от восторга, она станет рассказывать всем, кто согласится ее слушать, о тайной жизни своего шефа!

...или она зовет его «шефуля», на манер «папули»?

Федор закинул за плечо рюкзак так, что чуть не задел отца по лицу.

— Полегче, ты!..

Федор Башилов, двадцати пяти лет от роду, окончивший «бабский» Историко-архивный институт, никогда не занимавшийся никаким спортом, кроме бега по кругу на стадионе «Динамо», даже и в школе избегавший любых мальчишеских столкновений и потасовок, слюнтяй, тюфяк, слабак и рохля, неожиданно для себя вдруг шагнул так, что оказался к отцу вплотную. Распахнутая куртка из «искусственного кролика» почти касалась краем черной льняной отцовской рубахи.

— Я тебя ненавижу, — сказал Федор и оскалил зубы. — Я ненавижу тебя!

Кажется, отец не сразу нашелся что ответить. Он даже испугался немного, или Федору только показалось?..

— Это сколько угодно, — овладев собой, выговорил отец. — Лада, не пускайте его больше сюда! Никогда! Даже если он на коленях приползет.

— Я не приползу.

— И не проси ничего! Бог подаст.

Федор еще раз вздернул свой рюкзак — на этот раз отец совершенно точно отшатнулся, то ли от брезгливости, то ли от неожиданности, — выскочил из приемной и по глухому, упитанному, самодовольному ковру кинулся к двери, на которой были нарисованы ступеньки вниз.

Про лифт он позабыл.

Он бежал вниз, рюкзак бил его по мокрой от пота спине, шаги гулко отдавались от новеньких чистых стен. За ушами было больно, так он стискивал зубы.

Ах так! — думал Федор Башилов непрерывно. Ах так!..

Что «так» и почему «ах», он и понятия не имел, он словно обезумел. Черные круги плыли у него перед глазами, и в них еще пылали какие-то желтые точки, и он подумал, что именно так, должно быть, и выглядит смесь ненависти с отчаянием.

Да еще это «бог подаст» напоследок!..

Какие-то волшебные палочки мерещились Федору Башилову, как малолетнему. Взмахни такой палочкой, и все неприятности закончатся, и можно превратить негодяя в крысу, а самому превратиться в принца! И еще какие-то вполне материальные беды, которые можно обрушить на голову отца, — пусть у него машина сгорит, пусть ему кирпич на голову упадет, пусть он на ровном месте споткнется, пусть, пусть, пусть!..

Федор мчался по лестнице, и с каждым «пусть» рюкзак все больнее ударял его по спине.

Я сам, сам, сам, думал он с каждым прыжком все ожесточеннее. Я больше никогда и никого ни о чем не буду просить.

Кажется, кто-то когда-то об этом писал: никогда и ничего не просите, особенно у тех, кто сильнее вас! А он сделал ошибку, он попросил, и ему отказали! Гадость этого самого отказа подкатывала ему к горлу с каждым ударом рюкзака по спине, и Федору казалось, что его сейчас вырвет.

Он пулей пролетел вестибюль — две одинаковые секретарши по-сорочьи вытянули одинаковые шеи и повернули головы с одинаковыми гладкими прическами — и выскочил на улицу.

На крыльце было скользко, и он перемахнул его одним длинным прыжком.

— Стой! Стой, кому говорят!

Федора сильно дернуло за куртку, и его безумный бег кончился, будто он с размаху ударился об стену.

— Далеко собрался-то, спортсмен?

Их было двое, и он сразу понял, что это и есть *они* Ге самые.

Федор уронил с плеча рюкзак и медленно наклонился, чтобы поднять его. Дышать было тяжело.

Прямо перед носом у него были две пары загвазданных тупорылых черных ботинок с высокой шнуровкой.

— Пойдем за угол отвалим, что ли, спортсменчик? Тут неудобняк базарить!

И заляпанный носок ботинка шевельнулся, словно собираясь снизу вверх ударить Федора в лицо. Он распрямился и посмотрел сначала на одного, а потом на другого.

Они оказались невысокими и коренастыми крепышами, один в кожаной крутке, а другой в обыкновенной, как у Федора, тоже, должно быть, из «искусственного кролика», и ежился он в ней точно так же, как и Башилов.

Эта их общность вдруг показалась Федору совершенно убийственной. Тот был враг, а враг не может быть в точно такой же куртке!..

— Вон за уголок отканаем, и ладушки, а то тут шнырей до хрена.

И первый вразвалку пошел по тротуару, а второй подтолкнул Федора в спину:

— Да не очкуй, трухач!

Федор боялся их, и в этой боязни было нечто стыдное, отвратительное! Он всех боялся, даже пацанов у подъезда, которые не давали ему прохода, издевались над его шапкой!..

Завернув за угол, первый остановился, не торопясь достал из кармана сигарету, размял в толстых неповоротливых пальцах, закурил и выдохнул дым. Федор смотрел на него и молчал.

— Ну ты, это, бабла у папахена надыбал, фуфель?

— Нет.

— Не-ет? — протянул тот, что курил, и желтой слюной плюнул Федору на ботинок. — Бодягу катишь, децел? В жмурки, что ль, сыграть хочешь вместе со своей телкой?

— Может, ввалить ему, Вован?

— Еще успеешь! Так че с баблом-то, сучок еловый? Ты рогами-то шевели, с кем связался, муму не катай!

— Да ни с кем я не связывался! Меня попросили продать, я и продал, и вам все отдал, себе ничего не оставил!..

— Не оста-авил?! Там добра на сто косарей грина, а ты за сколько двинул?!

— За сколько двинул, столько и отдал, — мрачно сказал Федор, и тот, что был сзади, в куртке из «искусственного кролика», увесисто пнул его в спину. Федор пошатнулся, но на ногах удержался.

— Да он вату катает, — высунувшись вперед, доложил «искусственный кролик». — Ты ж видишь, Вован! Ввалить ему, что ли?

— Погодь пока! — Вован щелчком отшвырнул сигарету и одним пальцем зацепил Федора за куртку. — Ты какого болта мне мозги канифолишь?

— Да не канифолю я! — дрожа ноздрями, выговорил Федор. — Как было, так я и говорю! За сколько он взял, за столько я и отдал! Мне же сказали — за сколько возьмут, за столько и отдай!

— Так поди к нему, — ласково велел Вован и покрепче перехватил его крутку. Затрещали швы, и верхняя пуговица поскакала по утоптанной снеговой дорожке. — Поди и обратно забери, тормоз!

— Да был я у него! — закричал Федор. — Он ничего не отдает!

— А ты возьми! Ты у нас умный мальчик или где?..

— Да как я возьму-то?..

Тут Вован размахнулся и коротко и страшно ударил Федора по шее, и тот сел в снег. Глаза у него сделались бессмысленные, стало нечем дышать, и, посидев так короткое время, он покорно и беззвучно свалился на бок.

— Ты, щемло!.. — наклонившись, в самое лицо ему сказал Вован. — Я тебе без балды говорю — гони бабки, или сгинешь, и телка твоя сгинет, и мамка до кучи! Ты на цырлах должен бегать, чтоб тебя завтра же не замочили, а ты тут разлегся! Вставай, чмо!

Федор слышал его, но как будто издалека, и казалось ему, что он лежит у моря и море шумит и накатывает на него, и он еще мельком удивился — откуда в Москве море.

Он был на море раз или два в жизни — мать возила его в отпуск. Он лежал щекой на теплом песке, и тому уху, которым он прижимался к песку, было глухо, совсем глухо, а в другое ухо шумело море, и это было замечательно.

— Короче, сроку у тебя три дня, — сказал отвратительный махорочный голос. — Будешь хорошим мальчиком, все вернешь обратно, и разбежимся. Начнешь мозги втирать, трындец тебе, салага! И бабцам твоим трындец! Доперло или нет, шушара вонючая?!

— Доперло, — хрипло сказал Федор и сел. В голове у него шумело.

— Вот и ладушки. А теперь ввали ему, чтоб лучше запомнил, и разбежимся.

Они били его вдвоем, почти посреди улицы, белым днем. Федор даже не пытался сопротивляться. Он никогда не пытался сопротивляться, да и били его первый раз в жизни. Сосредоточенно, серьезно, как будто делали важную работу. Он все закрывал голову и уши, по ушам получалось как-то особенно больно, а потом ему вдруг стало все равно. И боль притупилась. Они били его ногами, и, кажется, ребра хрустели, и что-то теплое текло по лицу, и он думал, что это слезы. На миг ему стало стыдно, что он плачет, а потом он забыл об этом, потому что вдруг вернулась боль, оглушительная, острая до рвоты, и вместе с болью вернулась реальность.

Федор Башилов увидел себя в переулке, где по бокам дороги лежат отваленные снегоочистительной машиной грязные островерхие сугробы. Увидел, как его бьют, прижав спиной к желтой стене, а он заваливается на бок, но один из тех, кто бьет, придерживает его, не дает упасть, чтобы ловчее было бить. И собственное залитое кровью лицо увидел Федор и понял, что не плачет, а просто кровь течет.

И в эту секунду его жизнь остановилась. Вся жизнь вокруг остановилась.

Замерло ревущее машинами Садовое кольцо, замерло солнце в морозном тумане, замер дядька, покупавший в киоске сигареты и старательно отводивший глаза от драки в переулке. Замерли голуби, толкавшиеся возле продавца булочек с сосисками, замер и сам продавец, выставив из башлыка совершенно красный алкогольный нос. И ничейный пес, бежавший по тротуару, прихрамывая на одну лапу, замер тоже.

Из замершей стеклянной пустоты, в которую превратился воздух, очень медленно к лицу Федора Башилова стал приближаться желтый кулак с ободранными костяшками. Он приближался, чтобы ударить, и Федор пристально на него смотрел, а потом очень медленно поднял руку и перехватил кулак.

Господи, помоги мне!..

И жизнь Федора Башилова, словно помедлив на перепутье, двинулась совершенно в другом направлении.

Мир пришел в движение.

Желтый кулак не достал до его лица, Федор пригнулся и двинул ногой наугад, и, видимо, попал, потому что противник вдруг издал вопль и куда-то делся, а потом Федор увидел, что он стоит у стены, раскрыв по-рыбьи рот, и обеими руками придерживает собственную ширинку, словно опасаясь за ее дальнейшую судьбу. Но тут налетел второй, тот, что с самого начала порывался ему «ввалить», и плохо пришлось бы Федору, если бы в переулок крадучись не въехала громадная, как бронепоезд, черная машина.

Она сразу заняла весь переулок, почти цепляя зеркальными ушами за стены домов, и мягко остановилась. Дерущиеся мешали ей, не давали проехать.

— Ешкин кот, — негромко сказал Гена Березин, перегнувшись через руль. — Сплошная метель.

— Двое на одного?

— Да вроде так. Можно мне выйти, Олег Петрович?

В зеркале заднего вида Олег встретился глазами с глазами водителя и отвернулся. Это означало — валяй!..

— Э-эх! — залихватски выдохнул Гена и открыл свою дверь.

И тут уж остановилась жизнь Олега Петровича. Он почувствовал эту ее остановку совершенно явно.

Стукнуло и провалилось куда-то сердце, из сознания исчезли привычный уличный шум и негромкое урчание мощного мотора, замерли парни, старательно тузившие друг друга в переулке. Голубь, распахнув крылья, повис между желтыми стенами домов.

Из стеклянной пустоты, в которую превратился воздух, вдруг соткалась странная фигура человека, который то ли улыбался, то ли подмигивал, словно собираясь что-то сказать.

Сердце вернулось на место, подпрыгнуло и понеслось, чмокнула дверь, которую захлопнул за собой предусмотрительный Гена, и жизнь повернула совершенно в другую сторону.

Не туда, куда двигалась раньше.

— Ч-черт, — просипел Олег Петрович, вытер совершенно сухой лоб и опустил стекло окна.

— Э, мужики! Вы чего тут канителитесь? Дорогу перегородили, ни пройти, ни проехать!

— Отвали отсюдова, носорог! Без тебя разберемся!

Напрасно они так с Геной Березиным, подумал Олег Петрович. Как бы им всерьез не влетело.

И еще он подумал про того человека, который привиделся ему в переулке.

На кого-то он был похож, только вот на кого?.. Не вспомнить.

— Это кто носорог? — весело удивился Гена. — Это я носорог?

Он обошел сверкающий капот машины, простиравшийся почти от стены до стены, и приблизился к троице.

Положение он оценил как не слишком шоколадное.

Один из парней, с длинными черными волосами, был довольно сильно избит — из носа на снег капало красное, куртка порвана, и вид в общем помятый. Двое других, разгоряченные сражением и сопротивлением длинноволосого — а еще только заруливая в переулок, Гена видел, как тот сопротивлялся, — жаждали крови. Гена мешал им получить свою порцию удовольствия, так сказать, сполна.

— Короче, кончай канитель, — приказал Гена, до-

бравшись до троицы. — У меня шеф в машине скуча-
ет, а у него дела! Р-разошлись! — вдруг гаркнул он
так, что тот самый голубь чуть не свалился с карниза
на пятом этаже, куда уже было пристроился разгули-
вать с важным видом.

Но те двое, недополучившие удовольствия от жизни, видимо, поняли все неправильно. Генин грозный
приказ они и как приказ-то не восприняли, а восприняли как попытку помешать им получать удовольствие!

Окровавленный длинноволосый остался стоять,
привалившись к вымороженной стене. Он тяжело дышал и пробовал нагнуться за рюкзаком, валявшимся у
него под ногами, но у него не получалось, он то и дело хватал себя за ребра и морщился. А те двое, пере-
глянувшись, двинули на Гену Березина.

Олег Петрович внутри своего черного монстра
длинно вздохнул и выпростал из кармана мобильный
телефон.

Все дальнейшее было ему хорошо знакомо, как
будто одно и то же кино он смотрел в десятый раз.

— Те че здесь надо? — начал один из дурашек,
всерьез наступая на Гену Березина. — Те прогонные
давно не выписывали? Я тя щас в бампер закатаю по
самые яйца!

— Ух ты! — весело удивился Гена, услыхав про
яйца. — Он еще разговаривает!

— Виктор Иваныч, здравствуй, — сказал Олег в
телефон и поморщился — на заднем плане в трубке
слышался какой-то непривычно громкий шум, отвле-
кал. — Я почти приехал. Да. Через десять минут буду.

В трубке слегка помолчали, а потом сказали, что
ждут, и Олег понял, что партнер недоволен. Сам парт-

нер был человеком обязательным и немного напоминал благообразного купчину из пьес Островского.

Несмотря на «купчину», Виктор Иванович Назаров был исключительно деловит и влиятелен, и Олег не любил его подводить. А сейчас выходило, что подводит — и барышня повстречалась, и Василий Дмитриевич навязался, и вот теперь... Гена себе развлечение устроил.

Олег Петрович высунулся в окно — в лицо сразу дохнуло морозным уличным воздухом — и сказал негромко в ту сторону, где топтался его водитель, взятый в тиски хулиганствующим элементом:

— Гена, нам нужно ехать.

— Цвай секунд, Олег Петрович!

— Вали его, Вован, — взвизгнул один из элементов и прыгнул на Гену. — Я тебе ща фотку попорчу! И «мерсюка» твоего разнесу!

— Гена, — повторил Олег Петрович недовольно.

— Айн секунд, Олег Петрович!

Одним движением он сгреб обоих молодцев в кучу, сшиб их лбами, словно тесто помесил как следует, — молодцы обвисли, и лица у них обессмыслились. Гена пооглядывался по сторонам, не зная, куда бы ему их пристроить. Тащить мимо машины не хотелось, и бросить тоже не бросишь, ни пройти, ни проехать будет нельзя, не давить же их, в самом деле!..

Гена Березин ничего лучше не придумал, как пошвырять обоих в облупленную дверь подъезда. Должно быть, только этот подъезд и остался во всем переулке открытым, все остальные давно раскупили под офисы, закрыли бронированными дверями, оснастили кодовыми замками. А этот, последний, с покосившейся коричневой дверью, хлопающей от морозного ветра, оказался самым подходящим местом.

Свободной рукой Гена наотмашь распахнул хлипкую дверцу и головой вперед, одного за другим, швырнул их в полумрак, приговаривая при этом:

— А еще про яйца рассуждают!.. А того не знают, что машина у нас не «мерин» называется, а «Мейбах»!..

Договорив всю эту бессмыслицу, Гена отряхнул ладони, сказал тому, длинноволосому и окровавленному у стены, чтобы шел домой, и вернулся в машину.

— Куда тебя понесло? — помолчав, спросил Олег Петрович, когда «Мейбах» тронулся. — Зачем?..

— Да нехорошо, когда двое на одного, Олег Петрович!

— А тебе-то что?

— А я не человек, что ли?

Олег вздохнул.

— Я тоже человек, — пробормотал он себе под нос, — и, кажется, никого не волнует, что этот человек опаздывает.

В зеркале заднего вида Гена поймал его взгляд:

— Это наезд, Олег Петрович?

Впрочем, Олег сам прекрасно понимал, что винить Гену в опоздании смешно. К Василию Дмитриевичу, которого «бес попутал», он поехал исключительно по собственной воле, да и барышню провожать до ее элитной многоэтажки Гена его тоже не заставлял! Так что нечего на Гену пенять, коли у самого рыло в пуху!..

— А все-таки нехорошо, когда двое на одного, Олег Петрович. Всегда помочь охота, а потом разберемся! У нас в полку сержант был, так он говорил: какою мерою мерите, такой отмерено будет и вам.

— Это не сержант, — глядя в окно, скучным голосом поправил Олег. — Это Лука.

Гена подумал немного.

— Да нет, не Лука его звали. Его звали Петраков Евгений. А с чего вы взяли, что Лука-то?

— С того, что это цитата из Евангелия от Луки.

— А Петраков тогда при чем?

— А тогда и выходит, что Петраков ни при чем! — весело сказал Олег Петрович и выбрался из машины перед неприметной дверцей, на которой была затейливо нарисована литера «М». Литера была изображена таким образом, что не было до конца понятно, что такое скрывается за дверцей — общественный ли сортир для мужчин или же некий секретный вход в метро.

И то и другое предположение были бы ошибкой. Едва машина Олега Петровича остановилась перед дверкой, как та распахнулась и из нее выскочил дюжий охранник, но не какой-нибудь штатский, а в самой настоящей камуфляжной форме и с самым настоящим «калашниковым», болтающимся на бедре.

Должно быть, и машина, и сам Олег Петрович были охраннику хорошо известны, потому что он замахал руками, приглашая Гену проехать на крошечную стояночку, огороженную мавзолейными голубыми елочками, но почему-то в кадках, а перестав махать, открыл перед гостем дверь.

Олег вошел, на ходу снимая куртку и смутно сожалея о том, что не успел переодеться. Виктор Иванович Назаров, человек деловитый и обстоятельный, был большим поборником так называемого делового стиля и никаких вольностей в одежде не признавал. Впрочем, переодевание заняло бы еще полчаса, а Олег и так опоздал.

Он взбежал по широким ступеням, привычно обошел рамку металлоискателя, установленную при входе, и оказался — нет, не в метро и не в мужском отделении сортира, а в богатом вестибюле престижнейшего, секретного и закрытого для посторонних клуба «Монарх».

Швейцар в малиновой ливрее выскочил из-за полированной дубовой стойки, на ходу перехватил у Олега Петровича куртку, а в ладонь ему вложил тяжеленький и очень солидный номерок.

Олег кивнул, мельком глянул на себя в большое зеркало, обрамленное искусной резьбой, и прошел дальше.

Блистательный дворец Топ-Капы в Стамбуле с его восточной чрезмерностью и неописуемой роскошью убранства каждому входящему в помещение клуба должен был представляться жалкой и бедной лачугой!.. Султан Мехмед, построивший стамбульский дворец, наверное, зарыдал бы от отчаяния, если б хоть раз ему удалось побывать в парадных покоях «Монарха», и начал выдергивать волосы из своей султанской головы и посыпать ее пеплом, а затем приказал бы повесить всех придворных архитекторов. И дело даже не в роскошной лепнине высоченных потолков, и не в золотых светильниках, которые держали в пухлых ручонках шаловливые и лукавые купидоны, и не в роскошных коврах, сотканных вручную иранскими мастерицами, и не в каррарском мраморе, которым были отделаны громадные камины, и не в разноцветных бликах веселого света, брызгающих во все стороны от хрустальных подвесок громадных люстр, и не в наборном начищенном паркете, по которому бесшумно скользили услужливые и незаметные официанты, а в том состоянии уюта и комфорта, который охватывал каждого, кому посчастливилось проникнуть в это волшебное место!

Здесь собиралась московская знать самой высшей пробы, если только у знати на самом деле есть место, куда можно поставить эту самую пробу! Здесь, в исключительно семейной и дружественной обстановке, выпивали перед концертом глоток отличного коньяку знаменитые скрипачи и дирижеры, а респектабельные адвокаты, попыхивая сигарами, назначали встречи не менее респектабельным клиентам, попавшим в щекотливое положение. Здесь отродясь не побывал ни один нахальный журналист в обтрепанных и не слишком чистых джинсах и с диктофоном — почти что фигой! — в кармане. Здесь заключались миллионные сделки и расторгались устойчивые браки. Здесь шли ко дну финансовые «Титаники» и создавались новые, ничуть не хуже прежних. Здесь не принято было громко говорить о делах, и пара мужчин в итальянских костюмах, раскинувшихся друг против друга в удобных кожаных креслах, не привлекала ничьего повышенного внимания. Ни один уважающий себя член клуба ни за что на свете не нарушил бы уединения другого.

Тут подавали самый вкусный в Москве кофе, самые свежие ананасы и только что выловленных в Сен-Мало устриц. Тут праздновали дни рождения выросших дочерей и их помолвки с «достойными людьми», которые или уже состояли в клубе, или же автоматически должны были стать его членами.

Олег Петрович Никонов, бывший старший научный сотрудник, бывший начальник лаборатории и автор многих научных статей, когда-то экономивший свои честно заработанные двадцать долларов, которые непременно нужно было привезти домой «нетронутыми», чтобы порадовать жену, обожал клуб «Монарх» и платил бешеные деньги за членство в нем.

— Кофейку, Олег Петрович? — негромко спросил возникший из приглушенного света знакомый метрдотель и неуловимым движением указал Олегу Петровичу именно то место, где его ожидал партнер. Это было сделано так виртуозно и незаметно, что Олег Петрович его движения даже и не заметил, а просто глаза словно сами по себе сразу нашли нужного человека.

— Олег Петрович! А я вас... уже давненько поджидаю.

— День сегодня нескладный, — негромко сказал Олег, направляясь к креслам.

— На лыжах катались? Погодка сегодня замечательная!

Счет пошел. Это был первый удар по воротам.

— Холодно на лыжах, Виктор Иванович! — возразил Олег, подходя, и энергично тряхнул сильную сухую руку.

— Выпьете?

— Не откажусь.

Партнер пил коньяк, который Олег не любил, но пришлось заказать то же самое.

— И кофе, как обычно.

«Как обычно» — это означало большую чашку очень крепкого кофе, коричневый сахар, глоток холодных сливок и итальянскую минеральную воду.

Олег Никонов всерьез верил, что итальянская минеральная вода лучше французской или скандинавской, что кофе должен быть определенной марки, а сливки именно холодными, и от души презирал тех, кто ни во что это не верил.

Он так привык притворяться перед другими, что в

конце концов научился притворяться перед самим собой!

Официант ускользнул прочь, никем не замеченный, как Золушка с бала, и Виктор Иванович смеющимися глазами посмотрел Олегу в лицо.

— Когда вы улетаете?

— В конце следующей недели.

— Вас, молодых, все носит по разным странам! А нам, старикам, дома как-то привычней. В родном колхозе, знаете, и овин — дворец!

Олег глянул на сигарный ящик, который поднес все тот же никем не замеченный официант, неторопливо выбрал сигару, и ящик сам собой испарился, зато на его место явилась специальная пепельница, длинные спички и гильотинка для сигар.

— Колхоз, говорите? — переспросил он и тут только позволил себе улыбнуться. — Дай бог нам такой колхоз, всем и каждому в отдельности!

Виктор Иванович владел обширным поместьем на берегу Истринского водохранилища. Поместье было самое настоящее — с домом, мезонином, службами, огородами, оранжереей, чайным павильоном, небольшой пристанью, где летом на специальных лагах вздымалась белая трехмачтовая яхта, а зимой на льду устраивались каток и иллюминация.

Когда начались брожение умов и всяческая неразбериха в духе отъема незаконно присвоенной земли по берегам незаконно присвоенных речек, Назаров только посмеивался. Весь местный народец был за него горой, ибо Виктор Иванович не только сам жил-поживал, но и другим жить давал. Рядом со своим пляжиком Виктор Иванович оборудовал второй — для всех желающих — с белым песком, кабинками, лавочками, подъездной дорогой и даже чебуречной под названием «Пиво-Воды». Никто и помыслить не мог, чтобы поместье, к примеру, отняли, а пляжи вернули народу, то есть превратили бы в помойку и стоянку для автомобилей. У Виктора Ивановича пляжи регулярно убирались, песочек довозился, машины на берег не допускались, пиво с водами никогда не скудели, деревца зеленели, а минувшим летом волейбольную сетку натянули и утрамбовали площадку под игру в городки. Почему-то считается, что русский человек любит эту национальную забаву и с удовольствием предается ей в часы досуга, однако в городки никто играть так и не стал, и на площадке поставили пластмассовые горки и раскрашенные паровозики — для малышни.

Виктор Иванович в своем «колхозе» был един в трех лицах — и бог, и царь, и отец родной, и Олег вполне понимал его привязанность к отчизне. За границей он был просто богатый человек со всеми атрибутами, присущими нуворишу, — отели, лимузины, курорты и ювелирные магазины на площади Вандом в Париже. А на родине на него молились, а это всякому приятно!..

— Пора тебе, Олег Петрович, тоже домиком обзавестись, — говорил между тем Виктор Иванович, — чего в городе-то страдать, ни воздуху, ни простору!.. Вот у нас в колхозе сейчас так замечательно! Дымком пахнет, камин топится, вечерком выйдешь на морозец, пробежишься с собаками — и в баньку! Как хорошо!

— Вкусно рассказываете, Виктор Иванович!

— А что там, вкусно-невкусно! Вы, молодые, теперь все знаете, все понимаете, во всем разбираетесь, а самое-то главное что?.. Самое главное — быть ближе к земле, к настоящему, истинному! А где тут найдешь истинное? Вот в этом клубе твоем, что ли?!

Олег улыбался, раскуривая сигару. Счет очкам он уже потерял, Назаров сегодня решил отчитать его по полной программе, кажется, на его языке это называлось «пожурить».

А что ж не пожурить, говаривал он, когда есть за что!..

— Мы, старики, вам, молодым, еще сто очков вперед дадим, а все почему? Потому что мы крепкой породы, а вы все хлипкие какие-то и вдали от природы!..

— Да какой же я молодой, Виктор Иванович! — возразил Олег. — Сорок три года скоро! Я уже... средне молодой!

— Сорок три года! — презрительно фыркнул Назаров. — Мальчишка! Я в вашем возрасте штангу выжимал и на турнике сто раз мог подтянуться, а все почему?

— Потому что крепкой породы, — не выдержал Олег Петрович. — Так что там у нас с вами выходит, Виктор Иванович?

Партнер, видимо, понял, что воспитательный процесс затянулся, помолчал для порядка и заговорил о делах.

Никонов покупал помещение под картинную галерею — ко всем своим многочисленным занятиям Олег Петрович планировал добавить еще и галерейку, где можно было бы выставлять и продавать картины, скульптуры и прочие художественные произведения. Затевая галерейку, Олег преследовал две цели — дома у него эти самые художественные произведения уже решительно не помещались, картины стояли в кабинете, занавешенные тряпками и прислоненные одна к другой, и хорошо было бы завести под них отдель-

ное помещение, ну, и заодно занять чем-нибудь пре-
дыдущую пассию, которая из разряда пассий перешла
в разряд старых подруг.

Пассия была художницей, не слишком хорошей,
но... продвинутой. Носила длинные юбки с кружевной подбивкой вместе с солдатскими шнурованными
ботинками, толстые выпуклые железные браслеты по
пять на каждой руке, крупные бусы, узкие очочки и
бархатную повязку на бледном лбу. Олег Петрович
быстро утомился в ее обществе, ибо нужно было не
только весело проводить время, но и «соответствовать», а «соответствовать» ему было сложновато —
иногда он не мог с одного взгляда отличить Бастьен-
Лепажа от Лермита, а уж в современном искусстве вообще почти ничего не понимал, и девушку это серди-
ло. Изображенный на картине огромный коричневый
глиняный унитаз, заваленный доверху отрезанными
человеческими головами с высунутыми и прокушен-
ными языками, мученически искаженными ртами,
заведенными или скошенными глазами, и с трубой,
из которой вытекает река нечистот, подозрительно
похожая на человеческие мозги, вперемешку с книгами, партитурами, какими-то свитками, представлял-
ся Олегу Петровичу плодом больного воображения
художника. А девушка твердила, что именно так и
создаются все шедевры, и литературные, и музыкаль-
ные, — всякие шедевры, в общем!..

— Ну почему? — недоумевал Олег Петрович, рассматривая жуткую картину. — Ну, вот ты художница,
да? Почему у тебя голова, получается, в унитазе?!

— Ты ничего не понимаешь, — сердилась она. —
Это эмоции! Образы, которые терзают тебя, — когда
ты пишешь, они уничижают тебя изнутри.

— Изнутри чего? — упорствовал Олег Петрович. — Тут все внутри унитаза!..

На том они и расстались, решив более друг друга не раздражать. Олег Петрович чувствовал себя немного виноватым, потому что девушка на самом деле была слегка в него влюблена и даже поплакала немного, когда на почве унитаза они разошлись окончательно. Он знал, что художник она так себе, но у нее были чутье и нюх, если не считать некоторых завихрений, а ими можно было смело пренебречь.

Так что у Олега была и еще одна цель, так сказать, дальняя, — подзаработать немного денег или уж, по крайней мере, остаться не в убытке.

Дело с покупкой помещения шло туго — никто не хотел продавать там, где Олег и Виктор Иванович хотели купить, и за те деньги, которые они предлагали. Приходилось как-то выкручиваться.

Вот о приблизительных размерах этих самых выкрутасов Виктор Иванович и говорил Олегу. Выходило что-то очень много.

— Придется, наверное, самого подключать, — сказал в завершение Виктор Иванович. — Не хотелось мне его беспокоить по пустячному делу, но не выходит по-другому! Мы на эти деньги, что от нас хотят только на взятки, дворец спорта в Монако могли бы купить!

— Почему в Монако? — удивился Олег.

— Да у них там тоже недвижимость дорогая!..

— Если хотите, я поговорю, — предложил Олег, подумав. — С самим. В субботу, на футболе.

— Да можно, можно! В неформальной, так сказать, обстановке. Дело-то пустяковое, а эти гаврики его, из префектуры, последние остатки совести потеряли!

— Э, Виктор Иванович, остатки бывают только от чего-то, а у них совести никогда не было, и терять им нечего.

— Креста на них нет, — сказал партнер задумчиво. — Я вот в церковь каждую субботу хожу, исповедуюсь, причащаюсь, а все равно чувствую — давят грехи, ох, давят, Олег Петрович!

Олег промолчал. У него были свои представления о совести, грехах и церкви, и он предпочитал ими ни с кем не делиться.

Второй вопрос, который партнеры должны были обсудить, — это как раз строительство храма в Подмосковье, за которое взялся Виктор Иванович, а Олег браться решительно не хотел и предлагал просто поделить расходы.

Тут у них и вышла заминка, потому что Назаров принялся Олегу втолковывать, как неразумному, что подмосковный храм должен стать главным делом его жизни.

Олег слушал, молчал, кивал.

Он точно знал, что денег даст, а больше ничего делать не станет.

— Мы же с тобой православные, — говорил Виктор Иванович, горячась все больше и больше, — а не какие-то там иноверцы! Одной верой не спасемся, мало веры, еще добрые дела нужны! Вот я к батюшке Валентину на прошлой неделе ездил, под Тулу. И деревушка крохотная, и церковка бедненькая, и батюшка еще слабосильный, молодой совсем, борода почти не растет, а народ уже душой-то потянулся! Думаю помочь им тоже.

Олег пожал плечами:

— Давайте поможем.

— Вот стою я на молебне, слушаю, как он служит,

батюшка молодой, а в храме сквозняки гуляют так, что свечи гаснут! А бабульки есть, которые на коленях стоят, земные поклоны бьют! Подремонтировать бы хорошо храм, утеплить, иконостас новый организовать, потому что у них совсем иконки плохонькие!

— Давайте иконостас.

— И молодых, я посмотрел, много. И детей приводят, и сами идут! Вот в субботу батюшка две пары венчает. Звал меня посмотреть.

Олег поднял брови.

— И вы поедете?

— Поеду, если график позволит, — сказал партнер озабоченно. — Хорошо, когда традиции возрождаются!

— Должно быть, хорошо, — согласился Олег Петрович.

Назаров вдруг рассердился:

— Да что ты заладил одно и то же! — Они говорили друг другу то «ты», то «вы». — О душе надо думать, о душе! Вон как российское купечество о душе своей пеклось, сколько на храмы жертвовало да на иконы! А мы!.. Все позабыли, все пораскидали, все порушили, да еще на пепелище сплясали! Народ следует в церковь вести, как детей неразумных, глядишь, изменится что-то! Подобреем душой!

— Народ нужно учить, — сказал Олег Петрович, морщась. — В школах, в институтах! Читать следует учить, никто же не умеет! Историю религии надо преподавать, мы же невежественны, как... как медведи! А уж особенно в религиозных вопросах!

— Так вот и надо, чтобы народ в церковь шел!

— Надо, чтобы он осознанно шел, Виктор Иванович. А не потому, что больше пойти некуда, пойду-ка от скуки в храм! Там, в этой вашей тульской деревне, куда-то еще можно податься? Наверняка кино раз в неделю привозят, и дискотека по пятницам в клубе! Вот все в храме и постоят с постными лицами и снова самогон жрать, а потом драться! Что, не так разве?

— Не так! Совсем не так! Мужичок, может, в храме постоит, батюшку послушает, раскается и не пойдет пить!

— А куда пойдет?

Назаров посмотрел на Олега Петровича.

— То есть что значит — куда?

— Ну, если пить не пойдет, куда он денется, мужичок-то ваш раскаявшийся? Книгу читать станет? Льва Николаевича Толстого? Или на работу ринется, аки лев? Или детей родных начнет не ремнем воспитывать, а ласковым словом?

— Что ты, Олег Петрович, ей-богу, все скепсис свой демонстрируешь!

— Не люблю я показательных выступлений, Виктор Иванович! А то, о чем ты говоришь, как раз и есть показательные выступления, а не вера в бога! Вера в чем-то другом и по-другому должна выражаться.

— Для ее выражения от Рождества Христова ничего нового не придумали, Олег. Только храм и молитва!

— И мелочи всякие, — добавил Олег Петрович неторопливо, — вроде любви к ближнему! Не убий, не укради, да вы все знаете лучше меня!

— В храме этому и надо учиться!

— Этому надо учиться у мамы с папой.

И оба замолчали.

— Здесь мы с тобой не сойдемся, Олег Петрович.

— Видимо, нет, Виктор Иванович.

— Так деньги даешь?

— Мы же договорились. Завтра переведу. Только

вы за строительством все равно приглядывали бы! И денег в руки никому давать не следует.

— Там у меня отец Панкратий за всем приглядывает.

— И отцу Панкратию не вверяйтесь особенно. Мало ли что! Потом он вам доложит, что вы его ввели во искушение своими деньгами, и дело с концом. Ни храма, ни денег!

— Господи, прости его, — пробормотал Виктор Иванович себе под нос, но так, чтобы Олег слышал. — А в Тулу со мной не поедешь? Отец Валентин две пары венчает!

— Не поеду, — сказал Олег. — А вы, если поедете, лучше их тоже отговорите, чтобы не венчались!

— Да как же так?!

— Да так, что жить до конца дней вместе они все равно не станут, а только перед богом солгут! А это грех худший, чем невенчанными жить, я вас уверяю.

— Ах, Олег Петрович, ах, циник какой!..

— Да никакой я не циник! Хотите иконостас купить, ну, купите им иконостас! Только бы лучше книжек в библиотеку купили! У них там библиотека есть?

Этого Назаров не знал, и Олег Петрович пожалел, что спросил, — не стоило ставить партнера в неудобное положение!

— Я сегодня был у Василия Дмитриевича, — сказал он, чтобы как-нибудь загладить неловкость. — На Фрунзенской.

— Да ну? Что-нибудь новенькое откопал?

— Да ничего особенного.

Олег быстро прикинул, сказать про икону или лучше промолчать. Сказать — значит надо говорить и про все остальное — и про ворованную демидовскую коллекцию, и про пять тысяч долларов, и про то, как

Василия Дмитриевича «бес попутал». Назаров, как и сам Олег Петрович, большой любитель старины и хорошо относится к антиквару, но кто знает, как он отнесется к тому, что старик связался с какими-то подозрительными личностями! Все-таки Виктор Иванович — человек «правильный», «положительный», почти что бог, почти царь, ну прям отец родной!

И Олег решил не говорить.

В конце концов, икона завтра же будет возвращена тем, кто пристроил Василию Дмитриевичу подозрительную коллекцию, и самому Олегу придется о ней позабыть. Зря он вообще спрашивал!

— Ничего особенно интересного нету, зато барышню мне Василий Дмитриевич навязал. Прекрасную во всех отношениях. Зовут Виктория.

Назаров шутливого тона не принял.

— Остепениться вам надо, Олег Петрович! Все какие-то барышни у вас! Венчаться не велите, а сами живете не по божьим законам! Нехорошо, не мальчик уже.

— Сорок три года скоро, — напомнил Олег Петрович, и они оба рассмеялись.

Назаров вдруг заспешил, сославшись еще на одну встречу, и Олег попрощался с ним со смешанным чувством.

Разговоры с Назаровым давались ему нелегко, хотя тот был деловым человеком, полезным и хватким партнером, и Олег знал его не первый год, но всегда в общении с ним осторожничал. Он и впрямь не любил «показательных выступлений», до которых Виктор Иванович был большой охотник, и все ему чудилась фальшь в том, что тот говорил и делал.

Церковь в Тульской области, надо же!.. Бабулькам

сквозняком дует, а они земные поклоны бьют, иконостас бедненький!..

Олег Никонов не верил в то, что Виктор Иванович искренне печется о бабульках и иконостасе. Виделось Олегу за всем этим единственное жгучее желание — укрепиться в роли «отца», «царя-батюшки» и почти что бога, и чтобы все в это верили, и чтобы сам Виктор Иванович верил тоже! Собственно, в желании этом не было ничего плохого, но Олег не понимал, зачем во все это вовлекать... Всевышнего. На Его территорию уж совсем бы не нужно претендовать. Храм — особое место, и не в сквозняках дело! Можно не храм построить, а дворец с куполами и крестами, и никто туда не пойдет и молиться не станет!

Если священник умный, если народ не совсем озлобленный, если силы еще остались и есть потребность верить, так и наплевать на сквозняки! Возьмут мужики три доски, поправят пол, да и ладно, дуть перестанет, и благое дело сделают! А просто так деньги давать, лишь бы народ тебя благодетелем считал и на тебя молился, — нехорошо. Да и осчастливить нищих очень просто. Можно и храм не ремонтировать. Можно винный магазин открыть и водку паленую по десятке продавать, и народ еще больше благословлять тебя станет, до земли кланяться!..

Почему-то очень раздраженный, Олег Петрович вышел на улицу и посмотрел наверх в надежде увидеть звезды, но никаких звезд, ясное дело, не увидел, только оранжевое тревожное сияние в небе, от которого ему сразу стало не по себе; верный признак жизни в мегаполисе! Под вечер еще подморозило, и он сунул руки в карманы.

Вот, наверное, в той самой тульской деревне звезды сейчас хороши — яркие, крупные, зимние!

Его машина неслышно причалила рядом, Гена вышел и распахнул перед ним дверь.

Олег Петрович еще посмотрел на небо, а потом нехотя поместился внутрь. Гена захлопнул дверь, обежал капот и уселся.

— В офис, Олег Петрович?

Прощаясь с Викторией, Олег с места в карьер назначил ей свидание — гусарствовал от души, — а теперь выходило, что на встречу нужно ехать! Ехать ему не хотелось, и он стал придумывать для самого себя причины отказа.

У него полно работы — чепуха, никакой особенной работы на сегодняшний вечер запланировано не было, и скучать в офисе еще хуже, чем скучать на свидании! Он может поехать поиграть в теннис, поплавать в бассейне и посидеть в турецкой бане. Тоже чепуха, в теннис он играл по утрам, когда по улицам еще кое-как можно было проехать до часа пик. Сейчас, по вечерним пробкам, добираться до корта он будет несколько часов и, пожалуй, заснет в машине. Приятель звал на день рождения жены, но его жену Олег не любил — она строила ему глазки, а он решительно не знал, куда деваться.

Значит, на свидание! И он достал телефон.

Умный Гена крался по переулку так медленно, что еще даже и полпути не проехал.

— Виктория, — игриво начал Олег Петрович, когда трубка плеснула ему в ухо нежным голосом, — это Олег Петрович. Мы с вами собирались сегодня вечером пойти поужинать. Вы готовы?

— Мы же были на «ты», — нежно попеняла трубка. — Ну конечно, я все помню! А ты за мной заедешь?

Вот этого Олегу уж совсем не хотелось.

Если он ее привезет, он же должен будет ее и увозить — и тогда не сможет сбежать, если ему станет совсем невыносимо. Если она приедет сама, значит, в ее распоряжении будет машина и он со спокойной душой в середине вечера сможет убраться восвояси — опять же, если совсем припрет.

— Я бы заехал, но у меня еще дела, а движение в этом городе по вечерам не слишком активное. Вернее, наоборот, — нащупывая утренний тон в разговоре с ней, воскликнул Олег, — как раз слишком активное, а мы с вами, дорогая моя Виктория, все еще никак не соберемся переехать в Ниццу! Вместе с нашими славянскими племенами, которые под вечер, на нашу беду, едут с работы домой!

— Ты приглашаешь меня в Ниццу? — живо спросила она, и он отступил. Ее активность, вызванная поездкой на его редкостной машине, немного его пугала.

— Я приглашаю тебя в ресторан. В Москве.

— А в какой? Только давай пойдем в какое-нибудь веселое место! Я не хочу просто сидеть и жевать в окружении пиджаков обоего пола!

Олег засмеялся. Гена сбросил скорость практически до нуля, автомобиль почти не двигался в тесном переулке с желтыми стенами, от которых сразу же начинало давить в висках.

— А где весело?

— Ну-у, на Рублевке есть отличный клубешник! Называется «Синема Чиз».

— Там показывают кино?

Виктория удивилась:

— Почему кино?

— Наверное, потому что «Синема».

— А-а, да нет! Просто там все синее!

— Значит, и «чиз» — это не сыр, а... что?

— Чиз — это просто чиз, — не слишком понятно объяснила Виктория. — Клуб близко от нашего дома. Ну, то есть от папиного. В Жуковке на светофоре нужно повернуть направо.

— Хорошо, — согласился Олег Петрович. — Повернем. Я буду тебя там ждать.

— И посмей только не приехать, — сказала она весело. — Я на тебя обижусь на всю оставшуюся жиизнь!

— На всю жизнь не надо, и я приеду, — пообещал Олег Петрович, нажал кнопку отбоя на телефоне и велел Гене ехать домой.

Нужно переодеться, а то Виктория в обморок упадет.

В квартире было пусто и чисто — домработница давно ушла, переделав все дела, и Олег, на ходу через голову стягивая свитер, пошел в сторону спальни и гардеробной. Гена топтался на пороге. Он всегда провожал Олега Петровича до квартиры.

— Мало ли что, — говорил Гена, — лучше перебдеть, чем недоспать! Кабы мне ваши денежки да ваши возможности, у меня бы в каждом углу по охраннику сидело!

Олег Петрович моментально воображал себе, как в каждом углу его квартиры сидит по охраннику в камуфляжной форме, в масках и с автоматами, и говорил Гене, что ему и без охранников вполне уютно.

Стянув свитер на полпути к спальне, он по ходу нажал кнопку автоответчика, который доложил ему приятным женским голосом, что у него есть одно сообщение.

Звонила дочь.

— Пап, это я, привет, — сказал в трубке быстрый веселый голос. — Как твои дела? Надеюсь, что хорошо! Как твоя работа? Надеюсь, что прекрасно! Как твоя жизнь? Надеюсь, что безоблачна!..

Олег, слушая из спальни ее болтовню, усмехнулся. Он швырнул свитер на кровать и распахнул дверь в гардеробную, где сам собой тут же зажегся яркий, но приятный свет. Целый ряд пиджаков простирался в глубину, двумя рядами в ширину и в высоту. Отдельно висели брюки и еще галстуки на специальных деревянных распялках.

— Пап, ну ты много не работай, больше отдыхай, копайся в своем старье, ты ведь это любишь!

— Хорошо, — пробормотал Олег себе под нос.

— Мы с Марком собираемся к его родителям на Рождество. — Олег перестал перебирать пиджаки и выглянул из гардеробной, но дочери не увидел. Даже телефона отсюда не было видно, только Гена прошел вдалеке. — Ты пока особенно не пугайся, но у нас, кажется, все серьезно!

— С ума сошла, — громко сказал Олег в сторону автоответчика.

— А? Вы мне, Олег Петрович?

— Пап, мне деньги нужны. Девоншир — не ближний свет, и мама сказала, что в Англии все дорого. Дашь? Ну, чтобы на все хватило, значит, билеты, гостиница, и на баловство! Помнишь, ты мне так говорил, когда я была маленькая? Ты говорил, что обязательно должно быть что-нибудь на баловство, потому что без этого скучно жить! И бизнес-класс мне не нужен, Марк принципиально не летает бизнес-классом.

Он считает, что это буржуазная роскошь для подагрических старичков.

— Для каких старичков? — сам у себя спросил Олег Петрович, по несчастью, в отличие от неизвестного ему Марка предпочитавший именно бизнескласс.

— Хотя, наверное, на гостиницу тоже можно ничего не давать, мы же будем жить у его родителей, но я пока не знаю, в гостинице как-то свободней, да, пап? И пригласи меня в ресторан! Я хотела сегодня напроситься, но тебя в офисе не было, а на мобильный я не стала звонить! Я тебя люблю, мой драгоценный подагрический старичок.

— Тьфу ты! — сказал Олег, взял трубку с аппарата, стоявшего в спальне, потыкал в кнопки и прижал ее плечом. Пока трубка гудела, он стянул с ближайшей вешалки первые попавшиеся штаны и стал натягивать их, прыгая на одной ноге.

— Люсь, — начал он, когда трубку взяли, — она что, летит с этим своим иностранным щенком к его родителям?!

— А что тебя удивляет? — спросила бывшая жена раздраженно. — Нашей дочери двадцать лет! Она совершенно взрослый человек!

— Да ладно! — сказал Олег Петрович тоже немного раздраженно. — Как на работу ходить, так она еще маленькая. А как к жениху лететь, так она взрослый человек! Вы чего, затеялись замуж выходить?!

— Олег, ничего мы не затеваем! Но я считаю неправильным ей мешать. У нее своя жизнь, первое серьезное чувство, и мальчик довольно приятный.

— Ты его видела?

— Ну конечно, видела!

— А зачем эти смотрины?! Да еще на его территории?! Тогда давай сначала *мы* устроим смотрины, позовем его в ресторан и будем расспрашивать, не было ли в его семье слабоумных или страдающих венерическими болезнями, ибо это может пагубно отразиться на потомстве! Или он принципиально не ходит в рестораны, потому что считает, что они созданы для подагрических старичков?

— Олег, что ты завелся?

— Да я не завелся!

— Ну, если ты считаешь, что это неправильно, поговори с ней! Но она все равно тебя не послушает, и вы поссоритесь.

— Спасибо за совет.

— Пожалуйста.

И они замолчали.

Олег натянул брюки и уставился на себя в зеркало. Надо надеть что-нибудь еще.

Бывшая жена вздохнула в трубке.

— Что ты хочешь от меня услышать, Олег? Эдик, между прочим, тоже не в восторге.

— Молодец, — похвалил бывший муж нынешнего мужа бывшей жены. — Я не возражаю против ее... ухажеров...

— Странно, если бы ты возражал, — вставила Люся.

— ...но я считаю, что тащиться в Англию для того, чтобы повстречаться с родителями очередного хахаля, глупо!

— Вот и скажи ей это.

— И скажу.

— И ничего не добьешься. У нее любовь!

— Мне нет дела, любовь или нет. Какого дьявола она хочет знакомиться с родителями?

Бывшая жена опять вздохнула.

— Олег, тебя так давно нет в нашей жизни, что вряд ли ты можешь претендовать на истину в последней инстанции. Даже для своей дочери!

Это была тщательно продуманная фраза.

Она готовилась, понял Олег. Она знала, что я буду звонить, и репетировала речь, и придумала эту самую «истину в последней инстанции».

— Понятно, — сказал он скорее себе, чем ей.

— Что? — переспросила бывшая жена. — Что тебе понятно?..

Он так и не осознал как следует, почему они тогда развелись. Ему некогда было в этом разбираться. Некогда и страшно. Он зарабатывал деньги, и вдруг стало всего вдоволь — одежды, еды и даже машин. Времени, правда, совсем не стало, и выяснилось, что в Париж на романтический уик-энд лететь нет никакой возможности и неохота, потому что туда то и дело приходится мотаться по делам. Впрочем, пару раз они слетали и проделывали там все, что полагается проделывать, в смысле романтики. Они завтракали с шампанским на балконе отеля «Крийон», съездили в Сен-Жермен, и на заднем сиденье такси нежно прижимались друг к другу, и, помнится, даже держались за руки, выпили кофе на Монмартре и обозрели великий город от подножия собора Сакре-Кёр. Что там еще у нас в списке такого, романтического? Ах да, конечно, Люксембургский сад, вишня в шоколаде и букетик мелких белых роз. Все было исполнено, ничего не упущено, и это было самое худшее время в их супружеской жизни, неуклонно приближавшейся к финалу.

То ли они оба слишком многого ждали от поездки, какого-то всплеска любви и эмоций, а ничего не всплескивало. То ли к тому времени им было решительно не о чем друг с другом говорить. То ли думали они о разном — он, по привычке, о делах, а она, от незанятости, о магазинах. Но развелись они сразу по возвращении с последнего романтического уик-энда!

Слово-то какое гадкое — уик-энд! Хорошо образованному Олегу Петровичу чудилась в нем фальшь, киношность и вообще что-то свинское, может быть, потому, что свинья хрюкает именно такими звуками «уи-уи!».

Он не давал труда объяснить себе — почему вышло так, а не иначе, почему любовь, которой когда-то было так много — в ней можно было купаться, — куда-то делась! Почему стало скучно, так невыносимо скучно, что выходные — худшее время — приходилось планировать гораздо более тщательно, чем самый сложный рабочий день! Планировать именно для того, чтобы не оставаться наедине, не сидеть перед телевизором, глядя нелепые картины, которые там показывали, не начинать с утра пить, потому что больше уж решительно нечем было себя занять, а дожить до работы как-то нужно!..

Вот квартира, и все в ней как всегда, и все привычно и удобно устроено, и когда поутру открываешь глаза и осознаешь, что сегодня никуда не надо, так и тянет немедленно повеситься в ванной на крючке для душа!..

И начинается день, и тянется бесконечно, и кофе уже выпит, и школьные дела дочери кое-как прояснены, хоть прояснять нечего — дочь всегда прилично училась, без блеска, но и без грозных провалов. И вроде бы уж надо как-то возрадоваться — желанное время, «выходные с семьей», и на работу не ехать, — а радости никакой! И все, что придумывается дальше — кино, гости, теннис, — все уж было в прошлые выходные и будет в следующие, и по большому счету это никому не нужно!.. У жены каждый день выходной, дочери охота к Ленке на день рождения, а он назначен только на пять, значит, сиди до пяти с родителями, как дура, у Олега телефон за все утро ни разу не зазвонил, а он давно привык к тому, что тот должен звонить, звать его к себе, разрывать на части! Он привык спешить, не успевать, распределять время, а тут раз в неделю и распределять ничего не нужно, хоть застрелись!.. Ему некогда было выдумывать праздники, а жена выдумывать, должно быть, не умела или не хотела, и праздники превратились в каторгу.

Сначала праздником были три десяточки гонорара, две из которых он привозил «нетронутыми», Новый год и майские выходные в паршивом доме отдыха, но все это было весело, радостно!.. Потом праздником стала шуба, ресторанчик с вкусной едой, грандиозные планы покупки новой квартиры. Праздником стали машины, дом в Подмосковье и этот самый уик-энд в Париже, будь он неладен!

А потом праздников не стало вовсе.

К сорока годам Олег Петрович точно понял, что скука — это не отсутствие веселья. Это отсутствие какого бы то ни было смысла.

Смысла в их общем существовании не стало никакого, и они развелись. Кажется, этого никто не заметил, даже дочь.

Потом он придумал то, что было ему удобно, — жена много лет не работала, а он работал как лошадь, и тут интересы их разошлись, или дороги, что ли, разошлись, как пишут в умных журналах. В общем, что-то разошлось и обратно никак не сходилось!

Она вскоре вышла замуж за Эдика, их общего приятеля, который к тому времени тоже с кем-то разошелся и решил, что, если он поменяет жену, этот самый пресловутый смысл, которого не стало, появится вновь. Олег не знал, появился он или нет, но однажды встретил бывшую жену в ресторации с неким молодым неизвестным красавцем, смутно напоминавшим Гену Березина. Тогда в ресторане она вдруг покрылась пунцовым румянцем, засуетилась, стала пересаживаться так, чтобы он ее не заметил, и он сделал вид, что не замечает, и дал ей уйти непобежденной, и никогда ни о чем ее не спрашивал.

Со смыслом, видимо, и у нее было неважно.

Он старался не сожалеть и не вспоминать, но иногда вдруг подступала к самому горлу, к глазам мучительная тоска по прошлому, где было так радостно, так понятно, так чисто, где так весело было обниматься в выходные на диване, шептаться и замирать, когда вдруг маленькая Машка начинала возиться и пищать в своей кроватке!.. Где весь смысл их существования был только друг в друге, где все было ясно и надежно устроено, где ему сияли глаза жены и он чувствовал, что они, его девочки, без него пропадут и для них он самый лучший, самый нужный человек на свете!..

— Олег, — осторожно позвала жена из телефонной трубки. — Что ты замолчал?

— Я дам ей денег, — сказал он ледяным от вдруг подступившей тоски голосом. — Сколько нужно, столько и дам.

— Да особенно не нужно, — грустно ответила бывшая жена. — Эдик сказал, что купит ей билет. Это она уж так...

— Ты скажи ей, чтобы она мне позвонила.

— Скажу.

— Ну все, — не в силах продолжать эту муку, решительно объявил Олег Петрович. — Пока.

— Пока, — помедлив, сказала она. — Береги себя.

Он бросил нагревшуюся трубку на кровать, и она приземлилась как раз на брошенный свитер.

Я не буду думать, приказал он себе. Изменить ничего нельзя. И никогда было нельзя!..

Или я просто не пытался ничего изменить? Не думал о близких? Или думал как-то не так, как нужно было о них думать?

Олег Петрович натянул водолазку, а поверх нее самый любимый пиджак, будто этот пиджак мог както спасти его от несовершенства мира, вдруг обрушившегося на него, и крикнул в глубину квартиры:

— Гена!

— А?!

— Отвезешь икону на Фрунзенскую прямо сейчас.

Гена появился в распахнутых дверях гостиной и задумчиво покачал туда-сюда дубовую створку.

— А как же я вас одного оставлю, да еще в какомто неизвестном месте!

— Все будет хорошо.

— Да лучше я завтра утречком поеду и заброшу ее!

— Забрасывать ничего не надо, — монотонным голосом сказал Олег Петрович. — Отвезешь икону прямо сейчас.

— Олег Петрович, у вас охраны никакой нету, а на самом деле...

— На самом деле я больше ничего не хочу слушать.

Гена Березин пожал плечами.

Шеф после разговоров с бывшей женой частенько бывал не в духе, и тут Гена решительно его не понимал!

Да у него такие крали водились, закачаешься просто! И еще будут водиться, ибо, как птички небесные, слетаются на его денежки целыми стаями и порхают, порхают!.. Уж такие прелести его окружают, уж такие лапушки, вот хоть сегодняшняя! А жена? Что жена? Ну, была одна, так еще будет, не век же ему бобылем маяться! Хотя он, Гена Березин, всех своих жен на такую маету, как у Олега Петровича, променял бы чохом и глазом не моргнул!..

Рассуждая таким образом и тяжко вздыхая от несправедливости жизни, Гена потащился к входной двери обуваться.

Дурное предчувствие вдруг поскреблось где-то в глубине души, но Гена решительно отогнал его. Он не верил в дурные предчувствия.

Кровь еще долго капала с разбитой губы, и было больно, и казалось, что больно от мороза. Он не знал, сколько времени просидел, прислонившись к стене.

Федор промерз до костей, так что зуб не попадал на зуб. Кстати, зубы он проверил, и они оказались целы — он прямо пальцем полез в рот и долго там щупал, трогал и шатал, и ничего вроде не шаталось. Хорош бы он был с выбитыми зубами!

После того как мужик на огромной черной машине его спас, он кое-как подобрал рюкзак и, насколько мог проворно, поковылял за палатку, в которой красноносый лоточник торговал сосисками. Федор знал, что, как только те двое выскочат из подъезда, куда их, словно беспомощных щенят, покидал бравый мужик, ему настанет конец.

Он с ними не сладит.

За палаткой он постоял, покачиваясь и держась

рукой за стену. Все как-то странно мутилось перед глазами, голова кружилась, и грязный утоптанный снег то и дело грозил уйти из-под ног. Так с ним было только однажды, когда на студенческой вечеринке он старательно запивал водку пивом — они там все запивали водку пивом, — а наутро мучились головами, животами и всеми остальными мучениями, которые бог придумал в наказание таким дуракам, как Федор Башилов. Он отходил болезненно, долго, хуже всех. Геройствовали они в общежитии у девчонок, и, собственно, все дело затевалось только ради них. Парни готовились к этому визиту, мужественными голосами сообщали друг другу, что сегодня будет «грандиозный трах» и они все вволю «накидают пистонов». Должно быть, оттого, что все будущие фантастические любовники отчаянно трусили, потели и стыдились, то и напились в два счета, и вожделенный «грандиозный трах» окончился полным провалом, позором и изгнанием их из общежития.

Федор тогда дошел до троллейбусной остановки, сел на лавочку, свесил голову, прикрыл мученические глаза и даже заскулил тихонько.

— Плохо тебе, братан? — спросил какой-то веселый мужик, присевший рядом. — Правил, что ль, не знаешь?

— Знаю, — через вязкую мерзость во рту выдавил Федор.

— А знаешь, так поди похмелись, салага!

Но при одной мысли о запахе спиртного Федора чуть не вырвало прямо на колени участливому весельчаку. Его качнуло, и мужик отскочил брезгливо.

— Да пошел ты!.. Я-то думал, ты человек, а ты, как эти, обдолбанный, видать!..

С тех пор Федор никогда так не надирался, и нынешнее его состояние больше всего напоминало то, давнее.

С трудом нагнувшись, он зачерпнул в ладонь грязного снега, кое-как сдул с него черноту и копоть и вытер лицо. Снег впитал в себя кровь. Федор посмотрел на кровавый комок в своей ладони, размахнулся и влепил его в стену.

— Ты бы, парень, отвалил отсюда, — посоветовал красноносый из своего башлыка. — Гляди, сейчас наряд поедет, заберут.

Федор кивнул.

Мокрое лицо стянуло ледяной коркой, и он нашарил в кармане носовой платок. Платки в карманы ему всегда совала мать, и этот, чистый и свежий, был как будто приветом от нее, из той жизни, которой у него уже никогда не будет.

Кончилась.

Теперь он станет, как загнанный зверь, скрываться от ментов и бандитов, и хуже всего — самое ужасное! — то, что он даже предположить не мог, чем обернется его долгожданная свобода!

Ему ничего не светит, только смерть или тюрьма. А если он не найдет выход из положения, они убьют Светку и... его мать. Мать, которая положила ему в карман носовой платочек, которую он почти не любил — не мог простить, что из-за нее ушел отец!

Федор застонал тихонько.

— Слышь, парень!.. Ты смотри!

— Я смотрю, — хрипло пробормотал Федор.

Она просила отвезти ее в Париж, и он уже почти забыл то время, когда они мечтали об этом самом Париже вдвоем, и тогда ему казалось, что он сделает для нее все, горы свернет, луну с неба достанет, и что еще там принято делать, такое же нелепое и бессмысленное?!

Платок в кровавых пятнах жег ему руку, и Федор бросил его на снег.

Даже самому себе он боялся признаться, что с ним случилась катастрофа. Хуже его положения ничего не может быть. Наверное, самый последний палестинский нищий, который просыпается в лохмотьях на обочине и достает из котомки последнюю корку хлеба, чувствует себя в большей безопасности, чем он, Федор Башилов.

Потому что свободен. Потому что никому не нужен, как неуловимый Джо из детского анекдота.

Федор пошевелил плечами под курткой из «искусственного кролика», руками подвигал, и вроде бы все двигалось и шевелилось, значит, ничего не сломано.

Впрочем, зачем ему руки и ноги, когда жизнь все равно кончилась, и ладно бы только его! Себя ему было совсем не жаль, ну вот нисколько! Мать жаль, и Светку тоже.

И отец ничем ему не помог, выгнал, и той красавице, которая называла его «папулей», «папочка» сказал, что он, Федор, — курьер! Утром еще была надежда, что все как-то устроится, образуется, и сейчас, стоя под стеной желтого дома на ревущем Садовом кольце, Федор отчетливо понял, что больше надежды нет. Она умерла.

Впрочем, если исходить из того, что надежда умирает последней, Федор должен был умереть раньше ее.

Но он жив.

Никто не поможет. Никто не возьмет на себя его беду. Никто и никогда не закроет его грудью от неприятностей, а времена, когда все беды можно было решить, привалившись к материнскому плечу, давно минули.

Господи, подумал Федор Башилов неожиданно для себя, помоги мне!..

— Парень, — вдруг донеслось из башлыка, — хочешь, я тебе сосисочку сделаю? Горяченькую. Съел бы, что ли! Глянь, вон какой зеленый!..

— Не надо, — проскрипел приготовившийся умирать Федор.

— Да ладно, чего там «не надо»! Сейчас сделаю! И кофейку глотни.

В руке у него как будто сам по себе откуда-то взялся тяжеленький и теплый стакан, из которого вкусно и остро пахнуло кофе, а в другой руке — горячая булка.

— Горчицу не стал класть, рот-то у тебя вон разбитый весь, драть будет горчица-то! Да ты хлебни, хлебни!..

Федор хлебнул из стакана, стало горячо и сладко, и приятно разбитым губам, и он вдруг почувствовал, что голоден, так голоден, что от запаха булки с сосиской сводит живот.

Он накинулся на еду, торопясь и обжигаясь, и тот, в башлыке, отвернулся, наверное, чтобы не смущать его. В два укуса Федор уничтожил булку и выпил кофе, и даже сумел стакан поболтать, чтобы осевшая сладкая пенка не пропала, и не пролил ни капли!.. И в этот момент он позабыл обо всех своих бедах, о том, что он один в огромном мире, что все пропало, и мать пропала тоже, и он не знает, что теперь делать, — так вкусно ему было.

— Спасибо, — сказал он в сторону башлыка и вылил в рот последние капли кофе. — Спасибо вам большое.

— Не на чем.

Он не знал, сколько стоит то, что он съел, и поэтому полез в карман, извлек мятый полтинник и стал совать башлыку, а тот сказал укоризненно:

— Мамке полтинник-то отнеси!

И не взял!..

Федор преисполнился такой жгучей благодарности, что даже слезы навернулись на глаза, и он шмыгнул носом, чтобы они, не дай бог, не пролились, и еще вдруг вспомнился ему тот мужик, который вылез из своей гигантской и гладкой машины, чтобы помочь, и помог!..

И еще Федор подумал, что отец ни за что бы не вышел. Никогда.

Что-то изменилось у него в голове, когда он неожиданно для себя стал сопротивляться, когда боль хлестнула его мозг и прожгла насквозь. Все-таки он не дался без боя, и если эти скоты думают, что Федор Башилов просто букашка, которую можно раздавить сапогом, — они ошибаются! Просто так он не дастся!

Особенно теперь, после того мужика из машины и булки с сосиской, за которую у него даже не взяли денег!..

Пусть ему хуже, чем последнему палестинскому нищему — дался ему этот нищий! — все равно есть эти два мужика, которые пришли на помощь. Просто так.

До сегодняшнего дня он был уверен, что *просто так* никто никому не помогает. И его отец никогда не помог бы! Никогда!

...и что это значит?!

— Спасибо вам большое, — еще раз отрывисто пролаял Федор в сторону башлыка, и тот кивнул, а Башилов выбрался из своего укрытия на тротуар, где его сразу хлестнул ледяной ветер. Сейчас он отправится на Фрунзенскую и еще раз попытается поговорит со вздорным старикашкой, который так его обжулил!

Впрочем, Федор сам виноват — нужно было головой соображать, а не одним местом. Теперь, когда у него появилось «дело», он немного приободрился и перестал думать о себе, что он несчастней любого палестинского нищего — почему палестинского?..

Веронике Башиловой позвонили, когда она чистила картошку. Что-то так захотелось оладий из жареной картошки, просто невыносимо! И чтобы обязательно на сале пожарить.

Федор маленьким очень любил такие оладьи. Он вообще много чего любил. Любил снег — у него был красный комбинезон, и он, как щенок, рылся в снегу, а потом валялся в сугробе и хохотал. Любил книжки — особенно про Винни-Пуха, и все заставлял ее читать то место, где Тигра спас Кролика и Пятачка. Любил ездить к бабушке — и всегда старательно наряжался перед тем, как они должны были отправиться в гости.

Вероника чистила картошку, кожура падала в ведро. Она чистила и улыбалась воспоминаниям.

Еще он любил яблочный пирог и всегда помогал ей резать яблоки, когда стал постарше. И любил разговаривать про Париж. Это уже после того, как она показала ему фотографии. Они валялись на диване и говорили друг другу, что однажды обязательно поедут в Париж и пойдут в собор Святого Северина на Левом берегу, и там как раз в это время будет играть орган. Когда она рассказывала про собор и Левый берег, он слушал как завороженный, от удовольствия у него даже волосы на голове шевелились!

А потом он вырос и понял, что Алексей ушел из-за нее, из-за того, что не смог жить с ней, и она, получается, испортила не только свою жизнь, но и жизнь сына!..

Может, нужно было отдать его отцу? Или как-то уговорить Алексея остаться?! Или... или...

Очистки падали, и на них капали слезы — а она и не заметила, как перестала улыбаться!..

Что теперь сожалеть, когда изменить ничего нельзя, как нельзя повернуть время!

Федор вырос, и оказалось, что ему совсем не нужны рассказы про Париж, и она, Вероника, ему тоже не нужна и только раздражает тем, что пристает, канючит, просит звонить, если он задерживается! Конечно, сын хочет жить по-другому, не так, как его мама, — уж больно трудно! Но как прожить легко на зарплату музейного работника, когда еще есть старая мать и бывший муж не дает ни копейки! Когда помощи ждать неоткуда, и вечно не хватает ни на что, и дешевый сыр со свежим хлебом — самое главное лакомство?

Она всегда думала, что сын будет любить ее всю жизнь, по-щенячьи, искренне, всей душой, и совершенно не понимала, как ей справиться с его нынешней нелюбовью, вечным раздражением и какой-то брезгливостью, которая, как ей казалось, мелькала у него в глазах, когда он смотрел на нее!

Телефон зазвонил, когда она уже задвинула под раковину ведро и начала тереть на терке ровные скользкие картофелины.

Телефон зазвонил, и она заворчала сердито, потому что всем известно, что натертая картошка немедленно начинает синеть, если не бросить ее сразу на сковородку!

Она бросила нож и, вытирая руки о фартук, пошла в комнату, где стоял телефон.

— Вероника Павловна, это вы? — испуганно спросила Вера Игнатьевна, заведующая сектором французского искусства.

Вероника удивилась.

— Я, конечно! А что случилось, Вера Игнатьевна?

— А вы не смотрите?! — ахнула та.

Вероника решила, что заведующая звонит, чтобы рассказать ей содержание нового сериала. У них в музее сериалы смотрели все.

Сорокапятилетние наивные девчушки вроде Вероники смотрели про любовь и предательство, девушки постарше, посолидней, к шестидесяти годам, смотрели про измены, стяжательство и про мафию, а совсем взрослые, за семьдесят, про войну, Сталина и Инну Чурикову в роли великой русской актрисы.

По вечерам смотрели, а по утрам обсуждали — каждая свое.

Вероника Павловна, насколько хватало телефонного шнура, потянулась и заглянула в кухню, чтобы проверить, поставила она сковородку на огонь или нет. Отсюда было не видно.

— Нет, я не смотрю, Вера Игнатьевна, — сказала она. — Я ужин готовлю. А что такое показывают?

— Включайте скорее НТВ, — испуганной скороговоркой велела заведующая, — скорее, скорее!

Вероника нашарила на диване под собственной попой пульт и нажала кнопочку.

— А что такое-то?!

Если сковородка на огне, масло наверняка уже горит!

— У нас ЧП, — выпалила Вера Игнатьевна, и в голосе ее послышался восторг, смешанный с ужасом. — Самое настоящее ЧП!

Вероника перепугалась. Телевизор налился серым светом, который плавно перетек в голубой. Сейчас начнет показывать.

— Террористы опять дом взорвали?!

— Музей обокрали!

— Как?! Ка... какой музей?!

— Да наш, наш, Вероника Пална! Вот говорят, сейчас говорят и Петра Ильича показывают!

Телевизор выплыл из задумчивости, и на оживший экран из темноты выскочил молодой человек в куртке и с микрофоном в правой руке.

— ...стало известно только что, — с места в карьер заговорил молодой человек, глядя очень бойко. — О стоимости пропавшей из Музея изобразительных искусств коллекции не сообщают, директор музея Петр Преображенский считает, что говорить об этом пока рано. По факту кражи возбуждено уголовное дело, и следователи прокуратуры сейчас работают на месте предполагаемого преступления.

Вероника Павловна поднесла ко рту ладонь, словно хотела укусить себя за палец, чтобы очнуться.

— Видите, видите?! — кричала в трубке Вера Игнатьевна. — Господи помилуй, это же наш коридор, и во-он мой кабинет, где стул стоит! Вы видите?!

Кажется, она была в восторге оттого, что дверь в ее кабинет, а заодно и стул показывают по телевизору!

Камера мазнула по стенам, в которых Вероника провела всю свою жизнь, и переместилась к слишком ярко и странно освещенной свинцовой двери в хранилище, возле которой толклись какие-то чужие люди, очень много!

— Господи помилуй, — повторила Вероника.

Среди людей в серых и черных куртках был директор, Петр Ильич, с растерянным и бледным лицом, кажется, у него задрожала рука, когда он стал поправлять очки. И еще были Валентина Ивановна из славянского сектора и Эльвира Александровна из древнерусской иконописи, охранник Юра, смотрительница Наталья Николаевна в своих вечных войлочных ботинках — все, все наши!

— А что, что украли-то?! И когда?! Вера Игнатьевна, вы слышите?! Когда украли и где?!

— Из русского искусства девятнадцатого века. — Так назывался отдел. — Ну, где Федор ваш служит! А что именно — я пока не знаю. Да у нас никогда в жизни ничего не пропадало! Бедный, бедный Петр Ильич, ведь теперь затаскают, а человек же кристальный! И Марья Трофимовна!..

Федор, тупо подумала Вероника Башилова. Что-то пропало из отдела, где работает Федор.

— У нас в хранилищах сокровища многомиллионные, и никогда и ничего, представляете, Вероника Павловна! Да что же это такое делается-то, а?! Что делается?!

— Извините меня, Вера Игнатьевна, мне срочно нужно... у меня сковородка... горит...

— А Федор где?! Федор дома?! Он видел?! Марья Трофимовна бедненькая, из ее отдела пропало! Господи, какой ужас! Какой кошмар!

Вероника нажала на пластмассовое телефонное ухо, и причитания Веры Игнатьевны оборвались. Зачем-то она еще раз вытерла руки о фартук и приложила их к щекам. Руки были ледяными, а щеки горячими, или наоборот.

Вероника посмотрела в телевизор, где картинка сменилась, и второй молодой человек, в другой, но очень похожей куртке, глядя очень похожими бойкими глазами, рассказывал о том, как задержали какого-то телефонного вымогателя.

— Феденька, сыночек, — одними губами выговорила Вероника и схватила трубку.

Утром он был явно не в себе и ни слова не сказал ей о том, куда идет! Он не сказал даже, вернется ли к ночи, а это могло означать все, что угодно. Он же еще совсем глупый, доверчивый, маленький мальчик! Он ничего не понимает в жизни и в людях, и обвести его вокруг пальца проще простого! Господи помилуй, только не такая беда!

Нужно звонить. Немедленно ему звонить!

От ужаса она забыла его мобильный номер и долго не могла вспомнить, а когда вспомнила — все никак не могла попасть в кнопки.

— Феденька, — говорила она, тыча в телефон дрожащим пальцем. — Феденька, миленький, что там у вас случилось?!.

«Аппарат абонента выключен», — сообщила трубка и еще что-то добавила, и Вероника прихлопнула пластмассовое ухо.

Телефон тотчас же зазвонил.

— Да! Федя, это ты?! Феденька?!

— Вероника Павловна, это Марья Трофимовна, — сказала трубка очень сдержанно. — А где... Федор? Тут вот товарищи хотели бы с ним переговорить. Он сегодня не вышел на работу.

— Какие товарищи? — мертвым голосом спросила Вероника.

— Из милиции, — отчеканила Марья Трофимовна. — Вы что, не знаете, что у нас случилось?

— Нет, но я только что увидела, — забормотала Вероника, — мне Вера Игнатьевна позвонила, и я...

— Федор дома?

— Нет, он утром еще уехал...

— Куда? Вы знаете, куда он уехал?

— Нет, — сказала Вероника. Мысли у нее прыгали и разбегались в стороны, как зайцы из садка, она не могла ни поймать, ни остановить их. — Мы утром попрощались, и он сказал, что...

— Когда он должен вернуться? Дело в том, что у него мобильный телефон не отвечает, а товарищам он срочно нужен.

— Я могу приехать.

— Это кто? — спросил на заднем плане приглушенный мужской голос.

— Его мать, — отчеканила Марья Трофимовна. — Вероника Павловна, с вами хотят поговорить.

— Да, да, — сказала Вероника растерянно.

— Здравия желаю, — близко произнес мужской голос, потеснивший голос Марьи Трофимовны, — как бы нам разыскать сыночка вашего? И поскорше, кота за хвост не тянуть?

— Я... не знаю. Но он вечером приедет, и я ему скажу, чтобы он вам позвонил, если вы мне телефон...

— Э, нет, так не пойдет, — задушевно молвил голос в трубке, — нам бы поскорше, гражданочка, поскорше! Ну, вот как вас зовут?

— Меня? — не поняла Вероника.

— Вас, вас. Как вас зовут, гражданочка?

— Вероника Павловна Башилова.

— Так дело вот в чем, Вероника Павловна, говорят, сын ваш сегодня на работу не вышел, и вообще в последнее время находился в скверном расположении духа, и что человек он замкнутый, нелюдимый.

— Ну и что?! — закричала Вероника. — Это преступление?!

— Само по себе, конечно, нет, не преступление, но поговорить нам с ним все равно поскорше бы надо. Вы это понимаете?

— А вы понимаете, что фактически уже обвиняете в чем-то моего сына?! Вы еще и понятия не имеете, а уже обвиняете!

— Я никого не обвиняю, — голос стал вкрадчивым, — и вы не нервничайте, Вероника Павловна, понапрасну.

— Как же мне не нервничать, когда вы какими-то загадками говорите — и что он замкнутый, и что на работе не был! Он иногда отпрашивается у Марьи Трофимовны и выходит в свой выходной.

— Но на этот раз он ни у кого не отпрашивался! Вы нас-то тоже поймите правильно, Вероника Павловна! У вас свои проблемы, у нас свои.

— Да не хочу я вас понимать, не могу я вас понимать! И как это вам в голову пришло, что Федор может быть во что-то замешан?!

— Да уж вот пришло! — объявил голос в трубке. — Так что, Вероника Павловна? Будем вспоминать или не будем вспоминать?!

— Да что вспоминать-то, господи ты боже мой!

— Ну, адресочки какие-нибудь. Телефончики.

Вероника совсем обессилела.

— Какие адресочки-телефончики?

— Да где нам сейчас искать уважаемого Федора Алексеевича Башилова? Где он может быть? Наверняка есть дружки армейские, подруги задушевные, клубы, бары, рестораны!

— Он не служил в армии! И в рестораны не ходит! — крикнула Вероника. — И нет у него никаких дружков, и не было никогда, я вообще не знаю, на что вы намекаете!

— Да я не намекаю, я так прямо и спрашиваю!

— Нет у него ни дружков, ни подруг! Если хотите, я сейчас приеду, а Федор тут ни при чем! Ни при чем!

— Ну, это мы еще посмотрим, а приезжать вам пока незачем, гражданка Башилова. Мы вас сами навестим, когда такая необходимость нарисуется, а вы, если сынок ваш объявится, попросите его нам позвонить! — Тут голос стал ласковый, медовый, и Вероника поняла, что дело плохо. — И лучше бы вы, мамаша, объяснили ему доходчиво, что с правоохранительными органами нужно сотрудничать и оказывать им всякое содействие! Чтобы он сгоряча в бега не ударился и не прихватил бы с собой чего лишнего!

— Чего... лишнего?

— Да того, что на лишний срок бы тянуло! — сказал голос, утративший свою медовость. — И телефончик запишите мой! А когда будете говорить с ним, скажите, что в его интересах объявиться как можно быстрее!

Мертвой рукой Вероника нащупала огрызок карандаша и какую-то пыльную бумажку, которая болталась в вазе на случай, если придется записать телефон, и записала цифры, которые диктовал голос.

А потом в трубке стало пусто.

Вероника тяжело поднялась с дивана и стала ходить, потирая горло и поглядывая на бумажку с цифрами.

— Феденька, — вдруг остановившись, сказала она,

и глаза ее налились слезами, — Феденька, миленький, что у тебя могло случиться?!

Она заплакала бы, наверное, но страх был так огромен, что она не решилась заплакать, закусила губу и продолжала ходить, держась за горло.

Где он может быть?! Какие подружки?! Какие бары?!

Он встречался с какой-то девчонкой и даже время от времени ночевал у нее. Но мать не знала ни адреса, ни телефона, и он не считал нужным посвящать ее в свою личную жизнь. Она его прощала. Она не сердилась. Она совершенно точно знала, как это важно в двадцать пять лет — своя личная жизнь.

А теперь его ищут, и страшные слова, которые кто-то, неизвестный и гадкий, говорил ей по телефону, слышали все сотрудники музея, строгая Марья Трофимовна слышала совершенно точно!

Она меня теперь со свету сживет, мимолетно, как о чем-то совсем не важном, подумала Вероника. Она меня терпеть не может.

Нужно ехать, пронеслось у нее в голове следом. Нужно ехать в музей. Быть там, слушать и смотреть, изо всех сил убеждать их, что Федор не может быть ни в чем виноват, не может, и все тут!

На ходу срывая с себя фартук, она ринулась в кухню, потому что оттуда вдруг потянуло паленым, — и вовремя! Масло на сковородке горело, валил черный дым, моментально впившийся в глаза и ноздри, и казалось, что на плите разорвалась дымовая шашка.

Вероника фартуком схватила с огня сковородку, и раскаленная ручка даже через тряпку так обожгла ладонь, что она вскрикнула и уронила сковороду. Масло пролилось, задымилось и на полу, и она ринулась к раковине, выхватила оттуда кастрюлю с водой и плеснула на пол.

Зашипело, повалил пар, и Вероника плеснула еще. Невыносимо воняло горелым, и, кашляя, она добралась до форточки и распахнула ее. Но этого показалось ей мало, и она стала открывать окно, сдирая наклеенные для утепления полоски кальки. Окно, законопаченное по-зимнему, открывалось неохотно, но в конце концов все-таки открылось, и она, навалившись грудью на подоконник, хватила морозного воздуха.

Дым медленно уходил вверх, а от окна в кухню валили клубы морозного, холодного воздуха.

Хорошо, что в раковине оказалась кастрюля! Гороховый суп пригорел, и она поставила кастрюлю отмокать!

Не обращая внимания на валяющуюся сковородку, на разлитую по полу темную воду, перемешанную с горелым маслом, Вероника метнулась в комнату и стала трясущимися руками тащить из гардероба одежку, чтобы ехать в музей.

— Господи, спаси и помилуй, — повторяла она то и дело, — господи, спаси и помилуй нас, грешных!..

В дверь позвонили, и от неожиданности она со всего размаху плюхнулась на диван, так и не натянув до конца штанину брюк из волосатой и толстой, как шинель, ткани.

— Федя! — вскрикнула Вероника. — Феденька!..

Чуть не падая, она ринулась в прихожую и, даже не взглянув в глазок, распахнула дверь.

— Здорово, маманя! — сказал первый из вошедших, коренастый крепыш, и, по-хозяйски отстранив с дороги Веронику, пошел в квартиру, щурясь на стены. Второй двинулся за ним.

— Вы... вы кто?! — крикнула Вероника, и тот, второй, впечатал ей в лицо пятерню. Грязная перчатка надвинулась на нее, как будто сама по себе, стало больно глазам и щекам, и Вероника завалилась под вешалку.

— Ну чего, маманя? — громко сказал первый из комнаты. — Будем за жизнь с тобой базарить!

— Вы... кто? — прохрипела Вероника из-под вешалки.

— Да никто! Базарить, говорю, будем, маманя?!

Вероника стала подниматься, на голову ей обрушилось пальто и еще что-то, и тогда первый выглянул в прихожую и подмигнул ей.

— Чего-то у тебя везде бардак, маманя! В кухне помойка, здесь тоже! — и ногой в шнурованном солдатском ботинке поддал пальтецо. Оно подлетело.

Он огляделся по сторонам, посмотрел вверх, на ветхую люстрочку, дававшую не слишком много света, на вешалку, потом протянул руку, снял с полки тяжеленную фарфоровую вазу, бабушкин подарок, поднял повыше и уронил Веронике на ногу.

Вероника взвыла и дернулась. Должно быть, он раздробил ей все кости. И эти кости брызнули в разные стороны и проткнули внутренности. Похоже, они проткнули даже глаза, потому что все вокруг потемнело.

— Мамань, ты глазки-то открой, — посоветовал ей сверху ненавистный голос. — Погляди на меня, швабра старая! — вдруг рявкнул он, и Вероника распахнула глаза.

В клубе «Самаритэн Чикс» — или «Синема Чиз», что ли, — было не протолкнуться. Музыка гремела, свету было мало, сигаретный дым висел плотным облаком, как туман над горным озером. Охранники железной плоской палкой водили вверх-вниз вдоль всех входящих.

— Олег Петрович! — плохо различимый в грохоте, возопил Гена.

— А?!

— Я говорю, не поеду я никуда! — Он орал, а Олег его почти не слышал. — С вами останусь!

Олег не стал препираться, только махнул рукой.

Охранник жестом пригласил его пройти через рамку, и он послушно прошел. Рамка истерически заверещала.

— Ключи, телефон, жвачку, все на стол, — проорал охранник. — И еще раз пройдите!

Олег кивнул и пошел внутрь.

— Эй!! — закричал охранник. — Эй, стой, кому говорю!!

Олег и ухом не повел. Это была Генина проблема, и его совершенно не интересовало, как именно тот ее будет решать.

Гена решил ее очень быстро, потому что ровно через секунду оказался у него за плечом.

— Давайте пальто!

Олег скинул ему на руки пальто. В адском освещении метались какие-то тени, патлатые и странно одетые молодые люди, целая толпа, курили перед входом в зал, девушки стайками проносились туда и обратно, музыка грохотала, с потолка свисали какие-то длинные штуки, похожие на фаллические символы, — дизайн.

— Отлично, — себе под нос пробурчал Олег Петрович.

— Что вы сказали?!

— Я говорю, езжай на Фрунзенскую!

— Что хотите делайте, не поеду!

Олег остановился, повернулся и снизу вверх — Гена был на голову выше — посмотрел водителю в глаза.

— Ты будешь делать то, что я велел.

— Не буду, — ответил бесстрашный Гена. — Это не клуб, а какой-то Содом с геморроем!

— С Гоморрой, — поправил Олег Петрович.

— Да какая разница-то?!

Мимо пробегал какой-то тип в джинсах и короткой пляжной маечке. От остальных участников праздника жизни его отличал поднос, который он держал под мышкой. Тип пролетел было мимо, потом приостановился, словно о чем-то вспомнил, вернулся и сунулся к уху Олега Петровича.

Гена недрогнувшей рукой взял типа за куриное плечико и отстранил. Тип посмотрел удивленно.

— Вам чего? — поинтересовался Гена вежливо.

— Ничего! — Тип пожал плечами и поудобнее перехватил поднос. — Я хотел спросить, вы ужинать? Если ужинать, я готов проводить!

— Проводите, — разрешил Олег Петрович.

Мимо барной стойки, осажденной чудовищной толпой и напоминавшей штурм рязанской электрички дачниками в семидесятом году, мимо стеклянных шаров, крутившихся на особых подставках и разбрасывающих острые колючие лучи, мимо извивающихся под музыку существ неопределенного пола, мимо диванов, на которых сидело, стояло и лежало великое множество подобных же существ, мимо винтовой лестницы, ведущей, по всей видимости, на второй этаж этого райского места, Олега Петровича провели в какой-то коридор, раскрашенный черной и красной лаковой краской.

— Зашибись! — весело сказал сзади Гена.

Потолки были красные, а полы черные. На мраморном постаменте стояли вазы, из которых торчали обрезки водопроводных труб и ржавые гаечные ключи. Стены были декорированы светильниками, переделанными из облупленных детских горшков примерно того же семидесятого года. Для того чтобы горшки давали свет, в них просверлили дырки — чудо дизайна. Двери в сортиры были украшены библейскими сюжетами — Адамом и Евой, только у Евы была голова Адама, а у Адама, соответственно, Евы. В углу стояли рыцарские доспехи, но вместо меча пустотелый рыцарь держал в железной перчатке... патефон.

Зато здесь не так грохотало.

— Сюда, пожалуйста! Столик у вас заказан? На какое имя?

Олег понятия не имел, заказан столик или нет и на какое имя! То есть имя-то он помнил — Виктория, — а фамилию совершенно позабыл спросить.

— Олег Петрович, я все улажу.

— Олежка!!! — прокричали из дальнего угла. — Иди к нам!

Олег Петрович с изумлением повернулся. При всем своем опыте общения с барышнями он никак не мог ожидать, что чудесная Виктория станет называть его «Олежкой»!

Виктория, сияющая, свеженькая, розовая, пробиралась к нему через беспорядочно наставленные пластмассовые столики. На ней были джинсы, чудом державшиеся низко на бедрах, и сверкающий лифчик на пуговицах. А больше ничего. С перепугу Олег Петрович не сразу разглядел, что к лифчику все-таки приделана какая-то прозрачная тряпица, чуть-чуть прикрывающая голый смуглый животик.

— Как я рада тебя видеть! — прощебетала Виктория, потянулась и поцеловала его в губы. От нее вкусно пахло. — Ты даже почти не опоздал. Пошли скорее. У меня здесь друзья тусовались, так я их пригласила с нами поужинать! Ты же не будешь возражать, Олежка?

Вот тебе и декаданс, подумал Олег Петрович весело. Вот тебе и поиграли. Вот тебе и роман с прелестной юной нимфой!

Arsch, так обозначил бы положение Василий Дмитриевич.

— Олег Петрович? — предупредительным голосом вопросил сзади Гена, но Олег отмахнулся от него.

За столиком, из-за которого выпорхнула Виктория, сидело четверо — два молодых человека и две девушки, не менее юные и прекрасные, чем Виктория.

— Ребята, это Олег, — радостно сказала она, когда они приблизились. — О-очень, о-очень симпатичный парень и мой друг!

На всех четырех одинаково юных физиономиях отразилась одна и та же ясно читаемая мысль — где ты взяла этого старого хрыча и за каким хреном его сюда приперла?! Сюда, где и так полно рульных чуваков?!

Тут Олег Петрович окончательно развеселился. История с романтическим ужином отступила на второй план. Началась забава.

Виктория завела церемонию представления:

— Это Кэт, это Пол, ее бой!

— Хай, — сказал Пол томно и протянул вялую руку.

Олег Петрович ее пожал.

— А это Макар, он поэт.

— Поэт?! — поразился Олег Петрович.

— Ну да, самый настоящий! В Инете все бредят его стихами! А это Зайка, моя подруга.

— Здравствуйте, Зайка, — покорившись судьбе, молвил Олег Петрович. — Гена, я тебя прошу, не нужно здесь маячить. Поезжай и возвращайся.

— А этот кто? — спросил поэт Макар у Виктории и указал на Гену подбородком.

Виктория отмахнулась:

— А-а, никто. Драйвер.

— У-у, — уважительно протянул поэт, закинул в рот маслину и стал жевать, показывая ровные белые зубы.

Скулы у Гены покраснели, и глаза сделались плоскими.

— Гена, — повторил Олег Петрович, — езжай, пожалуйста!

Тот еще постоял секунду, а потом быстро ушел.

— Вот и хорошо, — продолжала щебетать Виктория. — Олежка, садись сюда, и я рядом с тобой. Зайка, подвинься!

— Не буду я двигаться, ты лучше с другой стороны.

— Ах, я не хочу с другой, хочу с этой, рядом с Олежкой.

Пол отчетливо фыркнул и помотал головой.

Олег Петрович стянул с плеч пиджак — жарко было невыносимо — и пристроился на узкий диван, покрытый мексиканскими пончо. Слева от него очутилась пышногрудая и пронзительная Зайка, моментально приспособившая к его ноге собственное горячее бедро, а с правой поместилась Виктория. Так как было очень тесно, поместилась почти к нему на колени.

— Ну чего? — спросил Пол и потянулся за сигаретами. — Просто похаваем, а оттягиваться в другое место поедем или здесь останемся?

— Да здесь скука такая, — проговорила Кэт. У нее были громадные черные очки и очень маленькое личико. — Делать нечего!

— Я есть хочу, — протянула Виктория, — и потом, Олежка здесь ничего не знает, мы бы ему показали.

Олег Петрович до конца не понимал, хочет он смотреть на то, что ему собираются показывать, или не хочет.

— Ну, значит, похаваем здесь, а потом разбежимся. Или поглядим. Кэт, помаши ублюдку, пусть хоть меню принесет!

— Э-эй! — закричала Кэт и замахала маленькой ручкой. — Эй, подойди!

Подошел парень, точная копия того, что провожал Олега в «ресторанный» зал.

— Ты принеси нам свою разблюдовку, ну и накатить чего-нибудь для начала. Девушки, вы чего пьете у нас сегодня?

— Я водку, — решительно объявила Кэт.

— Я «Манхэттен». — Это вступила Зайка.

— Значит, всем водяры и один «Манхэттен».

— Воду минеральную? — спросил официант, как показалось Олегу Петровичу, с ненавистью.

— Воду, — согласился Олег. — Без газа. И мне не нужно водки. У вас есть виски?

— Конечно.

— Значит, виски, только приличный. Шотландский.

Пол переглянулся с поэтом Макаром и оттопырил губу презрительно — мало того, что папик первый раз в компании, так еще с ходу заявляет, что по правилам играть не будет! Вот дурилка!..

— Ой, здесь все так вкусно, — говорила Виктория, плотоядно перелистывая меню, — и как я хочу мяса! Много мяса! Они готовят просто отлично.

Олег Петрович не слишком в это верил.

— А вы где работаете? — спросила Зайка и слегка наклонилась к нему, так что обнажилось еще немного бюста.

Олег Петрович понял, *что* именно он будет есть, захлопнул меню, представлявшее собой вырезанные из старой клеенки страницы с написанными шариковой ручкой названиями блюд, и спросил любезно:

— А вы где работаете?

— Я-я?! — Зайка округлила глаза, а Пол разинул рот и захохотал. Разевал и хохотал специально насчет Олега Петровича и его идиотских вопросов. — Я не работаю, я учусь.

— В МГИМО?

— В Финансовой академии.

— Будете финансовым академиком?

— Что? — удивилась Зайка. — Нет, зачем академиком! Я буду управлять компанией.

Олег Петрович и тут удержался и не улыбнулся, остался серьезен.

— А какой именно компанией, уже известно?

— Ну, найдется что-нибудь, — уверенно сказала Зайка. — Что-нибудь приличное.

— «Де Бирс» вполне приличная компания, — сообщил Олег Петрович. — Вполне устойчивая, занимается бриллиантами.

Зайка пожала плечами, а Пол, сообразив наконец, что папик не так прост и в два счета с ним не разделаешься, со смачным звуком закрыл рот и уставился в клеенчатые страницы.

Олег перегнулся через Зайкин бюст и посмотрел на молчаливую Кэт.

— А вы дизайнер, да? — спросил он очень вежливо. — Занимаетесь оформлением элитных интерьеров?

Темные очки дрогнули.

— А... откуда вы знаете?

— Ой, да он все про нас знает, — вступила Виктория и придвинулась к нему еще чуть-чуть поближе, — он программу смотрит, «Светская жизнь», и еще ту, на третьем канале!..

Это объяснение всех удовлетворило.

Боже, боже, думал Олег Петрович.

— А вы сами чем занимаетесь? — не унималась Зайка. — Нет, ну просто интересно!

— Финансовым консалтингом, — признался Олег Петрович.

— Фу, какие скучные слова. — Зайка вытянула трубочкой пухлые губы и принялась за принесенный «Манхэттен». — Мой папашка тоже все время возится с этим консалтингом! Ну, то есть аудиторов нанимает, и они у него там все считают! Вы аудитор, да?

— Нет, — сказал Олег Петрович.

— А как же?

— Зай, ну что ты пристала? — подал голос поэт. Он болтал в рюмке водку, как будто это было вино и он собирался оценить «букет», «насыщенность» и «послевкусие». — Ну какая тебе разница?..

— Да просто интересно!

— Ничего интересного, — сказал Олег Петрович, — обыкновенная нудная работа с бумажками.

— А еще он любитель старины! — похвасталась своим кавалером Виктория. Она ела из вазочки маслины, выковыривала длинными пальцами, держала в ноготках, осматривала их со всех сторон, а потом отправляла в рот. — И знаток икон!

— Чего-о знаток? — удивился поэт Макар.

— Икон! Да, Олежка?

Олежка кивнул, подтверждая, что он знаток икон.

— Ну, как тебе здесь? — блестя глазами, спросила Виктория.

Ей очень нравился новый кавалер и перспективы, которые перед ней открывались. Подумаешь, старый и лысый, зато какой богатый! И, главное, не мажор какой-нибудь, а человек самостоятельный. На машину наверняка сам заработал, не папка же ему дал! Да еще на какую машину! И пиджачок у него — Виктория, повернув голову, кинула взгляд на пиджачок, пристроенный на вешалку, — вполне приличный. То есть даже о-очень приличный. Ну просто супер, на самом деле! А дружбаны все поймут! Ну, парни-то, может, и не одобрят, особенно Макар, он человек с принципами, но девчонки точно оценят, особенно когда машину увидят!

— Олежка, ты что, не слышишь?!

— Прошу прощения, я задумался.

— Тебе здесь нравится?

Олег усмехнулся:

— Торжище праздности и любостяжательства.

Виктория округлила глаза, поэт и Пол переглянулись, а Кэт поперхнулась водкой.

— Я пошутил, — поспешил объясниться Олег Петрович. — На самом деле здесь просто кайфово! — Подумал и прибавил: — Отвал башки!

Теперь вся компания смотрела на него во все глаза.

— А че? — оттопырив губу, спросил Пол с подозрением. Олег заметил, что ему вообще нравилось оттопыривать губу. И, оттопырив, он скашивал на нее глаза и рассматривал. — И вправду кайфово! Только это для молодежи, а вы уже старик!

Затевать с ними ссору Олегу никак не хотелось, поэтому он ответил, что просто привык к другим местам. Как раз потому, что старик.

— Да тут хоть жить можно, — возразила Кэт вяло, — а в других местах вообще беспонтово!

Олег посмотрел на Викторию вопросительно. Та пожала плечиком, лифчик сверкнул, и по нему волной прошли блики.

— Скучно, значит, — перевела она.

— Ну, здесь-то весело, — заключил Олег Петрович. — Мы все-таки будем ужинать? Я рассчитывал поесть!

Долго махали официанту, призывая его к себе, и в конце концов призвали. Долго препирались и совещались, кто что будет есть. Олег наблюдал.

Виктория, которая страшно хотела «мяса, мяса, побольше мяса!», заказала салат из шпината. Кэт попросила еще водки и рыбу под белым соусом. Зайка заказала рукколу, но только чтобы обязательно без масла. Пол и Макар, не мудрствуя особенно, по отбивной, а Олег Петрович — из принципиальных соображений — утку с брусникой и рюмку порто.

Дальше разговор почему-то перешел на поэзию вообще и на поэзию Макара в частности.

Поэзия вообще Макара не вдохновляла, о своей он тоже отзывался чрезвычайно уничижительно.

— Зачем же тогда вы пишете? — удивился не сведущий в психологии поэтов Олег Петрович.

— А мне в оттяг! — лениво объяснил Макар, а Олег Петрович попросил продекламировать что-нибудь из образчиков его творчества.

Компания опять переглянулась. Все-таки они никак не могли понять, всерьез говорит этот мужик или нет, а мужик решил играть до последнего.

Все равно понятно, что из романа с прекрасной барышней ничего не выйдет. Ну, может быть, если он решит, что ему это ничем угрожать не будет — хотя бы более или менее! — сложится у него секс на один вечер. А не сложится, так и бог с ним!..

— Да в Инете можно посмотреть, — говорил Макар, но чувствовалось, что говорит он просто так, ломается, вот еще поломается немного и начнет читать.

Олег Петрович настаивал, барышни щебетали, что это гениально и просто поразительно, и совершенно «в кассу», хотя почему-то никто не хочет печатать.

В конце концов Макар сдался, прикрыл глаза длиннющими мохнатыми ресницами, ладонь прислонил ко лбу и выдал длиннейшее стихотворение, без рифм и почти без смысла.

Олег Петрович силился не улыбаться, однако финальной строчкой стихотворения стала следующая:

— ...на рельсы прольется жизнь молодого прозаика!

И тут его понесло.

— Позвольте, — начал он несколько удивленно, и поэт убрал со лба руку и посмотрел на собеседника немного потусторонними от поэтического вдохновения глазами, — позвольте, но это строчка из юношеского стихотворения Вениамина Каверина! Про жизнь молодого прозаика!

Поэт хлопнул длинными ресницами, а Кэт взяла за руку Пола, словно в порыве внезапного ужаса.

— Ну да, — продолжал Олег Петрович, которому вдруг надоело слушать бредни. — Каверин в юности подражал Блоку, а потом пытался от этого уйти и написал стихотворение, над которым смеялся Тынянов. «...На рельсы прольется кровь молодого прозаика» как раз и есть последняя строка этого стихотворения.

— Я никому не подражаю, — насупившись, выговорил поэт. — Я пишу так, как пишу. Это только мои мысли и ощущения.

— Мысли-то бог с ними! Но ваши ощущения, видимо, совпадают с ощущениями Каверина. И слова совпадают!

— Ну и что? Ну и совпадают! — крикнул поэт, пошарил по столу отчаянными глазами, нашарил чью-то недопитую водку, схватил и опрокинул ее в себя. — Это еще ни о чем не говорит!

— То есть в своей поэзии вы пользуетесь классическими источниками. Вот у Каверина заимствуете!

— Да ничем я не пользуюсь! И не заимствую! Я передаю то, что волнует меня, и то, что волнует всех нас.

— Вас?

— Молодых! — рявкнул на Олега Петровича поэт.

— Вы бы Мариенгофа почитали. Есть у него такая книга, «Стихами чванствую» называется. Хорошая книга.

— Олежка, — Виктория хлопала глазами и переводила взгляд с одного на другого, — ну что ты к нему пристал?! Стихи-то зашибись! Отличные стихи.

— Да это вообще никакие не стихи, — сказал Олег Петрович. — И самое печальное, что вы этого не понимаете, молодые люди. А не понимаете потому, что никогда ничего не читали, ни стихов, ни прозы.

Они все опять переглянулись. У Олега стремительно портилось настроение.

— Ну хорошо, — продолжал он неприятным голосом, — а почему прольется кровь прозаика-то? Ну, допустим, вы просто позаимствовали у Каверина эту строчку, когда она попалась вам на глаза в книжке, которую перед сном читала ваша матушка! Допустим. А проза при чем? Вы пишете прозу?

Все молчали. Поэт тоже молчал.

— А Каверин-то как раз писал! — сообщил Олег с каким-то отчетливым злорадством. — Он чего только не писал! Особенно по молодости. Даже трагедии в стихах. У вас нет трагедий в стихах, уважаемый Макар, не знаю, как вас по батюшке?

Поэт молчал.

— Есть! — с облегчением сказала Зайка. Ей казалось, что здесь экзамен, студент проваливается, а тут как раз профессор задал вопрос, ответ на который был случайно выучен. — У него есть прекрасные трагедии! Например, о черте и студенте.

Олег Петрович поперхнулся и замолчал.

— Так, — сказал он осторожно. — А смотритель морга в этой трагедии присутствует?

— Ну конечно! — возликовала Зайка. — Видите, значит, вы тоже читали! Говорю же, его сочинениями Инет полон, и от него все, все фанатеют!

Макар сидел совершенно красный.

— Так, — повторил Олег Петрович, — а студент из Лейпцига?

— Да, да!

— Тебе понравилось про студента, да? — живо спросила Виктория.

— А путешествуют они, согласно сюжету, в женский католический монастырь?

— Кажется... так...

Воцарилось молчание.

— Н-да, — сказал Олег Петрович. — Пожалуй, зря мы заговорили о поэзии. Лучше нам эту тему закрыть.

Давайте поговорим... ну, хоть о физике, что ли! Среди нас нет физиков?

— Ну, я с физфака, — мрачно сообщил Пол.

— Значит, о физике тоже нельзя, — заключил Олег Петрович, — а то вдруг мы установим, что законы Кирхгофа созданы лично вами, это будет несправедливо по отношению к Кирхгофу. Давайте о дизайне! Как вам дизайн этого заведения, дорогая Кэт?

— Я вам не дорогая, — отозвалась малышка и вздернула остренький подбородочек. — Вон Викуся вам дорогая!

— И мне нравится здешний дизайн, — согласился Олег Петрович. — Как это называется?.. Понтово? Потрясно? Кислотно? Правда, меня все время мучает мысль, что я все это уже где-то видел, все это уже было, а то, что здесь, просто содрано с первоисточника, да и то так бесталанно содрано, без огонька!

— Да где вы могли это видеть-то?! Клуб новый совсем!

— Да клуб-то новый, только сие все не ново. — И он кивнул на стены, украшенные детскими горшками. — Шестидесятые, сексуальная революция, марихуана, Голландия. А к ним пришло отсюда, из России, из девятисотых годов прошлого века. Вам-то что здесь нравится?! Что это ново?! Так это старо как мир, а вы этого не знаете, потому что книг не читали!

— Ну-у, — протянул Пол, — пошла сплошная зелень. Тоска.

— Тоска, — согласился Олег Петрович. — Ох, тоска. Тут вы правы, Пол!

Неизвестно, чем закончилась бы дискуссия, если бы в зал быстрым шагом не вошел усланный на Фрунзенскую Гена, не подошел бы стремительно к Олегу

Петровичу и не зашептал бы ему на ухо, перегнувшись через Викторию.

— Где ты его взяла? — спросил Макар у Виктории за спиной у Олега. — Баклана этого ушастого?!

Виктория пожала плечиком:

— В антикварной лавке.

— Оно и видно!

Олег некоторое время слушал, а потом быстро поднялся.

— Прошу прощения, — сказал он. — Мне нужно срочно уехать.

— Как?! — тягостно поразилась Виктория. — Как уехать?!

— Прошу прощения, — еще раз тихо и настойчиво сказал Олег Петрович. — Я тебе позвоню.

Но она не хотела с ним прощаться, хоть и вел он себя ужасно! Опозорил ее перед друзьями, чуть до скандала не дошло, Макар обиделся, а он поэт! Весь Инет от него в восторге! Но, во-первых, получается, что он ее бросил на глазах у остальных, а во-вторых, вдруг он исчезнет из ее жизни навсегда, вместе со своим «Мейбахом»?!

— Я поеду с тобой, — решительно объявила Виктория и поднялась.

— Нет.

— Нет, я поеду! — И она топнула ногой. — А если ты меня не возьмешь, я закричу на весь ресторан! Хочешь? Правда закричу!

— Она может, — в восторге от того, что противного папика наконец-то приперли к стенке, сказала Кэт. — Да, Пол?

— Может, — подтвердил тот.

— Я поеду с тобой! Ты понял?!

Олег помолчал. Гена, с пальто в руках, хмуро

смотрел в сторону. На скулах у него ходили желваки, отчетливо видные в неверном свете, испускаемом ночными горшками.

— Хорошо, — сказал Олег Петрович спокойно.

Скандала ему не хотелось, и он на самом деле не знал, может, девица и впрямь способна на ужасную выходку!..

Виктория выбралась из-за стола, окинула Гену ледяным взглядом — это он приперся и все испортил! — дернула плечом, отчего лифчик опять пошел бликами, и зацокала каблучками к выходу.

Олег Петрович сдержанно попрощался и двинулся за ней.

— Там беда, Олег Петрович, — в ухо ему сказал Гена. — Поговорить бы сначала.

— Сейчас поговорим.

— Да с нами же... девушка ваша.

— Она не помешает.

— Помешает, — серьезно сказал Гена, и Олег оглянулся на него. Лицо у того было серьезным, и Олег вдруг забеспокоился.

— А икона где?

— В машине у меня.

— Ты ее не отдал?

Гена промолчал, и молчали они все время, пока Виктория облачалась в меха, пока пристраивала ладонь под рукав Олегова пальто, пока, осторожно ступая, спускалась по ступеням клуба «Сисайд Чмокс». Или «Синема Чиз», что ли!..

— А что ты пристал к Макарке с его стихами?! Ну, клевые же стихи! И трагедия про студента и черта! Если тебе не нравится, можешь не читать, но зачем ты его обидел?

Она отчитывала его, как супруга с многолетним

стажем, которая уводит подгулявшего мужа из гостей, выговаривая ему за то, что он как-то не так беседовал с хозяином и его свояком!

— Трагедия про студента и черта, а еще про смотрителя морга — просто забавные юношеские экзерсисы того же Каверина, — сказал Олег, раздумывая, что такое могло случиться на Фрунзенской, если Гена даже не оставил Василию Дмитриевичу икону! — Глупо выдавать их за свои! Глупо и недальновидно. Кто-нибудь увидит, узнает, и будет твоему Макарке стыдно. Хотя то, что он читал Каверина, говорит в его пользу, конечно.

Он щурился от мороза и хотел поскорее отделаться от девушки.

В декаданс уже наигрались, хватит!

На стоянке перед клубом «Сангейт Чимпс», или «Синема Чиз», что ли, было полно машин, а «Мейбах» Олега Петровича был брошен посреди дороги. Перед ним, приплясывая от нетерпения, прыгал какой-то джипчик, никак не мог объехать.

— Это ты так машину оставил? — в крайнем изумлении спросил Олег Гену. — Первый раз в жизни вижу!

— Поехали, Олег Петрович, а? — умоляюще сказал Гена. — Побыстрее бы надо.

— Я с тобой! — вступила Виктория и улыбнулась. — Ты сейчас куда? На работу? Я тебя подожду, а потом можно сходить потанцевать! Мы ведь так и не оттянулись!

Гена открыл перед начальником заднюю дверь.

Из приплясывающего джипа наполовину высунулся какой-то донельзя обозленный молодой человек, музыка, грохочущая в машине, вырвалась на улицу. Молодой человек набрал в грудь воздуху, чтобы закричать страшным голосом, но посмотрел на Олега, передумал и нырнул обратно в джип.

— Вика. — Олег Петрович взял девушку за подбородок и поцеловал совершенно хладнокровно. — Слушай. Я. Тебе. Позвоню. Поняла?

— Не-ет, Олежка, ну, не-ет же! Ну, мы даже не поужинали, а ты хочешь просто так меня бросить?! Ну пожа-алуйста! А?! Ну, я тихонько посижу, подожду тебя, а потом мы сходим куда-нибудь!..

Олег Петрович сел в машину и захлопнул дверь. Гена обежал капот и тоже захлопнул за собой дверь.

— Олег!!

Гена тронул машину с места, и она сразу пошла в разгон, как будто была не на крохотной стоянке, а на полигоне, и шлагбаум еще только поднимался, а Гена уже нырнул под него, чуть не задев крышей, и, не сбавляя скорости, вылетел на пустынную однорядную шоссейку, которая, по счастью, была совершенно свободна в этот еще не поздний час.

— Что там случилось?

— Убийство, Олег Петрович, — сказал Гена тихо и серьезно.

Сердце у Олега стукнуло и как-то странно притихло.

— Василий Дмитриевич?

— Да. Вы сейчас сами все увидите. Я не стал ментов вызвать, думал, что вам для начала нужно взглянуть.

— Грабеж?

— Да я не знаю, Олег Петрович. Я особенно не смотрел.

Виктория, оставшаяся в одиночестве, еще какое-то время молча кусала губы, а потом топнула ногой и кинулась к своей крошечной, ладненькой спортивной «ТТ» — подарку папы к прошлому дню рождения.

Ну и черт с вами, все равно далеко не уедете! Все мужики — сволочи, а этот лысый — самая главная сволочь! Она его догонит! Она его догонит и выскажет все, что о нем думает! Он узнает, как нужно обращаться с порядочными и умными девушками! Что он о себе возомнил?! Как он посмел?!

Она прыгнула на сиденье, завела мотор, нажала на газ, форсированный двигатель взревел, и она кинулась в погоню.

Гена был слишком удручен увиденным на Фрунзенской и озабочен, и ни в зеркала, ни по сторонам не смотрел, и поэтому пропустил момент, когда «Мейбах» догнала маленькая спортивная машинка, пристроилась сзади и уже не отставала.

Федор Башилов был уверен, что антиквара, конечно, уже нет в его лавке, но свет в окнах горел. Узкие желтые полоски были видны сквозь плотные синие шторы.

Федор такие шторы не любил.

Он никогда не понимал, как можно жить за такими шторами, совсем без белого света, словно в крысиной норе! Ему всегда хотелось, чтобы шторы были открыты, чтобы света было много, и воздуха много, и весной он спал на балконе, где едва помещалась узенькая раскладушка. Во-первых, у него получалась как будто еще одна комната, а во-вторых, на балконе было светло с самого раннего утра и до позднего вечера, хотя и несколько шумновато — рамы старые, щелястые, и, когда шел дождь, раскладушку заливало, но Федор все равно очень любил балкон.

Хорошо летом. Тепло, светло, сирень цветет.

У бабушки был крохотный домик в Бутове, комната и терраска. Маленький Федор выезжал «на дачу». У бабушки была кровать с высокой никелированной спинкой и шишечками. На кровати лежали подушки, верхняя всегда ставилась уголком, и на нее бабушка набрасывала кружево, чтобы бахрома обязательно красиво спускалась. А у Федора была маленькая кроватка, и иногда он уговаривал бабушку перетащить ее на терраску. Спать в доме было душно, и бабушка храпела, как волк в «Красной Шапочке» — х-рр, х-рр, — и Федору было страшно спать. А на терраске совсем не страшно! Под окном цвела сирень, и звезды проглядывали сквозь буйную зелень, и луна, разваливаясь на ровные дольки, вкатывалась в темноту и потихоньку перемещалась все ближе и ближе к его кровати. Он смотрел на лунные дольки, прислушивался к ночным таинственным звукам, мечтал, чтобы скорее приехала мать и они пошли бы на прудик, где все еще можно увидеть кувшинки и какой-то желтый цветок, которой бабушка называла «купавница». Самовар на скатерти отражал кусок луны и переплетение трухлявых рам, и пахло сиренью и подгнившим деревом. Утром он просыпался от солнца и бежал к рукомойнику умываться, босыми ногами по опилкам, которые бабушка насыпала на дорожку, «чтобы не мокло». Опилки кололи и щекотали пятки, и Федор брякал железной штучкой, брызгался водой, фыркал, заливал живот, жмурился от солнца и знал, что сейчас его начнут кормить, и ему будет вкусно, и он будет приставать к бабушке, какой сегодня день недели. Мать всегда приезжала по пятницам, и он ждал пятницу!..

Это было хорошее воспоминание, одно из самых

лучших, и он даже улыбнулся ему. Он давно не улыбался воспоминаниям. Как будто специально вычер-
кивал из памяти все хорошее, что было связано с матерью!.. Он очень сердился на нее, и ему было удобнее думать, что она поломала и испортила ему жизнь,
когда развелась с отцом, когда не смогла его удержать
и все бормотала, что «они сами и им никто не нужен».

Ему нравилось думать о том, что его жизнь — ад и
в этом виновата именно мать, потому что если не она,
то получалось, что виноват отец или он сам, Федор, а
это невозможно!

До сегодняшнего дня он был совершенно уверен,
что отец ни в чем виноват быть не может, а если и виноват — то все равно прав, ибо победитель. А кто же
судит победителей?!

А мать побежденная — с ее вечной стиркой и щами, в стоптанных сапогах и старенькой цигейковой
шубе. И главное, чего никак не мог понять Федор в
свои двадцать пять лет, — как же так получилось, что
из той девчонки на мотоцикле, с сияющими глазами
и щеками, она превратилась в такое жалкое существо?! Как она могла такое позволить?! Почему она не
стала сильной и храброй победительницей, как отец?!

Он ненавидел жизнь, которой жила мать, и ему
казалось правильным ненавидеть и мать тоже — за то,
что она втягивала его, Федора, в эту свою убогость!..
Отец был прав, когда говорил, что мать во всем виновата — неправильно воспитывала сына, неправильно
растила, отдала в «неправильный», «бабский» институт, как будто в подпол его заперла и все щели зако-
нопатила, оставила без белого света!

А ему так хотелось на свет!..

Он был уверен, что жизнь его ужасна и только
деньги сделают ее прекрасной. И вопрос о том, каким

именно путем добыты деньги, его совершенно не интересовал. Ибо тот, кто смог их добыть, — победитель, почти бог, а богов и победителей не судят!

Он добудет денег и обретет свободу, только бы добыть. Он добудет денег и избавится от матери и жизни в подполе — только бы добыть! И тогда он станет таким, как его всемогущий отец, — если добудет денег!

И ничего не вышло.

Теперь приходилось спасать свою шкуру, и неожиданно выяснилось, что есть способы, которыми он добывать деньги не умеет. Не умеет, и все тут.

Он не может воровать, то есть *брать чужое*. Говорят, что за это бывает наказание, и Федор Башилов думал, что наказание — это когда тебя хватают за руку, снимают отпечатки пальцев и волокут в тюрьму.

Наказание — это страх.

Страх, что схватят за руку и поволокут в тюрьму. Страх, что убьют Светку и мать. Страх, что, один раз попав во все это дерьмо, не выберешься никогда!

Страх, что люди, с которыми связался, раздавят тебя, как клопа, — у них-то ведь нет никакого страха! Они ничего не боятся и ничем не дорожат, и вдруг оказалось, что он, Федор, дорожит. Да еще как дорожит!..

Та самая жизнь, которая казалась ранее такой убогой и серой, вдруг представилась ему самой прекрасной!

Вот тогда он еще был свободен! Да, именно тогда!..

От этой неожиданной мысли Федор Башилов даже остановился на секунду перед дверью в антикварную лавку сердитого и несговорчивого Василия

Дмитриевича, который наотрез отказывался возвращать ему серебро и бронзу.

Федор остановился и рукой в перчатке потер лоб. Сильно болела голова, и мысли крошились, как черствая булка. Он шел сюда несколько часов пешком, из-за этой нестерпимой боли он часто присаживался на какие-то лавки.

Ну да. Да, конечно.

Тогда-то, три дня назад, до кражи проклятого серебра, он на самом деле был свободен. Он мог дышать, мог жить!.. В выходные он мог поздно проснуться, долго валяться, ни о чем не думая и прикидывая, что бы такое попросить у матери на завтрак. Может, оладий из тертой картошки, он когда-то очень их любил. И впереди у него был целый день, и хорошая книжка — Федор любил хорошие книжки! — и компьютер, который он когда-то сам собрал и очень этим гордился, и свидание со Светкой, и, может быть, кино про любовь или про инопланетные цивилизации. Такое кино Федор тоже очень любил.

Конечно, он строил планы немедленного обогащения и приходил от этих планов в ужасающее состояние духа, и сердился на мать, и завидовал отцу — но все это не шло ни в какое сравнение с тем дерьмом, в которое он вляпался!

...и как его угораздило так вляпаться?!.

Он же не малолетка, и не идиот, и не слабак, хотя отец считает его именно слабаком!

Или... идиот? Или он все неправильно решил, а перерешить уже невозможно?! Он думал, что стоит только достать денег — любым путем! — и долгожданная свобода грянет, как духовой оркестр на площади, накроет лавиной новых возможностей, а это как раз и есть идиотизм?!

Обо всем этом нужно было думать всерьез, а думать сейчас ему было некогда.

Он переговорит с антикваром — ну, не зверь же тот, на самом деле! Он убедит его отдать коллекцию и деньги отработает! Федор вернет ему те самые пять тысяч, которые старик ему всучил и которых уже у него не было, и тогда-то уж точно станет свободным!

Боже, подумал Федор Башилов, как трудно. Боже, подумал он, помоги мне!

И взялся за ручку двери.

Дверь легко открылась, Федор вошел и еще ногами потопал перед ней, стряхивая снег, — мать всегда говорила, чтобы он вытирал ноги, не тащил в дом грязь, вот он и привык не тащить.

В помещении горел свет, но никого не было видно, и Федор сказал громко:

— Можно?!

Никто не отозвался, но наверняка старик погасил бы свет и запер свою лавчонку на двадцать пять замков, если б решил отправиться домой!

— Здрасти! — почти крикнул Федор, и звук его голоса увяз в нагромождении вещей и пыльных тканей, которыми были задернуты окна. — Есть кто живой?!

Ни звука, и только сипение раскаленного рефлектора на заваленном бумагами столе.

Странно.

Федор, озираясь, шагнул в жарко натопленное помещение. Какая-то дальняя дверь, о существовании которой он даже не подозревал, стояла настежь, а за ней, кажется, была еще комната, и Федор двинулся в ту сторону.

— Есть тут кто?! — на всякий случай еще раз спросил он очень громко и... увидел.

Старик лежал на полу, почти под столом, из-под

него натекла черная лужа, как будто он лег в разлитые чернила. Он лежал скрючившись, только рука откинута в сторону, и Федор не сразу понял, что он... мертв.

Он раньше никогда не видел мертвых людей!

Он не понял, но все равно испугался — за старикана испугался, вдруг ему плохо?! То есть ему наверняка плохо, раз он лежит на полу!

Федор скинул с плеча рюкзак и нагнулся.

— Эй! — позвал он. — Эй, вам плохо?!

И взял старика за плечо, и потянул, переворачивая.

То, что это *неживое* плечо, он сообразил сразу. Как будто внутри ничего не было и на полу валялась пустая оболочка, сброшенный скафандр. Оболочка подалась, повернулась, рука глухо стукнула о пол тоже с каким-то неживым звуком.

— Мать твою! — медленно выговорил Федор. В голове у него помутилось.

Лицо старика было искажено и почти неузнаваемо, кацавейка залита черной кровью. На ней были видны ровные дырочки, много. Из-за того, что сознание мутилось, Федору показалось, что их несколько десятков.

— Вы что? — зачем-то жалобно спросил Федор у трупа. — Вы умерли, да?..

Нужно звонить в «Скорую» и в милицию, и быстрее! Вдруг его еще можно спасти?! Федор выпрямился и покосился на старика. Конечно, нет, конечно, нельзя, но все равно нужно, чтобы немедленно кто-то приехал и взял на себя весь этот ужас, оградил бы от него Федора!

От запаха крови его мутило. Он не знал, как пахнет кровь. Оказалось, что почти невыносимо.

Стоп. Звонить никуда нельзя.

Если убили старика, значит, следующая очередь его, Федора, это же ясно как день! Нужно сматываться отсюда, и как можно быстрее!

Тут в голове у него словно что-то раскололось, и мысли понеслись в противоположных направлениях.

Нужно сматываться, бежать немедленно, и сразу на вокзал, денег немного есть, надо купить билет до Питера или до Самары, все равно, а там видно будет! И не появляться больше в Москве?! Устроиться на работу, затаиться, сгинуть?!

Нет, нельзя! Нельзя бросать мать! Если будут искать его, Федора, первым делом доберутся до матери, а она слабая, ее напугать ничего не стоит, она даже мышей боится и полдня стоит на табуретке, если ей кажется, что в буфете что-то скребется! Напугать и убить! Как этого вздорного старика! Еще утром Федор думал, что было бы хорошо, если бы кто-нибудь его убил, и как страшно, оказывается, когда по-настоящему убивают!

Но ведь если он останется, его убьют тоже, и он превратится в *неживое*, в то, во что превратился старик, станет оболочкой, скафандром, ничем! Он будет похож на решето, как старик, словно в нескольких местах продырявленный шомполом!

Федор завыл сквозь стиснутые зубы и прикрыл глаза — он совсем не мог смотреть на тело и не смотреть тоже не мог, как будто смерть притягивала его.

Я не побегу, решил он. Я не побегу, и будь что будет!

И как только он так подумал, на крыльце затопали ноги, Федору показалось, что их очень много, целая толпа людей, обутых в тяжелые сапоги, поднималась по обледенелой лесенке!.. Дверь широко распахнулась, в помещении оказались люди, и остановились, и уставились на него, и Федор попятился и чуть не упал, и единственное, что смог выпалить в эту первую секунду:

— Это не я!

— Да я тебя знаю! — громко сказал первый из вошедших, здоровенный, плечистый мужик. — Тебя сегодня в переулке метелили!

— Что здесь происходит? — Это второй спросил, помельче и постарше, щурившийся на свет. — Вы кто?!

— Олег Петрович, этот тот, сегодняшний! — Первый помолчал и отвел глаза. — А Василь Дмитрич вон... лежит.

Тот, что помельче, обошел Федора и присел возле скрюченного тела.

— Как ты здесь оказался? — Он спрашивал ровным голосом и на Федора не смотрел. Он сидел на корточках и смотрел на старика. Полы его пальто были похожи на распластанные крылья летучей мыши.

— Ты как здесь оказался, парень? — перевел его вопрос здоровенный, и тут только Федор его узнал.

Позвольте, но ведь это он сегодня спас его в переулке! У него еще такая громадная машина, похожая на подводную лодку! Он вышел, оторвал от него, Федора, обоих гопников и, как щенков, покидал их в какую-то дверь, а Федору сказал почти ласково: «Иди домой, парень! Иди, простынешь!»

— А... вы меня не узнаете? — неизвестно зачем спросил Федор дрожащим голосом. — Совсем?

— Ты чего, парень? Охренел? Я тебя с первой секунды срисовал!

— Гена, из чего в него стреляли?

Здоровенный обошел Федора, нагнулся и стал смотреть на труп.

— Да так сразу и не скажешь...

— Гена, ты же профессионал.

— Ну, профессионал, и что?.. Пистолет, конечно, не слишком... мощный. Ну, калибр где-то... Нет, не скажу, сейчас на рынке иностранного дерьма полно, а я в нем не очень, Олег Петрович.

Тот, к кому здоровый обращался уважительно, по имени-отчеству, поднялся, и Федор увидел его лицо. Он никогда раньше не видел таких лиц. Как будто маска.

И глаза совсем без жизни.

Маска вдруг шевельнулась, и губы спросили равнодушно:

— Ты кто?

— Я?! Я... это... Федор Башилов. Но я не убивал! Клянусь вам, я его не убивал!

— Как ты сюда попал?

— Я?!

Он вдруг стал понимать, что говорить ничего нельзя, совсем ничего! *Эти* не из милиции уж точно, они опасны и всесильны, и неизвестно, чего от них ждать. И переложить на них ответственность, чего Федор так страстно желал, никак не получится.

— Ты не понял вопрос?

— Я... это... ну, я просто мимо шел и решил зайти, а тут такое! Я в милицию хотел звонить, а вы уже... подъехали! Я правда хотел звонить!

Маска осталась совершенно равнодушной.

Тот, которого звали Геной, обошел мертвого старика и поднял взгляд на Федора:

— Ты давай без выкрутасов, парень. Я тебе, как старший товарищ, совет даю. Тепло и искренне.

Федору стало холодно в невыносимо жаркой комнатке.

— Да я ж и говорю! Я просто шел мимо и решил зайти! А он лежит! И двери все открыты!

— Двери, — сам себе сказал Олег Петрович. — Двери! Когда я уходил, старик кладовую запер, я сам видел. Гена, пошли посмотрим!

Они стремительно прошагали мимо Федора, один с одной, а второй с другой стороны, и скрылись в потайной комнатке.

Проскрипели какие-то петли, что-то грохнуло, и Олег Петрович сказал тоскливо:

— О, черт побери!..

Федор знал, что дела его плохи, знал, что никто не поверит в то, что зашел он сюда случайно, и добиться от него правды ничего не стоит, ведь эти люди всесильны, а он ничтожен, но жгучее любопытство разбирало его.

Ему было страшно и... очень интересно.

— А это что, Олег Петрович!

— Да то-то и оно. Гена, осмотри быстро помещение! Где-то должна быть шкатулка, малахитовая с серебром, большая, ну примерно как принтер, грубой работы, сверху на крышке камни разноцветные!

— Понял, Олег Петрович!

И тут произошло еще одно событие, окончательно добившее Федора Башилова. На крыльце зазвучали шаги, дверь распахнулась, и юная красавица с горящими глазами, горящими щеками предстала их взору.

— Ешкин кот, — тихо сказал Гена.

— Здрасти, — поздоровался Федор Башилов.

А Железная Маска лишь взглянул и отвернулся, как будто явление девушки ему было совсем неинтересно.

— Так, — очень громко и воинственно начала красавица и уперла руки в боки. — Я хочу знать, почему ты меня бросил! Зачем ты помчался сюда?! Какое такое у тебя срочное дело?! Ради этого поганого старикашки ты меня кинул на посмешище?! А?! Я тебя спрашиваю?!

— Девушка, — с сочувствием сказал Гена и пошел, растопырив руки, словно закрывая от нее тело, — вы не нервничайте. Вы домой езжайте. Время уже позднее, вам пора домой. Олег Петрович сейчас занят.

— Вижу я, чем он занят! Все иконками своими и древностями!! Святоша хренов! Вот я тебе покажу, как нужно обращаться с девушками! Я папе скажу!!

— И как я ее не засек?! — под нос себе горестно пробормотал Гена.

— Вот именно, — подал голос Олег Петрович. — Как тебя... Вика, езжай домой.

— Ах, домой, — протянула она и пошла на него. По дороге она сняла с буфета какую-то вазочку и теперь воинственно примеряла ее в руке, как бы половчее швырнуть. — Домой, значит?! Я тебе не какая-то там прошмандовка с Ленинградки, я тебе покажу сейчас!..

И тут она увидела тело.

Глаза у нее округлились и рот округлился, так что на лице оказались три совершенно одинаковых по размеру блюдца, и схваченную в пылу вазочку она судорожно прижала к груди, и каблук у нее подвернулся, и, чтобы не упасть, девушка схватилась за край стола, на котором сипел рефлектор.

Рефлектор поехал и упал бы, если бы Федор его не подхватил.

Руку сильно обожгло, он зашипел, стал дуть и трясти ею.

— Гена, убери девицу отсюда!

— Пойдем, милая, — заговорил здоровый ласково, — пойдем! Ты же на машинке приехала? Да? На машинке?

Девушка кивала, не отводя глаз от трупа.

— Вот и хорошо, вот и славно. Пойдем, я тебя посажу в машину, и ты поедешь домой, до папочки своего! Поняла?

Девушка все кивала и, когда он взял ее за руку, покорно пошла, но у самого порога вдруг вырвалась, побежала обратно, стуча каблучками. Волосы у нее развевались, и глаза налились слезами.

Она добежала до тела и наклонилась над ним. Гена стремительно приблизился и оттащил ее. Девушка отталкивала его, вырывалась, он отпустил ее и развел руками. Она опять наклонилась над телом, а потом обернулась к Олегу Петровичу.

— Олег? — Она сердито вытерла слезы. — Он умер, да?

— Да.

— А... почему?

— Его убили.

— Как?!

— Из пистолета.

— Кто?!

Гена снова начал тащить ее, а она все вырывалась.

— Олег Петрович, скажите вы ей, пожалуйста!..

— Олег, кто его убил?! Он же еще утром был жив, и мы с ним... он маме кресло обещал и не добыл... кто же его?! И за что?! За что?! Он же просто... старик!

— Вот именно, — раздельно произнес Железная Маска, — просто старик. А в него разрядили обойму!

— Олег, ну, подожди, ну, наверное, ему еще можно чем-то помочь, а? Давай я «Скорую» вызову! Хорошую «Скорую», у нас все врачи из Четвертого управления! Вдруг его спасут?!

— Не спасут. Он умер много часов назад, — сказал Олег Петрович устало. — Езжай домой, очень тебя прошу.

— Хорошо, — сказала девушка и не двинулась с места.

— Пойдемте, — уговаривал ее Гена кротко, — пойдемте до машины! И домой давно пора, заждались вас небось, чай пить не садятся!

— Да отстань ты от меня, что прицепился-то?!

— Олег Петрович, что мне делать с ней?..

— Гена, поищи малахитовую шкатулку. Я сам... договорюсь.

С явным облегчением Гена бросил девушку, обошел тело и стал двигаться вдоль стены, открывая и закрывая все ящики во всех комодах и буфетах, которыми была загромождена антикварная лавка.

Девушка шмыгала носом, вытирала слезы, которые все бежали, и почему-то рукавом шубы. Федор пожалел, что у него нет платка. Он бы ей предложил.

Он никогда не видел вблизи таких красивых девушек, он был уверен, что их и в природе не существует.

В природе не существует, зато в телевизоре полно.

От нее хорошо пахло, свежо и не слишком остро, и одета она была как-то необыкновенно, и очень мил был покрасневший нос.

— А вы кто?

Он даже не понял, что она обращается к нему! Но она обращалась именно к нему, даже придвинулась к нему поближе и смотрела, как ему показалось, доверчиво и с надеждой. Он изумился.

— Вы из милиции, да?

— Н-нет, — буркнул Федор.

— А мне показалось, что из милиции.

Олег Петрович вышел из потайной комнатки и прикрыл за собой дверь, стоявшую настежь.

— Ну что, Гена?

— Пока ничего, Олег Петрович.

— Быстрее. Нам нужно уезжать отсюда.

— Как уезжать?! — вскрикнула девушка. — А... Василий Дмитриевич?! Мы же его не бросим тут одного?! Вот так?!

— Не бросим, — пробормотал Олег Петрович.

И опять воцарилось молчание, только рефлектор сипел и Гена планомерно выдвигал и задвигал ящики, гремел чем-то тяжелым.

— Как вас зовут? — помолчав, спросила девушка у Федора и вдруг затараторила: — Меня зовут Виктория. И, представляете, когда я утром сюда приехала, он был жив и здоров. И я еще на него наехала так позорно, потому что он обещал мне кресло, ну... для мамы, она хотела непременно гамбса, а он не достал! А теперь он умер! А он такой смешной! Все время ругался по-немецки и думал, что я не понимаю!..

— Вы говорите по-немецки? — спросил Федор и обругал себя за идиотский вопрос.

— Ну конечно, говорю, и по-немецки, и по-французски! Василий Дмитриевич все время обзывал меня Arsch, а это означает «жопа»! И я так на него обижалась!

Олег вдруг усмехнулся, сочувствуя ей. Непростой у нее день. Непростой и не слишком складный.

И, пожалуй, он немного в ней ошибся. Взбалмошна, конечно, ничего не скажешь, и непредсказуема, но ей всего двадцать лет! Зато она умеет сочувствовать и прощать, а это так важно!

— Он не только про тебя, — сказал Олег, — он про всех говорил Arsch. Не переживай.

— Нету малахитовой шкатулки, Олег Петрович! Нету, нету. Только фарфоровые какие-то попадаются, и еще один деревянный сундук.

— Сундук мне не нужен.

— Как вас зовут? — тихонько спросила девушка. — Или вы засекреченный, не хотите говорить?

— Федор, — торопливо представился тот. — Федор Башилов.

— А вы откуда?

— Да, — приближаясь и запахивая пальто, вдруг громко сказал Олег Петрович. — Это хороший вопрос. Вы откуда?

В *ее* присутствии Федор не стал бы ничего рассказывать, даже если бы его, как Муция Сцеволу[1], стала пытать огнем целая свора жестоких этрусков!

— Я просто шел мимо и зашел. — Он исподлобья посмотрел на Олега и вдруг ужаснулся тому, как тот похож на его отца.

Нет, внешне они были совершенно разными! Отец высоченный, длинноволосый, стройный, а этот наголо бритый, плечистый, и длинное пальто смотрелось на нем по-дурацки.

Но он так же уверен в себе, так же источает власть, так же подавляет одним своим видом. И взгляд равнодушный, и губы сложены презрительно! Должно быть, они, богатые, все на одно лицо и скроены из одного материала!

— Ты шел откуда и куда?

---

[1] **Сцевола Гай Муций** — по античному преданию, римский герой, юноша, который проник в лагерь этрусков, чтобы убить их царя Порсену. Был схвачен и, чтобы показать презрение к боли и врагам, сам опустил правую руку в огонь. (*Прим. ред.*).

— А?

— Откуда и куда ты шел? Ты живешь на Фрунзенской?

Федор отвел глаза.

— Нет.

— Как ты здесь оказался? Откуда ты? Что ты делал сегодня в том переулке? Что это за люди, с которыми ты дрался?

Федор был не готов к допросу. Он даже не подумал о том, что нужно сочинить некую версию своего присутствия, что его могут об этом спросить! А впрочем, если бы подумал, вряд ли сочинил бы так быстро.

— Нету шкатулки, Олег Петрович!

— Нужно уезжать. — Олег повернулся и, не глядя, приказал Федору равнодушно: — Ты поедешь с нами.

— Никуда я с вами не поеду!

— Олег, почему ты с ним так разговариваешь?! — вдруг вступилась девушка. — Это просто хамство! Особенно если ты его не знаешь!

Федор от неожиданности неприлично выкатил глаза и уставился на нее. Конечно, этого быть не могло никак, но она за него заступилась!

— Мне некогда разводить с ним китайские церемонии, — отрезал Олег Петрович. — Он оказался на месте преступления раньше меня, и я не знаю, кто он. Василий Дмитриевич убит, и нет только одной шкатулки, а все остальное на месте.

— А он-то тут при чем?!

— Я не знаю, при чем он или ни при чем!! — вдруг заорал равнодушный.

Заорал так, что Гена пробормотал, отводя глаза:

— Тихо, тихо...

— Может, он и ни при чем!! Только старик убит, а это был *мой* старик!! Мой, понимаешь?! И я его не спас, хотя он меня просил!! Просил, а я его послал... на «Павелецкую»!

С каждым его выкриком Виктория отступала все дальше и дальше и даже ладошку к губам поднесла, испугал он ее, наверное.

Олег вдруг подошел к Федору, который был на голову его выше, выше и здоровее, и схватил за грудки, за куртку из «искусственного кролика», с которой те двое, из переулка, сегодня оборвали все пуговицы. Прямо перед собой Федор увидел его бешеные глаза.

— И если я узнаю, что это ты его убил, я тебя собственноручно!..

— Тихо, тихо...

Олег с отвращением бросил полы куртки, быстро отошел и взялся обеими руками за столешницу.

— Я тебя задушу, — договорил он совершенно спокойно. — Это я тебе обещаю.

Воцарилось молчание. Только рефлектор сипел и какая-то машина проехала на улице, шум мотора смолк в отдалении.

— Я не убивал.

— Ты поедешь с нами.

— А если это вы его убили? Убили и вернулись проверить свою работу? Или работу киллеров, которых вы наняли?!

Виктория судорожно вздохнула.

— Тебе придется поверить мне на слово, — криво усмехнувшись, сказал Олег.

— Вам тоже придется поверить мне на слово.

Гена хмыкнул и покрутил лобастой, как у ньюфаундленда, башкой. Федор сильно потер лицо. Разбитая губа саднила, а больше следов никаких не осталось! Он специально посмотрел в мутное зеркало, когда Виктория подошла и стала рядом. Те, что его били, оказались большими знатоками своего дела.

— Гена, возьми вон ту сумку, видишь, в углу, спортивная?.. Мне нужно кое-что забрать отсюда. А то решат, что старик занимался скупкой краденого, а его один только раз в жизни «бес попутал»!

— Чего брать-то, Олег Петрович?

— Я покажу.

И тут Федор решился. В конце концов, терять ему абсолютно нечего. У него больше не осталось ничего, даже той крохотной свободы, которая была три дня назад!

А девушка... Девушка все равно что из другого измерения. Ей нет и не может быть до него дела, у них, в том измерении, все не так, как здесь, у нас, и вряд ли они вообще знают о нашем существовании.

— Его не бес попутал, — очень громко сказал он в спину Олегу. — Ему заказали коллекцию. А он заказал ее мне.

Олег повернулся, и Федор даже испытал секундное удовольствие. Такого обалделого выражения на таком равнодушном лице он и представить себе не мог!..

Пятнадцать секунд славы, мелькнуло у него в голове. Должно быть, Энди Уорholl имел в виду нечто совсем иное, но у Федора Башилова слава оказалась под стать ему самому!

— Какую коллекцию? — осторожно поинтересовался Олег Петрович. — Марок? Открыток?

— Нет, — бойко ответил Федор Башилов. Даже залихватски так ответил, с огоньком. Девушка из другого измерения не сводила с него глаз. — Серебро и бронза. Часы, поднос с кувшином и стаканами, чернильный прибор, распятие, шкатулка и кофейник.

Весь вид его как бы говорил: «Что, съел?», и Олег Петрович подошел поближе, рассматривая его.

— Так. Что это за коллекция?

— Демидовская фамильная.

— Кто, что и кому заказал?

— Ему, — Федор кивнул на тело антиквара, — кто-то заказал эту коллекцию. А он заказал мне.

— Что значит — заказал?

— Он попросил меня достать ее и обещал хорошо заплатить.

— А ты знал, где можно достать такую коллекцию?!

— Знал, — ответил Федор Башилов. Вся лихость слетела с него, стало погано и мерзко, как будто он полдня ел слизняков. — В музее.

— Ты взял ее в музее?!

— В Музее изобразительных искусств. Я там работаю. И я не взял, — ненавидя себя, продолжал он громко. — Я ее украл!

— Ешкин кот, — негромко сказал Гена. — Только этого нам не хватает!

— Я не понял, ты вор?!

Федор посмотрел на Олега исподлобья.

— Видимо, да. То есть точно да. Вор.

— Чушь какая-то, — сказала Виктория убежденно. — Это просто ахинея!

— Я работаю в музее, — продолжал Федор Башилов. — И Василий Дмитриевич сказал, что заплатит мне, если я украду для него серебро и бронзу у нас в отделе. То есть из наших запасников!

— Олег Петрович, — Гена встряхнул гигантской сумкой, которую держал в руке, и все посмотрели на него, словно он сказал какую-то дикость, — сейчас не время разбираться! Того гляди нагрянет кто-нибудь.

Нам бы уехать от греха подальше, а уж потом бы разобрались.

Олег секунду помолчал.

— Да, — согласился он быстро, — ты прав, пожалуй. Нужно забрать оставшиеся предметы и ехать. Ты поедешь с нами.

— Я поеду с вами, — согласился Федор. — А вы кто?

— Никонов Олег Петрович! — рявкнул тот.

— Нет, постойте, а как же Василий Дмитриевич?! — Виктория переводила взгляд с одного на другого. — Мы же не можем вот так его тут бросить?! Одного?!

Никто не слушал ее, а она все спрашивала, и Федору было ее жалко и стыдно перед ней.

— Все, пошли. Гена, смотри за этим!.. — сказал Олег вернувшемуся с полной сумкой Гене. — Виктория, ты поедешь домой, поняла? Где твоя машина?

— Да не поеду я домой! Я «Скорую» вызову, и милицию тоже! Вы что? Нелюди?! Так нельзя, нельзя!..

— Ты будешь делать то, что я тебе скажу, — глядя ей в глаза, сказал Олег Петрович. — Милицию я вызову сам, а для «Скорой» тут работы нету. Ты поедешь домой и никому ничего не скажешь. До той поры, пока я тебе не разрешу. Поняла?

— Нет! — закричала Виктория, но ее никто не слушал.

— Свет гасить, Олег Петрович?

— Ничего не нужно.

— Олег, ну так нельзя! И домой не поеду ни за что! Я теперь не усну! И что я папе скажу, он же сразу увидит, что у меня плохое настроение! Ну, Олег, ну что ты делаешь?! Я не пойду!

Олег Петрович тащил ее, а она упиралась, следом двинул насупленный Федор, а Гена уже открыл уличную дверь, из которой сразу потянуло морозом — еще похолодало, и в проеме стало видно небо. Над заледеневшей рекой выкатились звезды, огромные, яркие, как серебряные монеты, брошенные чьей-то веселой рукой!..

— Где твоя машина?

— Там же, где и твоя, за углом!

— Ты просто ехала за нами от самого ресторана?

— Ну конечно! И не поняла, почему вы так далеко остановились! И я даже не знала, куда ты пошел, а потом увидела у Василия Дмитриевича свет и поняла, что ты к нему смылся! Я же не знала, что он... что его... убили!

— Олег Петрович, может, дверь чем подпереть?

— С ума сошел, что ли?! — рявкнул Олег. — Быстрее в машину, пока нас всех не... загребли в милицию!

— Зачем в милицию?! — испуганно спросила Виктория. — Мы ничего плохого не делаем!

Гена с огромной спортивной сумкой вдруг замер в дверях, загромоздил проход.

— Что такое?!

— Тише! — Это Гена сказал. Сказал как-то так, что Виктория моментально перестала причитать, и Федор перестал тащить на плечо съезжавшую лямку от рюкзака, а Олег Петрович вытянул вперед шею, как чем-то напуганная черепаха — если черепахи бывают напуганными.

Гена нашарил на стене выключатель и щелкнул.

Стало очень темно и тихо, только рефлектор сипел и скрипнула половица под подошвой Федора Башилова, когда он осторожно шагнул вперед.

Гена, закрывавший проход, как-то странно, боком, присел и неслышно опустил на крыльцо свою сумку, держа на отлете левую руку, как фигурист. Олег протиснулся вперед и стал у него за плечом.

— Там кто-то есть.

— Где?

— Слева.

Олег сделал попытку выглянуть, и Гена совершенно бесцеремонно задвинул его обратно.

— Никого там нет.

— Есть.

Правой рукой придерживая Олега Петровича, левой Гена ловко достал откуда-то из-под мышки короткий черный предмет, и Федор понял, что это пистолет!

— Может, через черный ход?

— Какой тут, к бесу, черный ход!

Они шептались почти неслышно, и у Федора от напряжения вспотела спина.

— Уходить надо. — Это Гена сказал, и оглянулся, и скользнул глазами по остальным, словно прикидывая, смогут они уйти или нет. Похоже, ничего утешительного он не увидел, потому что губы у него странно искривились. — Значит, так. Я подгоню машину. По моему сигналу вы выходите и быстро садитесь. Ясно?

Олег Петрович кивнул. Спорить с Геной в данной ситуации не приходилось. Он был профессионалом, а Олег привык доверять профессионализму. Если Гена считает, что нужно выходить по сигналу, значит, они пойдут по сигналу, а там видно будет.

— Я пошел, — неслышно сказал Гена и вдруг пропал, как и не было его. В дверном проеме осталась только громадная сумка, съехавшая на один бок, привалившаяся к косяку.

— Олег, — трагическим шепотом спросила Виктория, — что происходит?

— Я не знаю.

— А почему мы стоим тут?

— Потому что нас тут поставили.

В отдалении заурчал мотор — а ведь никто не слышал, как открывалась или закрывалась водительская дверь! Мотор заурчал, потом скрипнул снег, и звук стал приближаться.

По утоптанной снеговой дорожке медленно полз автомобиль, похожий на кита, посверкивал боками под синим светом уличных фонарей. Почему-то — должно быть, из-за всего этого таинственного шепота и пистолета в Гениной руке — Федор был уверен, что машина подлетит, как в американском кино, свистя тормозами, а из каждого ее окна будет торчать по автоматному стволу. Что машина будет ползти медленно, как удав, Федор никак не ожидал.

Машина причалила к крыльцу, и с водительского сиденья выбрался Гена. Он обошел капот, посмотрел по сторонам, открыл обе боковые двери, еще походил, а потом прилег животом на сверкающий бок машины и стал неторопливо сбивать с «дворников» лед.

Олег Петрович смотрел на него. Виктория почти не дышала и вдруг в темноте взяла Федора за руку. Острые ноготки впились в ладонь, и он осторожно сжал ее, словно успокаивая.

Чем он мог ее успокоить?! Он решительно не понимал, что происходит, и не знал, что нужно делать, когда испуганная девушка берет его за руку. Да и разве он может... защитить? У него нет пистолета, и он не видит никого там, где, должно быть, видит этот самый Гена, про которого Олег Никонов сказал, что он профессионал! Ни в чем таком Федор не был профессионалом, и жутко ему было, и мертвое тело старика все мерещилось, и он боялся, что сам превратится в то *неживое* и страшное, что, скрючившись, лежало на полу! И еще Федор был уверен, что все это, по большому счету, из-за него! Из-за того, что он украл коллекцию в музее!

И нету у него никакого права держать доверчивую руку Виктории, да еще и пожимать ее!..

Гена деловито постучал о стекло «дворниками», потом переместился, так что оказался спиной к открытой двери в антикварную лавку, оглянулся через плечо и кивнул.

— Бегом, — шепотом приказал Олег Петрович, взял Викторию за шкирку — Федору пришлось выпустить ее руку — и подтолкнул вперед.

Она — умница! — не сопротивлялась, сбежала с крыльца и нырнула в распахнутую дверь машины.

— Теперь ты. За ней.

Гена все постукивал «дворниками», не торопясь проводил ладонью вдоль резиновой штуки.

Федор независимо пожал плечами и шагнул на крыльцо, и Олег Петрович с сумкой двинулся следом за ним, и тогда в кустах с левой стороны вдруг громко и сухо хлопнуло. Так громко, что эхо раскатилось над машиной, выкатилось на замерзшую реку и там пропало.

— Мать твою!..

Федор с удивлением глянул влево и увидел, как там сверкнула молния, очень маленькая и нестрашная. Вдруг ударило еще раз, воздух словно полоснуло бритвой, он дернулся, и из-под ног у Федора взметнулся фонтанчик снега.

— В машину, твою мать!!

Что-то сильно толкнуло его в спину, так что он

чуть не упал, и воздух разорвался еще раз, и возле уха нежно и быстро свистнуло «фьюить-фьюить».

Гена, лежа животом на заднем крыле машины, обеими руками держал пистолет, но не стрелял, а словно выжидал чего-то, а грохот все продолжался, и Федор сам не понял, как оказался в машине.

Через секунду хлопнула дверь, и «Мейбах» плавно и стремительно сорвался с места. Из-под задних колес в разные стороны двумя веерами брызнул снег, окатил замерзшие стволы деревьев.

— Там нет выезда! — тяжело дыша, сказал кто-то рядом.

— Знаю!

Фары были потушены, и голубоватые сугробы по обочинам расчищенной дорожки летели навстречу. Снаружи все грохотало, как будто на тихой Фрунзенской набережной нынче вечером случился горный обвал.

Машина пролетела кусты, тяжело нырнула в какую-то ямину, выбралась, наддала и оказалась в западне — впереди была стена, слева чугунные столбики с цепями, огораживающие убогий скверик, а справа угол дома.

— Последний патрон, — сказал Гена, и в зеркале заднего вида Федор увидел его глаза. — Еще один!..

Сзади снова бабахнуло, и Гена гаркнул во все горло:

— Все! Больше нету!

Он осадил машину, как не в меру резвую лошадь, сдал назад, так что Федор и Виктория повалились один на другого, вывернул руль, дал по газам — длинный и тяжелый корпус занесло и задние колеса пошли юзом, выровнялся и приказал:

— Держитесь!

И лучше бы они держались, потому что машина

бросилась вперед с реактивной скоростью, и снег из-под задних колес градом застучал по стволам и по стене дома, и двигатель, не привыкший к такой работе, завыл протяжно!.. На бугорке «Мейбах» подпрыгнул, сердце подкатилось к горлу и обрушилось вниз вместе с автомобилем, нащупавшим колесами дорогу, и снова понеслось вскачь!

Они вылетели на асфальт, еще раз развернулись, и темнота вокруг вдруг осветилась — водитель включил фары, — и стало видно, что Виктория сидит, взявшись руками за щеки, и глаза у нее как у испуганного ребенка.

Впереди был широкий, освещенный проспект. И светофор неторопливо переключался с зеленого на красный, и люди неторопливо переходили дорогу, и оказалось, что жизнь на проспекте обычная, неторопливая, и война не началась, и никто не стреляет и ни за кем не гонится!

Гена вылетел на проезжую часть, попетлял между немногочисленными машинами и очутился в среднем ряду. Очутившись тут, он сбросил скорость, устроился за какой-то невразумительной машинкой и спросил у остальных, как они себя чувствуют.

Олег Петрович промолчал, Виктория сказала, что чувствует себя хорошо, а Федор Башилов спросил: «Что это было?»

— Можно я покурю, Олег Петрович?

На это Олег Петрович тоже не сказал ни слова. Но Гена, видимо, умел понимать его и без слов, потому что полез в нагрудный карман, выудил сигарету и бросил ее в рот.

— И я покурю, — тонким голосом сказала Виктория и стала искать сумку. Оказалось, что на сумке сидит Федор, и, очень смущенный, он вытащил ее из-под своей задницы, зачем-то отряхнул, как если бы задница была в пыли, и передал ей.

Она достала тонкие сигареты и закурила с независимым видом.

— Не понял я, из-за чего сыр-бор, — помолчав, сказал Гена. — Вот, ей-богу, ничего не понял!

Он курил, стряхивал пепел в окно, и туда же, в щелку, вытягивало дым.

— Или это такие великие деньги, твоя коллекция, парень! А?!

Федор вздохнул.

— Ну, чего вздыхаешь?!

— А моя машина? — вдруг спросила Виктория. — Она же там осталась!

— Гена завтра тебе ее пригонит, — сказал Олег Петрович совершенно равнодушно. — Если нужно, прямо с утра.

— Да не нужно, — отказалась Виктория. — Потом заберу как-нибудь. Черт с ней.

— Машину надо забрать, Олег Петрович, — серьезно сказал Гена. — Хорошо бы сегодня.

— Значит, заберешь сегодня.

Вдалеке засверкало синим и красным, многократно усиленный динамиком голос сердито закричал что-то, машины стали одна за одной двигаться вправо, будто сметаемые невидимой волной, и навстречу им пролетел милицейский патруль, а потом еще один.

В машине стало тихо. Федор исподтишка проводил патрульных глазами.

— Пацаны по нашу душу поехали, — сообщил Гена безмятежно. — Только там уж нет никого! Одни гильзы в кустах. Ну, да гильзы сейчас искать никто не станет! Темно, холодно, какие гильзы!..

На это никто ничего не ответил. Гена докурил сигарету, закрыл окно, перехватил руль поудобнее, словно приготовляясь наконец-то ехать, и осведомился куда.

— Домой, — решил Олег Петрович. — А потом Викторию отвезешь.

— Только я сначала кофе попью, — сообщила та. — И съем чего-нибудь. Потом вы мне все расскажете, и я уеду.

Гена взглянул на нее, фыркнул и покрутил головой, а Олег Петрович опять промолчал.

— А сумка? — хриплым преступным голосом спросил Федор. — Сумка с коллекцией там осталась?

— Ты чего, парень? — обиделся Гена Березин. — Врагу не сдается наш гордый «Варяг»! Вот она, сумка, у Олега Петровича в ногах.

— Ты из-за сумки не волнуйся, — посоветовал Олег. — Лучше сиди, придумывай, как ты будешь объясняться! И чем правдоподобнее придумаешь, тем для тебя лучше.

— Олег, что ты к нему привязался! И там привязывался, и здесь продолжаешь?!

Гена коротко хохотнул и посмотрел на Олега Петровича, а потом на барышню в зеркале заднего вида.

— Вы молодец, — похвалил он. — В панику не вдарились! Вели себя, как настоящий мужчина.

— Я никакой не мужчина, — сказала Виктория обиженно, потом подумала и решила, что обижаться сейчас на них не стоит. Она обидится, Олег пошлет ее домой, и она ничего не узнает! А ей так любопытно! Так интересно!

Как будто она вдруг утром проснулась, и оказалось, что впереди не самый обычный серый день — институт, дом, массаж, маникюр, загар, бассейн, «Синема Чиз» с ребятами, боулинг и спать, — а самое что ни на есть настоящее приключение!

Приключение!..

Ей было очень жалко старика. Как он лежал, бедный, скрючившись, подтянув к животу худые колени, откинув руку в старческих синих венах. И самое главное, что еще утром он был жив и здоров, болтал по телефону, приседал и извивался худой спиной, а она так на него злилась за то, что он не достал кресла!

Если бы она только знала, что вечером его уже не будет, ни за что не стала бы злиться! Мама всегда говорила, что ссориться — это последнее дело, вдруг потом не успеешь помириться! А Виктория никогда не понимала: как это можно не успеть помириться?! Ну, вот просто приходишь и миришься, да и дело с концом! А оказалось, что запросто можно не успеть! И кому он так уж помешал, этот вздорный старик с его рухлядью, буфетами и любовью к крепким немецким словечкам?!

А еще этот парень!

Она покосилась на парня. Какой-то он странный, нервный и одет как бомж, но очень симпатичный. Просто удивительно. И не гомик вроде, хотя такие карие глаза, такие ресницы, и кожа смуглая, ровная, никаких прыщей, рытвин и впадин, как вон у Макарки! Тот, конечно, великий поэт и будущая знаменитость, и вообще сын своего отца, а в наше время именно это самое главное в кавалере, но без слез на него не взглянешь! Да и без «травы» ни дня не может, а этот, сразу видно, не балдежник, «дурью» не пробавляется, сейчас таких днем с огнем не сыщешь! Особенно в тех местах, где имела обыкновение бывать Виктория. Олег Петрович на его фоне выглядел совсем уж как-то блекло, может, и вправду он для нее староват?

Федор, почувствовав ее взгляд, поднял на нее глаза, и она не отвела свои. Это она умела! В этом ей не было равных!

Ну что? Хочешь посмотреть? Давай, смотри!..

Конечно, он дрогнул первым, воровски застрелял глазками по сторонам, а потом уставился в спинку переднего кресла.

Ага, ага, вот, значит, как!.. Значит, все у нас хорошо, перспективы есть, нужно только поиграть подольше. Впрочем, это успеется!

И потом, он сам сказал, что украл из музея какие-то штуки, а это так чертовски романтично! Виктория никогда не знала людей, которые бы работали в музеях, — кроме директора Лувра, с которым отец дружил, но он не был похож на музейного работника. И никогда не имела дела с теми, кто что-то из музеев крадет! А фильмец этот, где в Лувре кто-то кого-то укокошил, кажется, из религиозных соображений, и потом тот, которого играет Том Хэнкс, стал искать какой-то постскриптум или манускрипт, ей очень даже понравился! Скучноват, конечно, но ничего, смотреть можно, и главный герой там такой романтичный! Кажется, даже немного похож на Федора! Вот интересно узнать: что именно он украл из музея и зачем?! Впрочем, все это удастся выяснить, только если она не будет раздражать Олега, а иначе он заставит свою гориллу отвезти ее к папе, а тому ни о чем таком не расскажешь! Папа моментально приставит к ней трех охранников, отберет «ТТ», выдаст из собственных запасов какой-нибудь жуткий лимузинище, и тогда вообще пиши пропало! Даже к Макарке больше не отпустит!

Ах, как жалко старика!

Виктория даже поежилась и моментально позабыла о Федоре.

Как несправедливо, как неправильно все устроено! Смерть должна приходить строго по графику и предупреждать заранее, а так, ни с того ни с сего — как хотите, это свинство!..

Машина между тем свернула со Сретенки в какой-то богатый странный переулок, где дореволюционные особнячки перемежались с только что отстроенными, но точно такими же. В переулке было тихо и сонно, как будто здесь загород, а не Москва, и заканчивался он будкой со шлагбаумом. Машина, не сбавляя скорости, надвигалась на шлагбаум, и он стал сам собой подниматься, а за ним открылся чистенький дворик с круговым движением, и расчищенными сугробами, и — чуть подальше — съездом в подземный гараж.

Из будки вышел человек в форме и издалека поклонился машине Олега Петровича.

Федор Башилов вдруг занервничал еще больше. Он никогда не был в таких местах и вообще не знал о том, что они существуют. Роскошь и благолепие, виденное в кино, не шли ни в какое сравнение с этой чистотой и покоем — в самом центре Москвы! — и с человеком, который поклонился машине!

Гена въехал прямо под портик, остановил «Мейбах» перед освещенным подъездом и объявил, что они приехали.

— Только я сразу домой не поеду, — тревожно сказала Виктория. — Олег, ты даже не начинай! Я устала и есть хочу, и мне нужно... нужно...

Она не знала, что бы ей такое придумать. Сказать

«в туалет» при Федоре она решительно не могла, а все остальное никак не сойдет за уважительную причину!

— Господи, — произнес Олег Петрович горестно, — как вы мне все надоели!

И полез с переднего сиденья, волоча за собой спортивную сумку.

Гена открыл Виктории дверь и Федору открыл тоже, а потом сумку у Олега Петровича перехватил.

Федор кое-как выбрался из машины и замер перед портиком и крыльцом.

— Давай, парень, как тебя там?.. Федя, что ли? Федя — съел медведя! Двигай!

Следом за Олегом — Гена предупредительно распахивал двери — они вошли в теплое и просторное помещение, освещаемое канделябрами и громадной бронзовой люстрой. В чистом мраморе полов отражались язычки настоящих толстых витых свечей, горевших в канделябрах, и пахло уютно — горячим воском и... камином. Вскоре обнаружился и сам камин — с левой стороны, громадных размеров. Над ним висел какой-то портрет, а рядом стоял столик, расчерченный для шахмат, и сами шахматы. Дальше были еще какие-то столики и полки с книгами, библиотека, что ли?..

— Добрый вечер, Олег Петрович.

— Добрый.

Еще один человек в форме поднялся из-за конторки, где он читал толстую книгу, и пошел впереди.

Федор был в полном смятении. Кто все эти люди?! Прислуга?! Охрана?! Что они тут делают и зачем их так много?!

У него тяжело застучало в виске, должно быть, от всех переживаний сегодняшнего дня!

Еще утром он не знал, как зайти к отцу на работу,

и был уверен, что его вытолкают взашей — да его и вытолкали бы, если б не фамилия в паспорте! — и утренний офис казался ему верхом богатства и роскоши, жилищем бога!

А это... Это что такое?! И кто этот всесильный человек, прокричавший ему в лицо, что его зовут Олег Петрович Никонов?! Вот он-то и есть самый настоящий бог, а те все, включая отца, просто мелкие сошки, что ли?!

Но так не бывает, просто решительно не может быть! И он, Федор Башилов, не может здесь находиться! Сейчас этот, в ливрее, оглянется, увидит курточку из «искусственного кролика», разбитую губу, ботинки, рюкзак и вышвырнет его отсюда, как нашкодившего пса!

— Сюда, пожалуйста, господа.

Господа, совсем уж зашелся Федор. Какие еще господа?! Может, *эти* и господа, а он-то?!

Ливрейный нажал какую-то незаметную кнопочку в мраморе, и тут же перед ними разошлась стена, и открылась комната, небольшая, но богато убранная, с ковром и широкой напольной вазой. В вазе величественно цвели розы.

Все вошли. Гена тащил сумку, казавшуюся здесь совершенно неуместной. Федор чувствовал себя чем-то вроде этой сумки — инородным телом, которое волокут куда-то, а куда, не поймешь!

Ливрейный вошел последним, пропустив всех, и стал спиной, после чего нажал еще какую-то кнопку, и Федор с ужасом и смущением понял, что это лифт! Лифт, а никакая не комната!

Резные двери закрылись, кабина тронулась и приехала очень быстро. Ливрейный выпустил всех, сам остался, пожелал им доброго вечера, и двери закрылись, и он пропал из глаз.

На площадке лежал толстый ковер, и мраморная лестница была украшена витой чугунной решеткой и полированными перилами. На площадку выходила всего одна двустворчатая дверь, высоченная, до потолка, темная от времени. Олег Петрович привычно достал ключи, погремел ими, как будто это были самые обыкновенные ключи от самой обыкновенной двери, и настежь распахнул створку.

— Ты знаешь, — блестя глазами, сообщила Виктория, — я никогда здесь не была! То есть именно в этом доме! А в двенадцатом, ну, который угловой, мамина подружка живет, тетя Лена. У нее в гостях мы часто бываем.

— Очень хорошо, — похвалил Олег Петрович и один о другой, морщась, стянул ботинки. Один упал прямо у двери, а другой подальше.

Дверь сама собой стала закрываться, чмокнула и захлопнулась.

Олег Петрович, на ходу снимая пальто, пошел куда-то в сторону, приказав Гене показать «гостям» гардеробную.

— Туда проходите!

— Да возьмите же у меня шубу! — капризно попросила Виктория, и Гена с придворной ловкостью подхватил ее.

— Походи, проходи, парень! Во-он, видишь, самая левая дверка? Туда и двигай.

«Дверка», точно такая же, как входная, была из темного дерева и до потолка! Федор, сидя на корточках, стал неловко расшнуровывать солдатские ботинки и вдруг с ужасом вспомнил про свои бумазейные носки, которые мало того что были зеленого цвета, так еще под вечер и отсырели сильно, оттого что он весь день таскался по снегу!..

Ты лучше соображай, как тебе выкручиваться из всего этого, мрачно приказал он себе, теребя шнурки, словно они у него не развязывались. А про носки не думай! Подумаешь, носки! В конце концов, ты вор и тебе самое место в камере, а там все равно, какие на тебе носки!

— Можешь остаться в ботинках, — сверху прозвучал голос Олега Петровича. — Не мучайся.

Федор вскочил. Волосы лезли ему в глаза, и он все время пытался заправить их за уши.

— Олежка, а у тебя есть еда?! — откуда-то издалека прокричала Виктория. — Ужасно хочется есть!

Олег Петрович вздохнул и ушел куда-то, и вообще все ушли, и Федор остался в одиночестве.

Эта самая гардеробная размером была как раз с их с матерью квартиру, и вещей в ней было — кот наплакал. Только несколько пальто и курток, и еще какие-то толстые пиджаки, шарфы на вешалках, очень много, все явно мужские. Зачем одному человеку столько шарфов?.. Или их тут много живет?

Разозлившись на себя, на свою дикость, на то, что думает о чем-то совсем нынче неважном, Федор выскочил из гардеробной и даже дверью хлопнул. Сразу же перепугался, что хлопнул, но никто не обратил на это внимания.

Черт бы их всех побрал, с их хорошим воспитанием и ливрейным лакеем в лифте!

— Федор! — опять звонко закричала откуда-то Виктория. — Идите сюда!

— Куда сюда-то? — пробормотал он себе под нос. Его солдатские ботинки на сияющем паркете выглядели оскорбительно.

— Мы здесь, — сказала Виктория, показываясь где-то в конце огромного холла — или это не холл, а бальный зал? — Идите к нам!

Он покорно пошел и попал еще в один зал. Видимо, этот был не бальный, а кухонный, потому что здесь стоял стол громадных размеров, полированный, на толстых ногах, еще были дубовые резные шкафы с виноградными листьями, почему-то напомнившие Федору картину Ореста Кипренского «Итальянский полдень», плита под белым колпаком. Еще был эркер, выходящий во дворик, с белыми шторами от пола до потолка, и, кажется, камин, а может, и не камин, черт его знает!..

Так называемая кухня была отделена от остального помещения невысокой стойкой, на которой Гена ловко и привычно сервировал ужин. Виктория сидела на высоком стульчике, ела банан и качала ногой. Олега Петровича не было видно.

— Садитесь, — пригласила Виктория и ногой же подвинула в его сторону другой высокий стульчик. — Я ужасно хочу есть, а вы?

Федор понятия не имел, хочет он есть или нет. У него сосало под ложечкой, и во рту было противно с того самого момента, когда ему показалось, будто он наглотался слизней.

— Геночка, у нас есть что-нибудь выпить?

— Все спиртное в баре. — Олег Петрович кивнул в сторону каких-то шкафов, подошел, вытащил с другой стороны стойки табурет и сел на него, поджав босые ноги. И уставился на Федора.

Теперь он был в джинсах и майке, свет отражался от бритой башки.

Федор выдержал его взгляд.

— Хорошо, — неизвестно о чем сказал Олег Петрович. — Теперь рассказывай.

— Олег, а где этот твой бар? — прощебетала откуда-то Виктория.

— Я покажу, Олег Петрович!

Федора удивляло неимоверно, что за сказочной девушкой все время ухаживает Гена, а лысый вообще не обращает на нее никакого внимания! Как будто можно не обращать внимания на такую девушку!

Или он... голубой? Да нет, вроде не похож!

— Олег, что тебе налить?

— Я не знаю, что у нас дальше в программе, — сказал Олег Петрович, покосившись на Гену. — Поэтому мне ничего наливать не нужно.

— Как?! — поразилась девушка. — У тебя сегодня еще одно свидание?!

— На сегодня с меня свиданий достаточно. — Тут только он улыбнулся. — А ты рассказывай, рассказывай, парень!

— Чего рассказывать-то? — мрачно спросил Федор.

— Все, что знаешь.

— А начинать с чего?

— Да хоть с фамилии твоей, — окончательно развеселился Олег Петрович. — Можно с даты рождения и номера паспорта.

Федору было неловко и страшно, как будто и впрямь на допросе!..

— Меня зовут Федор Башилов. Мне двадцать пять лет, я работаю в Музее изобразительных искусств.

— Это тот, что на Волхонке?

— Да.

— А где учился?

Федор мрачно глянул на них, казавшихся ему сейчас врагами.

Виктория доела банан, принесла откуда-то запотевший стакан, в котором вкусно звякали льдинки, взобралась на свой стульчик, устроилась и прихлебывала из него. Гена, который за стол так и не сел, в отдалении жевал бутерброд и на Федора смотрел с интересом. Олег Петрович ничего не ел и не пил и на Федора пялился без всякого интересу!

Зачем им знать, где он учился?! Ну, какой смысл?! И учился он в «бабском» институте, в который его определила мать, на его и на свою беду! Они-то небось все учились в «Плешке» и в МГИМО и сейчас будут тыкать этими «Плешками» Федору в физиономию!

— Ну, в Историко-архивном, — сказал Федор грубо. — А вам-то что?

— Ого! — почему-то уважительно сказал хозяин. — А факультет?

— Информатики.

— И чему вас там учили?

Федор вздохнул и затянул:

— Документоведение, библиотечное дело, госстандарты, архивное дело, логика, математика, ну, и английский с французским. Психология еще.

Олег Петрович смотрел на него очень внимательно:

— Психология? Апперцепции Вундта?

Федор Башилов чуть не упал со стула. То есть он даже почувствовал, как стул из-под него поехал и он вот-вот грохнется на сверкающий пол. Виктория перестала прихлебывать из стакана и переводила взгляд с одного на другого.

— Ну да, — сказал он осторожно. — А вы...

— Скажи, что помнишь, — приказал этот странный мужик. — Ну, первое, что приходит в голову!

— Интеграция, дифференциация, церебрация, — выпалил Федор. — Каждый видит только на уровне горизонта и слышит только то, что способен воспринять.

— Хорошо, — похвалил Олег Петрович, рассматривая его, и спросил по-французски: — Кто читал психологию на вашем курсе?

— Профессор Липкин, но очень недолго, потому что уехал за границу, — тоже по-французски с разгону и без раздумий ответил Федор. — А потом профессор Квинт.

— Все правильно. Когда я учился, этот Квинт был просто ассистентом на кафедре! А нынче уже профессор?..

— Вы учились в Историко-архивном?!

— Ты думаешь, один ты умный? — по-русски спросил Олег Петрович. Кажется, ему понравилось, что Федор окончил тот же институт, что и он сам. — Гена, дай мне тоже чего-нибудь поесть! И ему!

— Вот салат Галина Павловна оставила, и еще рыбу.

— Рассказывай историю с коллекцией, — приказал Олег Петрович и стал ковырять вилкой в салате. — Только без вранья и подробно.

Федор помолчал. Он вдруг обо всем забыл.

— Вы учились в нашем институте?!

— Да. И что в этом такого?

— А на каком факультете?

— Архивном.

— Как?! А теперь вы кто?!

Олег Петрович еще поковырял вилкой и посмотрел на Федора внимательно.

— Я занимаюсь консалтингом высокого уровня.

У меня большое предприятие, филиалы за границей. Вот во Франции, к примеру. А что тебя... перепахало?

— И вы научились этому в нашем институте?!

— Чему-то да, а чему-то потом доучивался. А что ты так возбудился-то?!

Федор Башилов, который всю жизнь был совершенно уверен, что, окончив «бабский» институт, можно жить только так, как живет его мать, совершенно потерялся. Он не мог рассказать этому мужику, что мир его вдруг оказался стоящим на голове, хотя до этого момента прочно стоял на ногах.

Он не мог рассказать, что разлюбил мать — из-за ее жизни, из-за этого дурацкого института, из-за запаха щей и отбеливателя, в котором она кипятила белье. Он не мог рассказать, что отец считал его тряпкой, и слюнтяем, и ни на что не способным человеком — как раз потому, что учился он в «бабском» институте! И Светка так считала, и даже пацанята у подъезда, которые не давали ему прохода!

— Историко-архивный — это блестящее образование, — задумчиво рассматривая его, продолжал Олег Петрович. — Если, конечно, ты не полный болван и способен учиться. Но ты вроде не болван, и по-французски хорошо говоришь, и помнишь кое-что.

— Угу, — с удовольствием подтвердила Виктория, о которой Федор позабыл, — по-французски хорошо. Я люблю французский, он красивый.

Федор под столом вытер о джинсы вспотевшую ладонь. Пора было спускаться с небес на землю.

— Василий Дмитриевич как-то подошел ко мне и сказал, что...

— Как подошел? Где он к тебе подошел?

— Да просто на улице, когда я выходил с работы.

— Постой, он тебя знал, что ли?..

— Он сказал, что когда-то знал мою маму. Моя мама тоже работает в музее, только в другом отделе.

— Так. Он знал маму. И дальше что?

— Дальше... дальше он сказал, что хочет купить остатки демидовской коллекции, ему, мол, очень нужно, а в музее ее никогда никто не хватится. — Федор посмотрел на свою руку, стиснутую в кулак на джинсовом колене. — Ну, знаете, как у нас обычно бывает?.. В фондах чего только не хранится, даже всякая ерунда, а раз все описано, инвентарные номера присвоены, значит, это ценности! Я сказал, что к демидовской коллекции это не относится, потому что одно имя чего стоит, а он сказал, что хорошо заплатит.

— И ты согласился.

— Нет, — помолчав, неохотно признался Федор. — Не сразу. Но он уговаривал, все время уговаривал и еще сказал, что она не пропадет, что один очень хороший коллекционер хочет ее купить, потому что уважает род Демидовых и собирает все, что с ним связано, и не даст коллекции пропасть, а в музее она все равно никому не нужна. Она и вправду никому не нужна, — вдруг жалобно добавил он. — И никто никогда это не выставляет, и все гниет! Только когда ревизия, номера перепишут, и все дела!

— Ты беспокоился, что все сгниет? Хотел дать коллекции путевку в жизнь, что ли?

— Я хотел денег! — крикнул Федор. — Я ничего в жизни так не хотел, как денег! А у меня нет ничего, ни копья! А он говорил, что заплатит! Хорошо заплатит! И ничего не нужно, просто поменять инвентарные номера, и никто не заметит! А когда мы выходим, нас все равно никто не проверяет!

— Ты подумал и решил, что ничего плохого в этом нет.

— Да! Я подумал и решил, что ничего плохого в этом нет! И я вынес всю коллекцию по одному предмету под курткой! И отдал старику!

— Ну, положим, шкатулку под курткой не вынесешь.

— Шкатулку и часы я в сумке вынес! Сказал охраннику, что вечером на хоккей собираюсь, вот потому и сумка у меня такая здоровая!

— Ты все отдал Василию Дмитриевичу, а он... что?

— Он сказал, что должен проверить подлинность, не обманываю ли я его! Я сказал, что не обманываю, и оставил ему коллекцию. А он заплатил мне пять тысяч долларов.

— Вы договаривались именно о такой сумме?

— Мы ни о какой сумме вообще не договаривались! Он просто обещал хорошо заплатить!

— Бизнесмен, — еще раз похвалил Олег Петрович Федора. — Хватка у тебя прямо! И что потом случилось?

— Он сказал, что, так как коллекция краденая, мне больше пяти тысяч все равно никто не даст и тот его заказчик тоже сомневается, брать или не брать, потому что она... музейная! Как будто они сразу не знали, что она музейная!.. Короче, это долго продолжалось, ну, и я взял эти пять тысяч, да и все!

— Кто звонил Василию Дмитриевичу, угрожал и требовал вернуть коллекцию? Ты? Или твои приятели?

Федор вдруг обозлился:

— Нету у меня никаких приятелей! И я ему не звонил!

— Хорошо, а кто тогда звонил?

— Я не знаю!

— Но кто-то же звонил! И напугал старика до полусмерти! И он вызвал меня, потому что ему угрожали!

— Я, — повторил Федор с нажимом, — ему не звонил.

— Олег, — укоризненно сказала Виктория, — ну он же тебе говорит, что не звонил!

— А зачем ты сегодня к нему поехал, если все ваши расчеты уже были произведены?

Федор исподлобья посмотрел на Олега. Придется признаваться во всем, хотя это было ужасно.

— Я хотел, чтобы он вернул мне коллекцию.

— Как?! Обратно в музей?!

— Нет. Лично мне.

— Зачем?! Ты решил ее самостоятельно продавать?!

Гена придвинулся и стал рядом с Олегом Петровичем. Он больше ничего не жевал, пил кофе из маленькой кофейной чашечки, и было странно, что он не раздавил ее своей ручищей.

— Нет. На... наверное, за мной следили. Когда старик отдал мне деньги, у меня их... — Он сглотнул. Говорить было стыдно. — ...отобрали.

— Кто отобрал, парень? — Это Гена проявил интерес.

Проявить-то он проявил, а потом опять стал сосредоточенно прихлебывать из чашки как ни в чем не бывало.

Конечно, им не было и не могло быть до него никакого дела!

— Сначала позвонили. Сказали, чтоб я деньги отдал. Ну, я, конечно, стал говорить, что понятия не имею, о чем они говорят, и нет у меня никаких денег, а они сказали, что... в общем, что убьют, если я им не принесу их долю.

— Какую долю?

— Я тоже поначалу не понял, какую долю, а они мне сказали, что это территория какого-то Хорька или Совка, и на ней скупкой и продажей краденого занимается только пара надежных людей, и всяких гастролеров вроде меня они здесь видеть не желают, и я должен им, ну, что-то вроде доли. Да, доли в общак. Короче, забрали они пятерку, сказали, чтобы я еще десятку им принес, и тогда они от меня отстанут. Мол, это самый божеский процент. Остальное, говорят, можешь себе забрать, а у меня-то и была всего пятерка!

— Постой, парень, ученая твоя голова, — сказал Гена и аккуратно пристроил свою чашечку на стойку, — постой, не части! А кто звонил тебе? Когда? Как назвался?

— Назвался Владом, сказал, чтобы я деньги гнал, которые на их территории намылил. Нечестным путем намылил, а делиться не хочу. Звонили первый раз дня... три назад, а потом стали уже без конца звонить. Сказали, или деньги, или тащи ворованное, мы надежным людям продадим, а тебя в долю возьмем. А не принесешь, так мы тебя... того...

Олег переглянулся с Геной. Виктория слушала рассказ восторженно, а Федор все никак не мог понять, из-за чего ее восторг. Ему казалось, что, если его сию секунду пристрелить, как собаку, — вот это будет правильно!

— Денег, то есть еще десяти штук, у тебя не было.

— Не было.

— И ты решил забрать коллекцию. Ну, чтобы отдать Хорьку, Совку и... как его, последнего?..

— Влад, — подсказал Гена.

— ...да, и Владу. Ты отдаешь им коллекцию, они

берут тебя в долю и впаривают ее своим людям. А пятерку, полученную у Василия Дмитриевича, ты им уже отдал. Замечательно!

— А что мне было делать?! Хорошо вам говорить! У вас вон... охрана! И этот в подъезде стоит!.. И шлагбаум, и машина! А мне как?!

— А тебе головой надо соображать! Если ты не врешь, конечно!

— Олег! — опять укоризненно воскликнула Виктория.

— Да не врет он, Олег Петрович, — пробурчал Гена, и Олег посмотрел на него. Гена взгляда не отвел. — Скорее всего, не врет.

— Вот именно, что скорее всего. — Хозяин дома бросил свою вилку, поднялся и достал из резного шкафа маленькую чашечку и маленький странный, похоже, чугунный чайничек. И еще какие-то то ли листья, то ли цветы в стеклянной банке. — Только Василия Дмитриевича убили, а так, может, и не врет!

Он поколдовал над банкой, понюхал цветы или листья. Должно быть, пахли они очень хорошо, потому что от удовольствия он даже глаза прикрыл.

— Ну, рассказывай дальше, парень.

— Я сначала хотел попросить денег у... ну, в общем, у одного человека, десять тысяч, чтобы им отдать.

— У тебя богатые знакомые, — заметил Олег Петрович.

— А потом решил не просить, потому что он все равно бы не дал.

— Я бы тоже не дал, — заметил Олег Петрович.

— И тогда я попросил его помочь мне вернуть коллекцию. А он сказал, чтобы... я шел к черту.

— Я бы тоже так сказал, — заметил Олег Петрович.

Федор застонал, поднялся со стула, оперся руками о стойку, наклонился вперед и несколько раз с силой стукнулся головой о столешницу. Гена наблюдал за ним с интересом, а Виктория с ужасом. Федор — когда бился — все же краем глаза следил за их лицами.

— Что мне было делать?! — Это он крикнул, повернувшись к Олегу, который все возился со своими цветами и чайниками. — Что?!

Гена моментально оказался рядом и загородил Олега Петровича собой.

— Полегче, парень!

Олег Петрович глянул, фыркнул и продолжал возиться.

— Вы не понимаете! Вы никогда меня не поймете! Вы знаете, как живут люди на девять тысяч рублей в месяц?! Да еще премия три пятьсот?! Девять мать получает, за стаж, а у меня семь восемьсот тридцать три, и еще семьдесят копеек до кучи! Знаете?! Мать сапоги раз в пять лет покупает! И это все бред, что можно работу найти за деньги, нету такой работы, никто меня на нее не возьмет! Опыт нужен, а где мне взять опыт, если меня никуда не берут?! Средство для похудания в метро продавать я не могу!! Ну, не могу!! И куда мне кидаться?! Связей нет, кто возьмет меня на доходное место?!

— Доходное место, — пробормотал Олег Петрович, — Островского, значит, мы читали, про доходные места осведомлены.

— Да! — страстно крикнул Федор. — Да!! Это о-очень недостойно, о-очень, но что мне делать?!

— Если ты спрашиваешь у меня, то тебе нужно перестать биться головой о стол, — холодно сказал Олег Петрович.

— Я думал, мне отец поможет. Ну, как-нибудь! Конечно, это малодушно, это безответственно, но мне не на кого больше надеяться! — Он перевел дыхание и снова заорал: — Да знаю, знаю я, что надеяться нужно только на себя, вот я и понадеялся, черт!.. И старика из-за меня убили, и мать грозятся убить, и еще... Светку! И все из-за меня!

— Кто такая Светка?

Федор вдруг остановился и хлопнул глазами. Потому что никак не мог вспомнить, кто такая эта Светка.

— А?.. А... это моя... — Почему-то у него никак не получалось выговорить «подруга», особенно в присутствии Виктории, это будто обрывало все нити, приковывало цепями, хотя при чем тут Виктория?! Ну, совсем ни при чем! — Это одна моя... знакомая.

— Ты денег хотел у отца попросить?

— Да, — совсем обессилев, сказал Федор.

— Он богатый человек?

— Он давно с нами не живет.

— Я тебя спросил не об этом.

— Да, богатый.

— И именно его ты просил, чтобы он помог вернуть коллекцию?! То есть отобрать у Василия Дмитриевича и отдать тебе?

— Да.

Олег Петрович переглянулся с Геной, и эти переглядывания имели какое-то другое значение, не такое, как все предыдущие, Федор это почувствовал.

— Что ты ему рассказал?

— Да все, — вяло сказал Федор.

— Что именно? И не валяй дурака, отвечай нормально!

— Ну, сказал, что у меня проблемы, что мне нужно вернуть вещи, которые я продал, а у меня теперь требуют их обратно.

— И ты сказал, кому и что ты продал?

— Да нет. Он не захотел меня слушать. — Федору вдруг стало так стыдно за то, что он паясничал перед ними! Еще и головой бился, идиот! Господи, как стыдно, вот ужас-то! — Он меня прогнал.

И помолчал, ожидая, что Олег Петрович сейчас скажет, что он тоже непременно бы его прогнал, но тот ничего такого не сказал.

— То есть про коллекцию, про музей и про Фрунзенскую ты своему отцу ничего не говорил?

— Нет. Говорю же, он меня выгнал. А когда я только еще подходил к его офису, мне Светка позвонила. Она кричала, что они ее... убьют, эти люди. Что они до нее добрались! И когда я вышел от отца, они меня ждали. Ну, те двое, которых вы видели. Ну, и они меня... короче, подрались мы.

— Это я видел, — согласился Олег Петрович.

Он поставил свой чугунный чайничек на крохотную спиртовку и подкручивал винтик, чтобы уменьшить пламя.

— Они сказали, что меня убьют. И мать. И Светку.

Он с размаху сел на высокий стульчик, зажал руками уши и стал качаться из стороны в сторону, хотя только что решил, что больше ни за что не станет перед ними паясничать.

Но мысль о том, как он всех подвел и что теперь только начнется самое страшное, приводила его в отчаяние.

До смерти старика еще была хоть какая-то, самая крохотная, самая последняя надежда на спасение. Теперь не осталось ничего. Совсем ничего.

Только пропадать.

— Отец тебе ничего не дал и прогнал, — резюмировал Олег Петрович, нюхая пар, поднимавшийся над чайничком. — Потом тебя побили. Ты пошел к Василию Дмитриевичу, чтобы забрать коллекцию. И... дальше что?

— Дальше вы все знаете. Я вошел, увидел его... мертвого. И тут вы приехали.

— Что-то ты, парень, от Садового до Фрунзенской добирался больно долго!

Федор махнул рукой.

— Я пешком шел. И еще там стоял долго, меня мужик сосиской угостил. Я ее ел.

Сосиска — хорошее дело, неизвестно к чему подумал Олег Петрович.

Он верил мальчишке и жалел его. Конечно, в умных книгах написано, что каждый должен отвечать за себя сам. Олег Петрович прочел много книг по психологии индивидуума, особенно когда стал хорошим отцом. А хорошим отцом он стал, когда развелся с женой и Машка, в свою очередь, стала «дочерью на один день». То есть даже на полдня, потому что провести с ней день у него никогда не получалось — то дела, то встречи, то командировки, то на свидание срочно нужно!..

К сорока годам Олег Петрович очень отчетливо понял, как нелегко быть молодым — и не потому, что мир изменился, мир со дня его сотворения все тот же!

Ну, были резвые кони, стали автомобили. Ну, были книги, стали компьютеры. Были балаганы на площадях, появился телевизор! По большому счету, это ничего не меняет.

Нелегко быть молодым именно потому, что человечество еще ничему не научилось! Как это ни смешно и ни странно! Молодость уязвима как раз потому, что она — молодость. Она не учитывает ничьих ошибок и ничего не знает о жизни. То есть знает о жизни в данный момент, а не о жизни вообще. Неизвестно кем и зачем придумано так, что каждый приходящий в этот мир все начинает заново, то есть как бы со дня сотворения мира, — зачем, зачем?! Ведь есть — были! — те, кто приходил раньше, и вот с них бы начать, с того, что они поняли, осознали, с их мучительных противоречий, с их поисков себя, с инструкций, которые они оставили! А они ведь оставляют инструкции, вот хотя бы Блеза Паскаля кто почитал, но вдумчиво почитал! Ан нет! Никто не читает, и плевать всем на Блеза Паскаля!

Нелегко быть молодым, потому что самоуверенность слетает в два счета, и бывает, что вместе с ней отшелушивается и еще масса всего полезного, нужного, что пригодилось бы когда-нибудь, а уже не пригодится, потому что ничего не осталось, все соскоблили, как теркой, обстоятельства, которые — именно из-за молодости — кажутся непреодолимыми и фатальными.

Ребята, да с чего вы взяли, что они фатальны и непреодолимы?! Ребята, да все это уже было, было, как водопроводные трубы в вазе в модном клубе и детские горшки на стенах! И можно играть по любым правилам, самое главное, правила эти знать, а вы просто их не знаете!

Почему, почему человечество не накапливает опыт, вот вопрос, на который не нашел ответ никто, даже тот самый Блез Паскаль. Может, потому, что это только нам кажется, что наша история насчитывает многие тысячелетия, а оттуда, сверху, все эти пресловутые тысячелетия — просто крохотная песчинка времени?! И она объединяет всех — и шумеров, и инков, и римлян, и греков, и мрачное Средневековье, и Высокое Возрождение, и нас, грешных! Мы все толчемся на историческом отрезке размером с кончик иглы, а нам кажется, что этот отрезок — о-го-го!

Цивилизации сменяют друг друга, Атлантиды гибнут, Трои пропадают под слоем вечных песков, а на самом деле цивилизация еще вообще не начиналась и начнется только тогда, когда люди научатся учиться!

Ну, просто чтобы зря не тратить время на всякий маразм. Чтобы не вляпываться на пустом месте в дерьмо, как вляпался этот парень. Чтобы не начинать все сначала — сколько можно всей планетой сидеть в вечных второгодниках, которым что-либо объяснять бесполезно, они все равно ничего не запомнят?!

И вот тогда Ему, тому, кто наверху, может быть, станет с нами интересно. И вот тогда Он объяснит нам, отчего и зачем. И тогда у нас получится то, что не получается до сих пор, — развитие.

Нет, не замена лошади паровозом, а паровоза электровозом!

Черт с ним, с электровозом!

Нелегко быть молодым, особенно таким, как этот парень, возможно, даже и читавший Блеза Паскаля! Нелегко, потому что некому взять на себя труд объяснить ему хоть что-то, хоть ма-аленький кусочек того, что уже ясно, чтобы он не топтался на месте, а дальше пошел, чтобы время драгоценное не тратил на чепуху!

Господи, подумал Олег Петрович, как странно.

Очень странно.

Нужно сделать над собой усилие, чтобы вернуться к той самой чепухе, которая приключилась и в жизни Олега Петровича и в которую каким-то непонятным образом оказался впутан этот парень. Никонов сделал над собой усилие и вернулся.

— Так, — сказал он и снова понюхал свой китайский чай, — а чем занимается твоя мать?

— Иконографией, — буркнул Федор Башилов. — Но это к делу отношения не имеет.

Олег не поверил своим ушам.

— Как?! Иконографией?! И она была знакома с Василием Дмитриевичем?!

— Не знаю. Я у нее не спрашивал. Он сказал, что да, была.

— Во дела! — задумчиво выдал Гена. — Во история!

— Я что-то не понимаю ничего, — пожаловалась Виктория. — Совсем ничего.

— Я тоже, — признался Олег Петрович и немного подумал. — Хорошо, а когда стало известно о краже в музее?

Федор изменился в лице. Он и так-то был не слишком... румян и упитан, а тут уж совсем позеленел и осунулся.

— Как?! Уже известно?!

Олег пожал плечами.

— Василий Дмитриевич мне говорил, что в новостях что-то сказали о краже из музея. А ты не знал?

— Нет, — горестно сказал Федор. — Не знал. Наверное, мне лучше в милицию пойти.

Олег достал крохотную пиалу и налил в нее зеленого чаю.

— Ты пока чаю попей лучше. Гена, что скажешь?

Гена моментально выдвинулся на передний план и даже позволил себе сесть на табурет рядом с хозяином.

— Ну, значит, первое, это стрельба. Ни в дугу, ни

в Красную армию, Олег Петрович! Какого лешего в нас палить? Да еще на улице, в темноте?! Никаких шансов, что попадешь, да и народу много! Четыре человека! Всех, что ль, хотел положить? Снайпер, что ль?

— В меня никогда раньше не стреляли, — заметила Виктория, и трое мужчин уставились на нее, как на полоумную. — А что вы смотрите? Я даже испугаться не успела! И вообще это весело!

— Весело, — неопределенно сказал Гена после недолгого молчания. — Второе, что с него, — кивок в сторону Федора, — деньги стали требовать, да еще в какой-то там общак! Ка-акой, блин, общак, какие такие деньги?! Гопников этих я в переулке видел, так, хулиганье последнее, у бомжей бутылки отбирают! Серьезные люди с такими гопниками вообще дел не имеют! Кто-то им стукнул, что парень из музея чего-то попер и продал, вот они и решили его развести, как младенца, и развели на пять косарей! Только этого им мало показалось, и они решили, что еще стрясти смогут. Кто мог им стукнуть?

— Кто, кто... — задумчиво сказал Олег Петрович, — ясно кто.

— И мне ясно, — согласился Гена. — Слушай, парень, а эта краля твоя, Светка, знает про то, что ты в музее работаешь, да еще и попер оттуда что-то?

Федор переводил взгляд с одного на другого.

— Ну, знает, да.

— И про то, что попер, знает?

— Да, — сказал Федор неохотно. — Она мне все говорила, что я... не гожусь ни на что... а я ей сказал, что... в общем, гожусь.

— Понятно, — подытожил Олег Петрович. — В том смысле, что ты лихой мужик и практически махновец.

— Да этого быть не может! Не может такого быть!

— Ты не кричи, — ласково посоветовал Гена. — Ты скажи, она у тебя где работает-то?

— Да быть не может! Она мне звонила и плакала! Говорила, что они ей угрожают! Что они ее убьют!

— А она тебе когда звонила? Ты говорил, что вроде в этот момент как раз к папкиному офису подходил, да?

— Ну... да, и что?!

— А ты ей не доложил, что к папке за деньгами и за помощью кинешься?

У Федора вдруг задергался глаз, и он прижал его рукой.

— Говорил, конечно. Она знает, что он... что он может помочь!

— И позвонила она тебе в аккурат в ту секунду, как ты должен был эту самую помощь просить. Рыдала, значит, и говорила, что ее убьют! Это она тебя так разогрела, чтобы жалостливей просил, а когда ты вышел, тебя уже ждали и приняли в жаркие свои объятия! Ну, про то, что за тобой следили, это ты забудь. Слежка — дело тонкое, хлопотное и недешевое. Я в этом деле все понимаю, парень. Они откуда знали, где папаша твой пребывает? Где он свои денежки кует? Куда ты к нему поехал, Москва-то не маленькая! Сдал тебя кто-то, и, по всей видимости, краля твоя, потому что больше сдавать некому. Мать вряд ли.

— Мать?! Да мать не знала ничего!!! И знать не могла!!!

— Василь Дмитриевичу ни к чему бы вроде. Ему чем шуму меньше, тем лучше. А они еще и ему позвонили, уроды! А телефончик его лапуля твоя, скорее всего, у тебя и позаимствовала, когда ты отвернулся.

У тебя в мобильнике его телефон наверняка записан, и наверняка с именем-отчеством, так?

— Так, — выдавил совершенно уничтоженный Федор. Глаз все дергался, никак не переставал.

— А работает она у тебя где? Или, может, учится?

— В баре она работает, — пробормотал Федор. И как складно Гена сплел всю историю, и понятно как! И это понимание было ужасающим. — На Выхине. И учится в Экономическом университете.

— Университет в бывшем ПТУ располагается? — неторопливо спросил Олег Петрович. — И на его базе процветает?

— Откуда вы знаете?!

— Да все оттуда же, — морщась, сказал Олег Петрович, думая о Блезе Паскале и о том, как нелегко быть молодым. — Гена, возьми у него мобильный, посмотри там все телефоны и пробей номер этой самой Светки и ее бара, и еще все номера, с которых Василию Дмитриевичу сегодня звонили. Вот мобильный старика. Наверняка или из бара звонили, или из ПТУ, или, если они уж очень умные, из автомата поблизости. Сделаешь?

— О чем речь, Олег Петрович!

— А может, это вы! — крикнул Федор в отчаянии. — Вы коллекцию заказали! И старика убили, чтобы ее бесплатно получить, и на меня свою свору напустили, а вовсе не Светка!.. И на место преступления вернулись, чтобы...

— Да, — сказал Олег Петрович после паузы. — Зачем мы на место преступления вернулись? Ты пока подумай, а потом сообщишь. Гена, что еще есть?

— Шкатулка, конечно, Олег Петрович.

— Вот именно, — согласился хозяин. — Шкатулка. Убийца забрал ее, а больше ничего не тронул. Затем он еще и вернулся, потому что не нашел того, что должно было быть в шкатулке. Значит, вся история затевалась не из-за коллекции и даже не из-за шкатулки, а из-за того, чего в ней не оказалось! Он и старика из-за этого убил!

— Из-за чего? — спросила Виктория, которая слушала, приоткрыв рот.

— Из-за того, чего не было в шкатулке и что очутилось у меня. Из-за иконы. Он не мог знать, что я заберу из шкатулки икону. А Василий Дмитриевич мне спокойно ее отдал, потому что был уверен, что я верну и он успеет ее передать заказчику. По всей вероятности, тот знал про икону.

Олег вылез из-за стойки, засунул руки в карманы и стал ходить по паркету, пристально глядя себе под ноги.

— Я сказал ему, что никто не знал про икону, и он ответил как-то странно, и я еще тогда подумал, что он не случайно ее нашел. Но мне некогда было об этом думать. — Большие пальцы ног, когда он шагал, оказывались то на светлых квадратиках, то на темных, и его это раздражало, отвлекало от мыслей. — И клиент заказал ему именно лик, а не всю коллекцию. Коллекция нужна была только для отвода глаз.

— Какая икона?! — спросил Федор в изумлении. Услышанное не укладывалось у него в голове.

— Та, что у тебя под курткой была? — живо подхватила Виктория.

Олег все шагал, и маятник громадных настенных часов, в котором взблескивал свет, словно шагал вместе с ним.

— Значит, так, — сказал он, остановившись. — Коллекцию следует вернуть в музей, и сделать это надо как можно незаметней. Нужно придумать, как это сделать. Нет шкатулки, но мы найдем ее и тоже постараемся вернуть. И мне необходимо познакомиться с твоей матерью.

— Зачем?!

— Затем, — коротко и ясно ответил Олег Петрович. — Гена, отвезешь его домой, проведешь разведку и доложишь. Телефоны пробьешь.

— Понятное дело, Олег Петрович!

— Жанну д'Арк тоже домой, а потом заберешь ее машину.

— Значит, так, парень. — Олег подошел к Федору, тот торопливо поднялся, сразу став намного выше хозяина. — Едешь домой и до завтра никому не звонишь и о своих героических подвигах не рассказываешь. Если кражу на самом деле уже обнаружили, к тебе будут вопросы, и ты подробно на них ответишь в том смысле, что ничего не знаешь и в глаза никакую коллекцию не видел. Утром я приеду, и мы решим, как ты будешь ее возвращать. Понял?!

Федор только молча на него смотрел.

На последний поезд метро она опоздала, он ушел из-под носа, и толстая женщина в форме сказала ей, что поездов больше не будет и станция закрывается на вход и на выход.

На станции было пустынно и просторно, как в кино. Кажется, было какое-то кино, где показывали такие пустые и просторные станции. Там еще кто-то все время куда-то шел и пел: «А я иду, шагаю по Москве, и я пройти еще смогу...» Дальше Вероника никогда не могла запомнить.

Она побрела к эскалатору, где не было ни одного человека, и движущаяся лестница поднималась с ровным гулом. Вероника никогда не слышала этого гула — должно быть, из-за того, что всегда шумела толпа, захлестывала мраморные залы и движущиеся лестницы, выплескивалась на улицы, растекалась в разные стороны.

Вероника ехала вверх, эскалатор слегка подрагивал, как будто от усталости, и она подрагивала вместе с ним. Она сошла с эскалатора, по привычке прижимая к боку сумку, хотя хватать и тащить оттуда кошелек было некому, и другая толстая тетка в будке, проводив ее глазами, спросила в микрофон грубым прокуренным голосом:

— Ну что, Шур, все?..

На улице мело — должно быть, на потепление пошло, — и горели желтые фонари, унылые до боли в зубах.

Вероника остановилась, пристроила на шею сумку и натянула на шапку капюшон — ветер лез в глаза и уши, кидался снегом.

Федора она не нашла.

Она объехала всех, кого смогла вспомнить, даже школьного его друга Димку Митрофанова, который давным-давно переехал в дальнюю даль, в Бутово, и страшно удивился, открыв ей дверь.

Как еще она адрес нашла, записанный послучаю в какой-то старой-престарой телефонной книжке!

— О! — сказал Димка, открыв дверь. — Тетя Ника! А вы откуда?!

Он заглянул ей за спину, как будто ожидая увидеть еще кого-то, но никого не увидел и опять уставился на нее. У Вероники к тому времени уже совсем не осталось сил.

Она стянула с головы шапку, привалилась к косяку и спросила:

— Федора у тебя нет?

Димка заржал было, но остановился, увидев ее лицо:

— Да нет, теть Ник, откуда?! Мы с ним с выпускного не видались! А, не, не, видались!.. Когда я из армии пришел! Мы тогда классом собирались! Нажрались еще, помните?

— Я не помню, — выговорила Вероника.

Димка Митрофанов был ее последней надеждой, и, куда еще бежать, где искать, как спасать, она не знала.

И силы у нее кончились.

— Ди-има! — позвали из квартиры. — Дима, кто та-ам?

Димка почесал за ухом. Вид у него был растерянный, как у большого пса, который не знает, что ему делать: то ли вилять хвостом, то ли залаять по привычке.

— Вы, может, зайдете, теть Ник?..

— Да нет, Дима, я пойду.

— А что с Федькой-то?! Запропастился куда?

— Да, — сказала Ника и улыбнулась вымученной улыбкой. — Запропастился. А я его найти не могу.

Глаза у нее налились слезами, она всхлипнула, тяжело, протяжно, но не заплакала, только на секунду прижала к глазам шапку.

— Да вы не волнуйтесь так, теть Ник! Ну, загулял малость!.. Найдется! Может, к девушке поехал или к друзьям! Позвонит, куда он денется! Или вы ему на мобилу позвоните!

— Я звонила. — Ника снова нацепила свою шапку, хотя идти ей было некуда. — То ли выключен, то ли деньги на нем кончились.

— Ди-има! Ты чего дверь разинул! Дует!

— Ну, все, Димочка, спасибо, я пойду, — заторопилась Вероника. — Если он тебе позвонит, ты тогда мне сообщи. Наш домашний у тебя есть, должен быть, да?..

— Да все нормально, теть Ник! Не переживайте вы! Найдется! Куда он денется!

— Да, да, — тихо сказала Вероника. — Спасибо тебе.

Почему-то она пошла пешком, и шла долго — до метро было как до Марса, и она шла и все думала, что ей теперь делать, куда бежать, как спасать сына!

Поднимался ветер, метель начиналась, и между домами было черно, как в пропасти, и страшно. Вероника старалась туда не смотреть.

Впрочем, ничего страшнее, чем то, что уже случилось, не могло с ней произойти.

Она дошла до метро не скоро и опоздала на последний поезд, и теперь было совершенно непонятно, что делать дальше. Федора она не нашла и сама застряла посреди метели и бурана, на окраине огромного города, где светили тусклые желтые фонари и провалы между домами походили на ворота в ад.

Как она теперь будет добираться?! Где она будет искать своего сына?! Самое главное, казалось ей, найти его, а там они что-нибудь придумают!

Только бы найти, и только бы с ним ничего плохого не случилось.

Ну, совсем уж плохого. Такого, что поправить нельзя.

Ведь почти все на свете можно поправить!

Она шла, сопротивляясь ветру, сама не зная куда, и уговаривала себя. Если бы перестала уговаривать, наверное, упала бы замертво.

Господи, думала Вероника Башилова, помоги нам.

Мне помоги и ему, мы ведь не делаем ничего плохого!.. Мы же хорошие, господи!..

Может, у нас и не получается, у моего сына и у меня, но мы стараемся! Господи, он еще очень молод, и старается он по-своему, так, как ему кажется правильным.

Пощади его, господи, не оставь его!

Он любит оладьи из тертой картошки, любит валяться на диване и читать, и иногда — до сих пор! — просит купить собаку.

— Ма-ам, — орет он басом из своей комнаты, и уже по этому басу она знает, что сын сейчас скажет, и по этому басу она определяет, что он в хорошем настроении. — Ма-ам! Давай заведем собаку! А, мам?!

И она знает, что, когда заглянет в его комнату, увидит его лежащим на диване с книжкой на животе, с умильным детским выражением на совершенно взрослой небритой физиономии.

— Какаю собаку, — почему-то всегда отвечала она. — Ну, куда нам собаку?! А кто с ней будет гулять?

Физиономия сразу омрачалась, он утыкался в книжку, раздраженно кривил рот и бормотал что-то о том, что, если бы была собака, ему было бы с кем поговорить.

Ну что ей стоило хоть раз, ну хоть один раз сказать ему — да?!

Да, сыночек! Конечно, давай заведем собаку! Хочешь, завтра поедем вместе на Птичий рынок, как в детстве, и купим там толстого, сонного, глупого щенка, и повезем его вместе домой, и он будет спать у тебя за пазухой и смешно дергать во сне толстыми младенческими лапами, и какая разница, кто с ним будет гулять?!

Вероника шла, снег летел в лицо, таял и стекал по щекам. Или это слезы стекали?..

Господи, помоги нам!..

В конце концов идти стало некуда. Дорога кончилась у подножия какого-то бесконечного дома, длинного, как Китайская стена, и высоченного, как Останкинская башня.

За Китайской стеной среди сугробов были натыканы какие-то гаражи и сараи, а дальше начинался лес.

Соблазнительная мысль уйти в этот лес и замерзнуть мелькнула у нее в голове.

Как хорошо: сесть в сугроб, закрыть глаза, привалиться головой к деревцу и больше ничего не видеть и не слышать. Медленно думать, медленно замерзать, медленно проваливаться в темную мглу.

И страха больше не станет. И ужасающих мыслей. И холода.

Вероника с сожалением посмотрела на лес, стоявший черной стеной, потопталась возле гаражей и пошла обратно.

Деваться ей некуда. Даже замерзнуть нельзя.

Какая-то дорога, очень широкая, ярко освещенная и совершенно пустая, лежала ниже горки, на которой какой-то умник выстроил Китайскую стену. Почему на горке?.. Чтобы сильнее продувало?.. Чтобы ветер с ног валил и уносил с балконов белье?

Вероника задрала голову и посмотрела на темную громаду дома.

Придется сидеть в подъезде, пока не откроется метро. Это, значит, сколько?.. Часов пять? Или четыре?.. Да и в подъезд не попадешь, наверняка везде кодовые замки! Мало ли таких желающих сидеть в подъездах?!

Оскальзываясь на запорошенной снегом дорожке, она пошла вдоль дома. Машины, приткнутые к сугробам, были засыпаны снегом, и Вероника завидовала машинам, потому что они спали и у них не было такого ужасного и страшного горя, как у нее.

Сын пропал из дома.

Из музея пропали ценности. И, кажется, ее сын замешан.

И еще какие-то ублюдки ворвались в квартиру, пугали и грозились убить ее и Федора.

Она не могла прогнать ублюдков, она не знала, как это делается, и поэтому молча слушала то, что они ей говорили, и плакала.

— Сопли утри! — велел ей один из ублюдков, которому надоело, что она плачет. — До земли свисают!

И некому было ей помочь. Совсем некому.

Вероника подходила к каждому подъезду, тянула дверь, и ни одна не открывалась. И людей не было.

Дверь в последний подъезд оказалась открытой, и она заскочила в него с опаской, как бездомная кошка, которая не знает, что ее ждет за этой дверью — то ли теплая батарея, под которой можно немного отлежаться, то ли пинок в живот.

Подъездное тепло после метели показалось ей божественным. Она сняла с головы капюшон, отерла лицо и осмотрелась. Лампочка горела, правда, тускло, но все же горела. Пластик с дверей лифта был ободран до половины, а на оставшемся вырезаны фигуры и частушки. И те и другие на редкость пакостные. Под лестницей коричневая лужа, а в ней тряпка, должно быть, когда-то положенная для того, чтоб жильцы вытирали ноги. Сейчас лужу с тряпкой пришлось перепрыгивать.

Наверное, следует идти наверх. Там теплее и,

должно быть, чище — на последний этаж ходит не так много народу, — и можно посидеть на лестнице.

Лифт грохнул дверями и повез ее на последний этаж, и лампочка в нем то загоралась, то гасла.

Как она завтра пойдет на работу?! Что скажет Марье Трофимовне и Петру Ильичу? Как спасет своего сына?!

Лифт приехал, заскрипели какие-то пружины, и двери открылись, и оказалось, что на последнем этаже свет не горит, зато и вправду теплее, чем внизу. Лампочка мигнула в последний раз, прогрохотали и закрылись двери, и Вероника осталась в темноте одна.

Окно нежно, по-зимнему синело, и в голубоватом свете она перешла площадку и села на подоконник. За окном мело, и совсем ничего не было видно, будто дом унесло метелью в какие-то далекие края. Из окна сильно дуло, и Вероника, повздыхав, все же села на верхнюю ступеньку лестницы, ведшей на чердак, спиной к железной решетке и лицом к синеющему окну.

Кажется, кто-то из великих писал про синеющие ночные окна и вьюгу. Вроде Блок. Или не Блок?..

Она вытянула ноги, даже застонав от удовольствия, и привалилась виском к холодной крашеной стене.

Как хорошо, что она набрела на этот дом. Как славно. Можно сидеть, вытянув ноги, и до утра ее никто не прогонит, а утром она и сама уйдет!

Только бы с Федором ничего не случилось.

Только бы его найти, и тогда они заживут по-другому!

Он обижался на нее, и Вероника отлично его понимала. Она и сама на себя обижалась, но что поделаешь, значит, судьба такая — жить одной, бороться одной и побеждать не всегда.

Точнее, почти всегда проигрывать.

И все-таки она не верила, ну, никак не верила, что битву за Федора она проиграла! Не могло такого быть, чтобы он украл... у своих! У Марьи Трофимовны, Петра Ильича, у Веры Игнатьевны, наконец! Он никогда и никому не делал подлостей, это Вероника точно знала, а красть у своих — подлость.

Как будто имело значение — у своих или у чужих!..

Конечно, когда денег нет *никогда*, кажется, что можно все, что угодно, лишь бы только они появились! А она ничем и никогда не могла Феде помочь — у нее нет связей и нужных знакомств, да и откуда бы им взяться?! Вот бывший муж мог бы помочь, но разве он станет?.. Ему никогда не было дела до Федора, даже когда тот маленький был. А потом Алексей выдумал какую-то глупость, что она его на себе женила, когда забеременела, хотя у них любовь была и никого она не женила!..

Она тогда из Парижа вернулась потому, что в Москве был Алеша, милый, любимый, единственный Алеша, который только и был ей нужен, а Париж ей был совсем не нужен!

Вспомнив про Париж, Вероника улыбнулась. Как много там всего было хорошего, особенно месса в соборе Святого Северина, на Левом берегу Сены! Там играл орган — никогда в жизни она больше не слышала, как играет орган в соборе!.. И Христос летел, раскинув руки, и жизнь была прекрасной, и хотелось плакать от счастья, и впереди была только радость — любовь, молодость, предчувствие важных и светлых событий.

Должно быть, она задремала и проснулась от того,

что где-то далеко внизу, в шахте, что-то грохнуло и лифт поехал.

Она вздрогнула, открыла глаза и поднесла к ним часы.

Около шести. Нужно выбираться отсюда.

Тело не слушалось ее, подводило, и болело везде, кажется, даже зубы болели, и, преодолевая себя, она пошла по лестнице вниз, и холодно ей было, и есть хотелось, и тревога опять накинулась на нее, стала терзать желтыми острыми когтями.

Она не знала, как выбираться отсюда, от Китайской стены, но, слава богу, пришла какая-то ранняя маршрутка и довезла ее до метро!..

Совершенно разбитая, она приехала домой и, как только вставила ключ в замок, поняла, что в квартире кто-то есть.

Ей стало жарко, хотя до этого она вся тряслась от холода и мечтала залезть в горячую ванну. Очень полную и очень горячую!..

Бояться у нее уже не было сил, и она вдруг подумала: провались они все пропадом, эти ублюдки, которые так ее напугали и так мерзко ей угрожали!..

Решительной рукой она распахнула дверь, зажгла свет, привычно вспыхнувший в тесной прихожей, и спросила очень громко:

— Кто здесь?!

Что-то зашевелилось в комнате, упало и покатилось, и в прихожую выскочил Федор.

Ее сын Федор, заросший, здоровенный, длинноволосый, с разбитой губой и какой-то вмятиной на щеке!..

— Мама!!! — Он заорал так, что эхо грянуло в тесной прихожей, и в два прыжка подбежал к ней, давя какие-то черепки на полу. Она никак не могла вспомнить, откуда они взялись.

— Мама!!! — заорал он еще раз, подхватил ее на руки и сильно прижал к себе. — Ты что?! Сдурела?! Где ты была всю ночь?! Где тебя носило?! Куда ты подевалась?!

Под майкой у него бухало сердце, и его волосы лезли ей в глаза, и она целовала его счастливую небритую морду и, кажется, рыдала, а может быть, смеялась.

— Мам, ты что?! Я приехал, тебя нет, ваза разбита, на полу лужа!!!

— Какая лужа, Феденька, сыночек, ты что?! Ты жив, да? Жив?! С тобой ничего не случилось?!

— Нет, блин! — рявкнул он и еще раз прижал ее к себе, а то было отпустил. — Со мной ничего не случилось, а вот ты где была?! Где ты была, я тебя спрашиваю?! Ты что, позвонить не могла?! Я тут чуть с ума не сошел!!! Я все больницы обзвонил!!! Я тете Вере звонил!! Я всем звонил!!! Где ты шлялась, черт тебя побери?! И еще в кухне окно открыто, и лужа на полу, замерзла почти!

— Я... я просто забыла закрыть, Феденька!

— Какого лешего ты его открывала-то?! И вообще, где ты была?!

— Тебя искала, — выговорила Вероника и прижалась к его майке. — Я даже к Димке ездила, к Митрофанову! Помнишь его?

Федор выпучил глаза.

— Куда ездила?! Зачем тебя к нему понесло!! Чего тебе дома-то не сиделось?!

Сверху он размашисто поцеловал ее в макушку и пристроил ей на голову щеку.

— Ма-ма! — Он потерся об нее щекой. — Где ты ночевала?

— У тебя телефон не отвечал...

— Да у него на морозе батарейки сдохли! Дерьмо потому что батарейки! Поду-умаешь, телефон не от-вечал, в первый раз, что ли, у меня телефон не отве-чает!

— Марья Трофимовна звонила. И еще какие-то люди. И Вера Игнатьевна, — заговорила Вероника совершенно счастливым голосом. — И по НТВ сюжет показали, что у нас в музее ЧП, и как раз в вашем от-деле. Я так перепугалась, Федя, ты представить себе не можешь, как я перепугалась! И я поехала тебя ис-кать, у тебя мобильник не отвечал.

Счастье стекло с него, как вода.

Он опустил руки, сделал шаг назад и, кажется, да-же стал меньше ростом, хотя только что был здоро-венный, как шкаф.

— Федя?!

Он покивал, как будто сам себе, и ушел в комнату.

— Федя?!

— Мам, ты только не переживай. Полы на кухне я вымыл.

— Какие полы?!

— Ну, где лужа была. Там еще масло какое-то бы-ло разлито, я вытер.

Вероника стащила сапоги и пошла за ним в ком-нату прямо в куртке.

— Феденька...

Он зачем-то трогал корешки книг огромной, со-вершенно мужской ладонью. Вероника смотрела на него.

Он дернул плечом.

— Мам, что ты смотришь на меня, как на покойника?!

Вероника подошла поближе и развернула его к себе. Он избегал ее взгляда, все отворачивался, косил, рассматривал пол и книги. Дались ему эти книги!..

— Федя, самое главное, что ты жив и здоров, — твердо сказала мать, как говорила когда-то в детстве. И когда она так говорила, становилось ясно, что все уладится.

Как-нибудь да уладится, ничего, не пропадем!

— Ты жив и здоров, а все остальное решаемо. Ты слышишь меня?

Он взглянул на нее.

— Мама, это я украл из музея серебро и бронзу. Демидовские.

Он ждал, что она хлопнется в обморок, или, по крайней мере, изменится в лице, или начнет, по своему обыкновению, кудахтать.

Она не сделала ни того, ни другого, ни третьего.

— Я уже догадалась.

— Ну?!

— Что — ну?!

Он опешил.

— Ну, скажи мне что-нибудь!..

Вероника подумала и сказала:

— Воровать нехорошо.

— Мама, я тебя серьезно прошу! Скажи мне что-нибудь! Я не знаю! Ну, ругай, что ли! Бейся головой о стену!

— Не буду биться, — отказалась Вероника. — То, что ты украл, ужасно. Но ты взрослый человек. Давай думай, как теперь возвращать.

То, что она сказала то же самое, что за несколько часов до нее сказал всесильный Олег Петрович, заставило Федора умолкнуть и как-то по-другому взглянуть на мать.

Она сняла куртку и почему-то положила ее на диван, где Федор корчился полночи, изнемогая от тревоги за нее и от горя. И посмотрела на него:

— Или ты не хочешь возвращать? Тебе нравится быть... вором?

— Мама!

— Нет, просто имеет смысл подумать, как выйти из положения, если тебе вором быть не нравится, а если нравится, пожалуйста, можешь быть им!

— Мама!!

— А раз так, значит, ты все вернешь. Я поговорю с Петром Ильичом, чтобы они... как это называется-то... не возбуждали дела, да?

— Мама, все не так просто, как тебе кажется!

— Может, я и вздорная старуха, — сказала мать совершенно хладнокровно, — но ты наворотил дел, и теперь их нужно приводить в порядок, просто это или сложно, теперь неважно.

— Мама, из-за меня убили человека.

Вот тут она изменилась в лице.

— Как?!

И он рассказал ей — как. Рассказал очень быстро, перескакивая с одного на другое, и этот рассказ принес ему облегчение, будто нарыв прорвался и гной вытек. Она слушала, теребя свою дурацкую шапку, и щеки у нее медленно бледнели.

— Мам, ты его знала? Этого Василия Дмитриевича?

— Знала, да, — задумчиво сказала Вероника. — Он был нашим соседом по старой квартире. Ты не помнишь. Мы переехали, когда тебе был год. То есть он расселил всю нашу коммуналку, мы и переехали-то только потому, что он нашел нам эту квартиру! А месяца два назад я его в троллейбусе встретила, он про тебя расспрашивал, такой смешной старик! Я ему рассказала, что ты уже вырос, институт давно окончил и у нас работаешь, в музее. Все рассказала, в общем.

Она опустилась на диван и потерла лицо.

— Мам, — жалобно сказал Федор, — хочешь, я тебе воду в ванну напущу?

Она посмотрела на него и улыбнулась:

— Хочу.

А он все ждал упреков! Слез, истерики, ну хоть чего-нибудь в этом духе, чтобы он снова смог пожалеть себя и воскликнуть: «Никто меня не понимает!»

— А как ты вазу разбила? Она так высоко стояла! Как ты умудрилась достать до нее?

— Это не я. Приходили какие-то люди, пугали меня и разбили вазу. Говорили, что убьют, если ты не принесешь им деньги.

Федор изменился в лице.

Он изменился совершенно явственно — было одно лицо, а стало другое.

Он стиснул кулаки, присел на корточки и положил кулаки на диван.

— Мам... они тебя... избили?..

И с ужасом понял, что, если она сейчас скажет «да», он просто пойдет, отыщет подонков и убьет их. И вопрос о том, как спасти свою шкуру, не будет его интересовать *вообще*.

Никогда.

Он понял, что есть вещи, из-за которых он способен убить. Из-за которых меняется жизнь. После которых нельзя хныкать и жалеть себя.

Теперь все зависело только от ее ответа.

— Нет, Федь, — сказала мать, рассматривая его. — Пугали только сильно. Вот, вазу разбили.

Он расслабился, и стиснутые кулаки разжались на диванном покрывале.

— Мама, я разберусь со всем этим дерьмом. Ты мне веришь?

Она покивала.

— Вот и хорошо. Пойду воду открою.

И еще он вдруг понял, что в эти несколько минут разговора они были близки, как не были близки лет десять. Или больше.

Вероника едва успела выскочить из ванной, когда в дверь позвонили. Они оба кинулись открывать и столкнулись в прихожей.

Сердце у Вероники колотилось в горле.

— Федя, я сама открою!

— Нет, мама, пусти.

Она все стояла в дверях.

— Мам, пусти меня! Да что ты застыла-то?!

И она отступила. Отступила, но не ушла, выглядывала у него из-'а плеча, готовая кинуться и сражаться за него, кто бы ни пришел: милиция, бандиты или из ЖЭКа.

— Доброе утро, — поздоровался Олег Петрович. — Надеюсь, за ночь ты больше ничего ни у кого не украл?

— Это что? — спросил Федор, пропуская его в квартиру. — Шутка такая, да?

— Да.

Следом ввалился Гена с громадной спортивной сумкой в руках.

Как только Федор увидел эту сумку, у него в голове как будто зажегся свет, и все стало ясно и понятно.

Они приехали и привезли коллекцию. Они на самом деле те, за кого себя выдают, а вовсе не прикидываются добренькими, чтобы заманить его еще в какую-нибудь ловушку, которая окажется страшнее всех предыдущих! Ночью, в бешенстве и тревоге за мать, он позабыл о них, а утром, когда рассказывал ей, вспомнил и больше уже не забывал ни на минуту.

Он ничего про них не знает. Им ничего не стоит обвести его вокруг пальца. Зачем им такой геморрой — возвращать коллекцию, валандаться с ним?! Они получили то, что хотели, и теперь им не может быть до него дела.

Но Олег Петрович сказал — я приеду.

Скорее всего, он тоже может обмануть, и тогда все усложнится в миллион раз. Если нынешним утром Федор чувствовал в себе силы противостоять каким-то там подонкам, то бороться с Олегом Петровичем глупо и бессмысленно, это он понял, как только его увидел вчера.

Эта мысль точила его, и, пока мать была в ванной, он несколько раз подходил к окну с ободранной калькой и смотрел вниз, но машины, похожей на подводную лодку, не было у них во дворе.

Он кусал ногти, смотрел вниз и ждал.

И вот дождался.

Гена со всего маху хлопнул его по плечу и сказал:

— Здоров, парень!

Протиснулся в комнату и вежливо поздоровался с матерью:

— Доброго вам денечка!

— Здравствуйте, — пробормотала мать. — А вы... кто?

— Мама! Я же тебе говорил!

— Меня зовут Олег Никонов, — представился Олег Петрович. — А вы мама... нашего Панурга?

Федор ничего не понял.

— Это моя мать, — счел нужным пояснить он. — Вероника Павловна. А это те люди, ну, я же рассказывал!

— Панург — это из Рабле, — скороговоркой выпалила мать. Ей было явно неуютно под взглядом Олега Петровича. — «Пантагрюэль». Панург проныра и бесстыдник.

— Зато у него есть чувство юмора и здравый смысл, — возразил Олег Петрович. — Как у нас с чувством юмора и здравым смыслом?..

— Не знаю, — растерялся Федор.

— Спасибо вам, — сказала Ника незнакомому человеку. — Вы его выручили вчера!

— Не по своей воле, — тут же возразил Олег Петрович.

— Все равно выручили, — тихо повторила Ника.

— Разрешите мне снять пальто?

— Да-да, конечно, — засуетилась Ника, — проходите, пожалуйста, располагайтесь!

Это «располагайтесь» было совсем уж некстати, и у Федора от стыда за мать покраснели скулы. Однако Олег Петрович не фыркнул оскорбительно и не сказал, что «располагаться» ни за что не станет.

А отец бы сказал, с некоторой гордостью за Олега Петровича подумал Федор.

Мать забрала у Никонова куртку — легкую, невесомую, с меховым пушистым воротником, пахнущую вкусным одеколоном, и повесила на вешалку поверх своего пальтишка. Куртка на вешалке выглядела странно, как будто на свалку случайно выбросили новенькое бальное платье.

Мать вернулась в комнату, где было очень много мужчин — так ей показалось с перепугу. Она прищурилась на Олега Петровича и потом перевела взгляд на Гену.

— Может, кофе? Или чаю?

Олег решил, что лучше соглашаться, — она была явно не в своей тарелке, и кофе с чаем ее отвлекут.

— А у вас есть молоко?

— Молоко? Ах, молоко! Да, есть, наверное. Вы хотите горячего молока?

Это «горячее молоко» понравилось ему. Собственно, ему и Панург понравился!..

— Нет, я хочу чаю с молоком. Очень крепкий чай и немного молока.

— И чай наливать в молоко, а не наоборот! — провозгласила Вероника и улыбнулась, как будто устыдилась.

— Совершенно точно, — подтвердил Олег Петрович. — Вы были в Англии?

— Я читала об английских традициях.

— Нам повезло, — себе под нос сказал Олег Петрович, но так, чтобы она услышала.

Она услышала и покраснела.

На вид ей было лет сорок или около сорока, хотя на самом деле должно быть больше. Есть такие женщины, которые стареют медленно, несмотря на то что не посещают салонов красоты и пластических хирургов! То ли гены у них такие, то ли Венера за что-то их любит — или кто там из богинь отвечает за женскую красоту? Афродита, что ли?..

У этой женщины было молодое круглое лицо, ясные глаза, яркий рот и румяные щеки. Короткие волосы торчали в разные стороны и завивались колечками. Она была немного полновата и все одергивала водолазку, стеснялась так, что ли!.. Олега смешило это ее движение, словно она стремилась натянуть эту самую водолазку до колен, чтоб уж точно никто ничего не смог разглядеть!

— Вероника... как вас по отчеству?

— Вероника Павловна, — торопливо подсказала она.

— Вероника Павловна, когда вы узнали, что из Музея изобразительных искусств украли ценности?

— Вчера, — очень стараясь быть полезной, ответила Вероника. — Вот как раз вчера вечером мне Вера Игнатьевна позвонила, и я сразу стала искать Федора, потому что какой-то человек мне сказал, что...

Гена стоял посреди крохотной комнатки, как скала, а второй, самый главный, на которого ее сын смотрел как на бога, медленно подошел к книжным полкам и стал трогать корешки. Совсем как Федор.

— ...что они не могут его разыскать и что я должна его найти и передать ему, что его ищут...

— Я не понял: кто кому и что сказал и кто кого должен найти?

Вероника и сама знала, что говорит слишком быстро и не слишком понятно — от страха так говорит, от неловкости!.. Еще, не дай бог, этот человек, трогающий корешки книг большой рукой, совсем не такой, как у Федора, но тоже очень мужской, сочтет ее дурой!..

Щеки у нее вспыхнули, и она прижала к ним ладони.

— Вы недоговорили, — продолжал Олег Петрович, пристально на нее глядя. Хоть бы отвернулся, что ли, не смотрел так пристально!.. — Кто кого должен искать?

Вероника перевела дыхание.

— Вы... простите меня, пожалуйста, я что-то плохо соображаю. Я Федора всю ночь искала, а он, оказывается, дома был. Вы... правда хотите нам... помочь?

— Помочь, — повторил Олег Петрович. — Помочь...

Он понимал, что именно она хочет спросить, но объясняться ему не хотелось. Собственно, что он мог объяснить?..

Что Василий Дмитриевич был *его* старик? Его собственный старик, и его убили? И он, Олег, теперь должен спасти хотя бы репутацию покойного — ведь старик на самом деле никогда не имел дела с краденными ценностями, а тут его «бес попутал»!

Или что молодым быть нелегко? И еще что-нибудь про Блеза Паскаля? Или что тогда, в переулке, он увидел странного человека и его жизнь на миг остановилась и пошла в другую сторону?

Или что Федор сопротивлялся тем двоим, хотя сил у него явно недоставало, а Олег Петрович к сорока годам научился ценить в людях умение бороться? Ну, хоть бы за себя! Или, может, за близких! А за близких Федор тоже пытался бороться — за мать и за ту девицу, которая, по всей видимости, и была главной вдохновительницей всех его бед! У него явно недоставало сил для этой борьбы, но он же пытался!

Ничего такого, конечно, Олег не мог сказать этой женщине, у которой, как у девочки, загорелись щеки, когда он вдруг взглянул попристальней!..

Он и не стал говорить.

— Я оказался замешанным в кашу, которую заварил ваш сын, — сказал он холодно. — Я спасаю репутацию человека, который был мне дорог. Только и всего.

Это объяснение было понятным и логичным, и Вероника приняла его.

— Вчера у нас на работе была милиция, — начала она. — Марья Трофимовна, это начальница Фединого отдела, позвонила мне и спросила, где Федор. Я сказала, что не знаю, а она передала трубку какому-то человеку, и вот он как раз и велел мне найти Федора как можно быстрее. Он сказал, что это в его интересах, и... и все такое. Я сразу кинулась искать сына. Ну, не совсем сразу, потому что...

— Почему?

Вероника вздохнула и опять потянула вниз свою водолазку.

Господи, да что же он так внимательно и серьезно на нее смотрит! Умереть можно от его взгляда! И вообще!.. Ни один мужчина не смотрел на нее так уже лет сто или двести! Петр Ильич не в счет.

— Потому что здесь были те два подонка, — хмуро договорил за нее Федор. — Они пришли к нам и... Короче, даже вазу разбили!

— Господи, я забыла про чай!..

— Мам, да ладно, может, не надо никакого чаю!

— Надо, надо, — возразил Олег Петрович.

Вероника протиснулась мимо них, на всякий случай придерживая водолазку обеими руками, и на кухне сразу же чем-то загремела.

— Значит, чувство юмора и здравый смысл, — сам себе сказал Олег Петрович, повернулся и посмотрел на Федора. — Как можно вернуть коллекцию в музей?

Федор пожал плечами.

— Может, под курткой? Как выносил, так и?..

— Ошалел, что ли? — Это Гена спросил. — Если там следствие, а ты у них первый подозреваемый, под курткой в самый раз нести!..

— Мне нужно, чтобы имя Василия Дмитриевича не всплыло вообще. Никогда. Для этого необходимо, чтобы все поверили, что тревога была ложной. Кстати, а кто поднял шум?..

— Как кто? — удивился Федор. — Милиция, конечно!

— Послушай, парень, ты мне полночи рассказывал, что в вашем музее пылится куча разных вещей, о которых никто даже не знает и которых в принципе невозможно хватиться! Вы никогда их не выставляете, они у вас в запасниках лежат! Это не ты мне говорил?

— Ну, я.

— Тогда почему кражу так быстро обнаружили? Коллекции могли бы еще год не хватиться — и тем не менее хватились, и как раз когда ты ее попер! Почему?

Федор опять пожал плечами.

— Стукнул кто-то, Олег Петрович, — предположил Гена.

— Это понятно. Но кто? Гопники вряд ли стали бы звонить в музей и ментам. Значит, звонил тот, кто знал о краже. Василий Дмитриевич не в счет.

— Заказчик?

— Вот именно. Только не очень понятно зачем. Если ему нужна была икона и больше ничего, а об иконе никто не знал, кроме него самого, и потом стало известно Василию Дмитриевичу, то... что?

Все молчали.

Олег посмотрел сначала на Гену, потом на Федора и остался ими весьма недоволен. Видимо, они должны были с ходу предложить какую-нибудь версию событий, а они никаких версий не предлагали.

Федор думал: «Как же он говорит — вернуть все в музей?! Разве это можно?!»

Гена думал: «Бедненько живут, бедненько! И парень такой нервный от бедности!»

Грохнула кухонная дверь, послышались осторожные шаги, и Вероника внесла поднос с чайником и плетеной сухарницей.

Олег Петрович покосился на сухарницу. У его матери была такая же, и в нее так же насыпали «вкусное» к чаю — сухари, сушки или какие-нибудь немудреные печеньица! Он отлично помнил, как это было радостно — пить чай с сухарями! Макать их в чашку, так чтобы они размокали, и тогда их было очень интересно жевать, они как будто подтаивали во рту, или слизывать сахар, твердые, остренькие крупинки, которые царапали язык.

Вероника пристроила поднос на ветхий журнальный столик и стала доставать из шкафа «парадные» чашки и красиво выставлять их вокруг подноса, а Олег все косился на сухарницу, и тут в дверь позвонили.

От неожиданности Вероника выронила чашку, и она неслышно покатилась по ковру.

— Мама, я открою.

Федор выскочил в прихожую, а за ним двинулся Гена.

— Вы кого-то ждете?

— Да нет, Олег Петрович, ну что вы!.. — Она аккуратно вернула чашку на столик, и у нее вдруг задрожала рука. — К нам и так-то никто не приходит, не то что по утрам!

Она смотрела мимо него, в дверной проем, вытягивала шею, и голос стал хриплым, как будто страх схватил ее за горло.

Прогремел замок, дверь открылась, и Федор очень громко сказал:

— Здравствуйте!

И Гена громко сказал:

— Ешкин кот!

И еще кто-то что-то сказал, и Вероника двинулась к двери, и тогда на пороге возникла прекрасная девушка, сказочное видение.

— Доброе утро! — весело поздоровалась она.

— Как это я не догадался?.. — под нос себе пробормотал Олег Петрович. — Мог бы и сообразить...

— О чем не догадался? — прощебетала Виктория.

За ней показался Федор, лицо у него было очень красное. Гена ухмылялся совершенно крокодильей ухмылкой.

Девушка мотала головой, отцепляла зацепившийся норковый шарф, и в комнате сразу запахло духами и еще чем-то прелестным, как будто весной, нарциссами, талой водой.

— Откуда ты взялась?

Виктория очень удивилась:

— Приехала на машине, а что такое? Давайте знакомиться, да? Меня зовут Виктория, и мы вчера все вместе... Ну, в общем, мы вчера познакомились!

— Откуда ты взялась?!

— Нет, ну а что мне было делать?! В институт, что ли, ехать?! После всего, что было?! Как ты себе это представляешь?

Глаза у нее блестели. Она кинула шарф на диван, туда же полетел и полушубочек, и спросила у Вероники очень вежливо:

— Вы мама Федора, да?

— Да, — сглотнув, сказала Вероника. — А вы... кто?

— А я его знакомая! Нас Олег Петрович познакомил. Вчера.

Олег Петрович хотел было сказать, что он и сам

только вчера познакомился с прекрасной Викторией, и промолчал. Происходящее неожиданно стало сильно его занимать.

Нелегко быть молодым!..

— Меня зовут Виктория, — продолжала девушка, — а вас как?

— Вероника Павловна, — пробормотала та.

— Очень приятно. То есть, по правилам, это вы должны сказать — очень приятно! Мама меня учит, учит хорошим манерам, а у меня они все равно плохие! Ой, вы чай собираетесь пить? А у меня тут как раз... — И она ловко, словно фокусница, откуда-то из-за спины достала квадратную белую коробочку. На коробочке была нарисована лилия и повязан фиолетовый бант.

Вся компания уставилась на коробку.

— У нас в доме чудная кондитерская. Ну, у меня в доме, конечно, потому что папа за городом живет! — продолжала Виктория как ни в чем не бывало. Она поставила коробочку на стол и стала развязывать бант. — Я купила пирожных. Федор, вы любите пирожные? А вы, Вероника Павловна?

— Ты зачем приехала? — нежно спросил Олег Петрович.

Виктория развязала бант, откинула крышку, полюбовалась на красоту, потрогала что-то пальцем и облизала его.

— Господи, ну как зачем?! Я же должна знать, чем все это кончится! И как бы я вас бросила одних?!

— Нас одних?! — поразился Олег Петрович.

— Ну да! Мы же вчера Федора проводили до двери, — объяснила она Веронике, перестав облизывать палец, — и Геночка ему сказал, чтобы утром он их ждал, и я поняла, что утром вы к нему приедете, вот и я тоже приехала! Ведь ты бы меня не позвал, правда?! А я же должна...

— Геночка! — рявкнул Олег Петрович.

Гена возвел к потолку смеющиеся глаза.

— А что мне было делать, Олег Петрович? Вика сказала, что сначала мы Федора завезем, а уж потом за ее машиной поедем, а я человек подневольный.

Что происходит в моей жизни, жалостливо подумал Олег Петрович. Ну, ведь так не бывает! Или все из-за человека, который привиделся ему вчера в переулке?

— Ну, давайте чай пить. — Виктории вовсе не хотелось продолжения допроса.

Ясно, конечно, что они думают, все эти взрослые!.. Дура, думают они, зачем приперлась? Но Виктория давно поняла, что, если хочешь чего-нибудь добиться, нужно действовать, а не ждать у моря погоды! Так и папа все время говорит.

Она еще не очень понимала, чего именно хочет добиться, но знала совершенно точно — так интересно, как вчера, ей еще не было никогда в жизни! Интересно, страшно, увлекательно и непонятно! И сегодня вернуться в обычную рутину — институт, бассейн, солярий, трескотня по телефону, а вечером клуб с Макаркой, который, оказывается, все свои гениальные стихи у кого-то списывал потихоньку, и с Зайкой, которая в прошлом месяце отбила у Виктории перспективного кавалера?!

И клубы, и кавалеры — все ненастоящее, придуманное, срисованное! А здесь... здесь настоящая жизнь! И еще этот длинноволосый парень, не похожий ни на одного из ее знакомых! Он же попал в беду, и Виктория была полна решимости ему помогать — ну, хотя бы потому, что он такой симпатичный!

Ну, и что тут такого?.. А почему нет? Ей же может просто понравиться парень!..

Этот самый парень стоял весь красный, как из бани. Виктория, которая до этого думала очень гладко и для самой себя убедительно, вдруг смутилась, отвернулась, наманикюренными пальчиками достала из коробки пирожное в кружевной салфетке, откусила, уронила виноградину, Федор ринулся поднимать, и Гена ринулся поднимать, и Виктория тоже, и на ковре произошла свалка, поверх которой Олег Петрович посмотрел на Веронику.

У нее было растерянное лицо, и она все тянула вниз край своей водолазки.

— Не переживайте вы так, — негромко сказал ей Олег. — Все как-нибудь уладится.

— Вы думаете? — спросила она серьезно.

— Уверен.

Это было самое странное утро в его жизни.

Крохотная захламленная квартира, столик посередине комнаты, продавленный диван, на который Олег Петрович осторожно поместился, рядом уселась Виктория, а Федор долго стоял, и в глазах у него было выражение мученика первых лет христианства, а потом тоже пристроился на диван и себе на колени положил полушубочек, брошенный прекрасной барышней! Барышня взяла у него полушубочек, и Гена наконец его забрал и пристроил на вешалку в коридоре, где на полу валялись какие-то черепки.

Я тут ни при чем, все время повторял Олег про себя. Не могу быть при чем!.. И еще он повторял себе, что оказался здесь только из-за Василия Дмитриевича, и знал, что это неправда.

Что-то случилось в его жизни именно тогда, в переулке, когда померещился то ли человек, то ли ангел-хранитель, и все стало валиться куда-то, и покатилось совершенно в другую сторону, и теперь он здесь, в чужой крохотной квартирке, почему-то пьет чай с чужими людьми, а ему все кажется, что они свои и всегда были своими, и жалко парня, и смешно наблюдать, какие пассы вокруг него выписывает девушка! Девушка, с которой он познакомился только вчера!..

Потом позвонил Назаров с какими-то вопросами по поводу недвижимости, и Олег сообразил, что, вообще говоря, давно пора быть на работе, а он про нее совершенно позабыл!..

— А что у тебя там за шум? — недовольно спросил компаньон, когда выяснилось, что Олега на месте нет и, скорее всего, весь день не будет. — Ты на танцах, что ли?!

Виктория в это время громко рассказывала всей компании о том, как они с мамой в прошлом году устроили праздник цветов и как это было красиво, а папа сказал, что устраивать такие праздники глупо, потому что цветы все равно назавтра завянут. Гена с Вероникой задавали всякие вопросы, выспрашивали подробности и уточняли детали. Федор сидел как на иголках, на Викторию не мог глаз поднять и не понимал, отчего мать так спокойно разговаривает. Это ее спокойствие его злило — он-то был уверен, что с ней давно должен был случиться инфаркт, но почему-то не случался! И еще он вздрагивал от каждого постороннего звука — машина на улице загудела, и у него волосы на затылке зашевелились! Ему казалось, что его вот-вот придут арестовывать.

— Мне бы посоветоваться с тобой, Виктор Иванович, — морщась и прикрывая трубку ладонью, сказал Олег. — Ты когда сможешь?

— Сегодня не смогу, — тут же ответил Назаров, и это означало, что он на самом деле недоволен. — Позвони мне завтра, мы все решим.

Странным образом недовольство компаньона на Олега Петровича не произвело никакого впечатления, хотя еще вчера он бы впал по этому поводу в тяжелое и продолжительное раздражение!

— ...и после этого флористка из Таллина сказала, что у меня идеальное чувство гармонии и я могу составлять любые букеты! А я даже правил никаких не знаю, у них там на все есть правила, представляете?!.

— Да, — сказал Олег Петрович громко и сунул телефон в карман. Все посмотрели на него. — Мы представляем. Федор, ты должен вернуть ценности в музей. Мы именно за этим и приехали, если кто забыл.

— Как?! Как это сделать?!

— Да не забыл я ничего, — пробормотал Гена в пространство.

— Давайте я попробую, — предложила Вероника. — Отнесу, да и дело с концом!

— Это не годится. Их нужно вернуть так, как будто они никуда не пропадали. Тем более там нет шкатулки!

— Какой шкатулки? — испуганно спросила Вероника. — Федя, куда ты дел шкатулку?!

— Я никуда ничего не девал, мама!

— Но вот же Олег Петрович говорит...

— Мам, ее украли, когда Василия Дмитриевича...

— Господи, ужас какой!

— Ужас, ужас, — подхватила Виктория. — Мы приехали, а там... мертвый человек! Это так страшно!

— Замолчите все! — приказал Олег Петрович. — Нужно сделать так, чтобы ценности нашел господин Башилов. Лично сам.

— Господин Башилов — это кто? — не понял Федор. — Отец, что ли?!

— Да не отец, — грубо сказал Гена. — Сам ты отец! Чтоб ты сам и нашел! Понял, что ли?

— Это логично, — продолжал Олег Петрович, словно разговаривая сам с собой. — Федор работает в отделе, из которого украли ценности. Подозрение падает на него. Как честный и порядочный сотрудник, он находит эти самые ценности в самом темном углу, за самым пыльным шкафом. Оскорбленная добродетель торжествует, подозрения были беспочвенны.

— Олег Петрович, — пробормотал совершенно уничтоженный Федор.

Олег на него даже не взглянул.

— Как это сделать технически? — продолжал он. — Так, чтобы никто ничего не заподозрил?

Все замолчали и задумались.

— А просто принести нельзя? — спросила Вероника тихонько. — Ну, просто принести и вернуть?

— Сказать, что бес попутал? — поинтересовался Олег Петрович. — Мы все возвращаем, но понятия не имеем, где шкатулка, одна из составных частей коллекции?

Вероника посмотрела на него умоляюще.

— А давайте я приду в музей, — предложила Виктория невозмутимо и слизнула с пирожного кусочек желе. — И сдам сумку в гардероб. Она здоровая, и наверняка ее просто на пол поставят, и все. Федор, вы можете зайти в гардероб?

Федор пожал плечами.

— Теоретически могу, конечно, только мне там делать совсем нечего.

— Ну, вы зайдете, а мы с вами заранее договоримся, — продолжала Виктория, и глаза у нее блестели, —

чтобы я там тоже в это время была. Вы зайдете, я устрою скандал, все сбегутся, и, пока я буду скандалить, вы сумку поменяете. Ну как?..

Все молчали.

— Нет, а что тут такого? — Виктория переводила взгляд с одного на другого. — Поду-умаешь! Никто, конечно, не запомнит, какую сумку я сдала! Сумка и сумка. Вы ее заберете, а потом потихонечку оттуда все достанете и распихаете по темным углам, вот как Олег говорит. А я поскандалю, потом заберу другую сумку и уйду. А что? Нет, по-моему, очень хорошая идея!

— Гениальная, — сказал Олег Петрович. — А если тебя задержат с этой сумкой?! Там краденое музейное серебро! И бронза.

— Да и черт с ними! — беспечно сказала Виктория. — Налейте мне еще чаю. В случае чего скажу, что нашла в кустах возле музея. Как будто воры ее тащили, а потом бросили.

— Очень правдоподобно, — согласился Олег. — И что воры тащили, и что ты нашла!

— У тебя есть другие предложения? Геночка коллекцию на твоем «Мейбахе» отвезет на Волхонку?! А Феденька ее занесет через парадный вход?..

— Девочка, — сказала Вероника, — это же... уголовное дело!

— Да никакое оно не уголовное! — Виктория для убедительности даже глаза закатила. — Никто ни в чем не виноват! Ну, то есть Федор виноват, конечно, но не настолько, чтобы его за это посадили в тюрьму! И кроме того, он же хотел все вернуть! Он специально пришел к старикашке, ой, то есть к Василию Дмитриевичу, чтобы вернуть коллекцию! И какое тут уголовное дело?!

— Девочка, — повторила Вероника, пристально на нее глядя, — у вас могут быть большие неприятности. Вы это понимаете?

— Да не может у меня быть никаких неприятностей! Какие еще неприятности?! А даже если и будут, папа все уладит!

— Папа, — повторила Ника, и ей стало грустно.

— Ну конечно, папа! Он меня поругает, а потом перестанет! И я ему все объясню, он у меня понятливый. Да и не будет никаких неприятностей.

— Там на входе в музей рамка. Всех просвечивают, и сумки тоже просвечивают, — буркнул Федор мрачно.

Ему было стыдно, что они все — все эти люди! — зачем-то его спасают. Даже девушка сказочной красоты, пахнущая весной и нарциссами.

— Господи, подумаешь, рамка!

— Но сумку же нельзя просвечивать!

— Никто не будет просвечивать сумку, — весело сказала Виктория. — Вот увидите! Ну что? Согласны?..

— Федор?!

— Здрасти, Марья Трофимовна.

Он снял куртку из «искусственного кролика», пристроил ее на вешалку за шкаф и, ни на кого не глядя, стал стаскивать ботинки. Он всегда переобувался, когда приходил на работу, за шкафом у него были приготовлены кроссовки. Сейчас он переобувался, и сердце у него сильно колотилось.

Марья Трофимовна медленно поднялась из-за стола, смахнула с носа одни очки, для «близи», и нацепила другие, для «дали». Они всегда болтались на цепочке у нее на груди.

Федор все шнуровал кроссовки.

— Федор, где вы были все это время?

— Какое время, Марья Трофимовна?

— Со вчерашнего дня! Вас не могли найти!

— У меня зуб очень болел, — лихо соврал Федор. — И я был у зубного. А после обезболивающего спал.

— Да, но у вас не отвечал телефон!

Федор зашнуровал наконец кроссовки, распрямился и заправил за уши волосы.

И посмотрел на Марью Трофимовну. Она и так его недолюбливала, а сейчас просто молнии метала! Глаза за стеклами очков для «дали» горели нехорошим огнем.

Сотрудницы отдела — Нелечка, Мария Викторовна и вторая Мария Викторовна, — замерев, как суслики, переводили взгляд с одного на другую.

— Телефон у меня не отвечал, потому что мороз и батарейки сели. А потом я спал.

— Но вас не было дома! Я звонила! У нас ЧП, или вы, как всегда, не в курсе?!

Еще как в курсе, подумал Федор Башилов. Вы даже представить себе не можете, до какой степени я в курсе!

— Я по телевизору видел, — сказал он и пошел к своему столу, заваленному бумагами. Еще вчера ему казалось, что ничего на свете не может быть скучнее этого стола, а сегодня он был так рад его видеть, как будто встретился со старым другом!

Еще бы! Он ведь попрощался с ним навсегда, когда... украл коллекцию.

Скулы у него покраснели, и внутри стало нехорошо — от стыда.

— А если вы видели по телевизору, почему немедленно не явились на работу?!

— Ночь уже была. А сейчас я... явился.

Мария Викторовна переглянулась с Марией Викторовной, а Нелечка покачала головой. Глаза у всех троих были полны ужаса.

— А вы знаете, что милицейские органы хотели с вами побеседовать?

— Мне мама сказала.

— Ах, мама! Так вот, они очень хотели с вами побеседовать, потому что кража в нашем отделе — дело неслыханное! А у вас как раз в это время разболелся зуб! Это странно, Федор.

— Ничего странного, — пробормотал он.

— Ах, ничего странного! Тогда я немедленно звоню в милицию! Мария Викторовна, где номер телефона, который они оставили?

Обе Марии Викторовны переглянулись.

— Так у вас же был. На столе.

— Где на столе?! Почему я ничего не вижу?! О, боже мой! — И в сердцах Марья Трофимовна смахнула с носа очки для «дали» и нацепила очки для «близи». Нацепила и стала рыться в бумагах. Маленькие сухие ручки сильно дрожали, и Федору было ее жалко.

Теперь ему всех было жалко — и мать, и вот Марью Трофимовну!.. Еще вчера они приводили его в бешенство, а нынче он истово их жалел. Что-то с ним случилось.

— Никогда в жизни, — повторяла Марья Трофимовна, и голос у нее тоже дрожал, как и руки, — никогда в жизни у нас не было таких... вопиющих происшествий! Я сорок лет на работе, и у нас никогда ничего не пропадало! Когда из эвакуации музей вернулся, все было в целости и сохранности. Из эвакуации! Я потом все описи проверяла, уже когда на работу пришла! А тут такое!.. И в нашем отделе!

— Может, водички? — спросила Мария Викторовна жалостливо. — Налить?

— Мне ничего не нужно. Где же телефон! Куда я его дела?!

— А вы... хорошо искали? — осторожно поинтересовался Федор. — Может быть, ничего и не пропало?.. Может, все на месте?

— Как?! — возмутились в один голос обе Марии Викторовны, а Нелечка еще больше округлила и без того круглые глаза, а потом прижала ладонь ко рту — от ужаса. — Как не пропало?!

— Что вы хотите сказать? — Марья Трофимовна перестала шарить в бумагах и уставилась на Федора. Из-за очков глаза ее казались выпуклыми, как у лягушки. — Нет, извольте объясниться! Вы хотите сказать, что мы не знаем, что у нас в запасниках?! Или, быть может, вы знаете лучше меня?!

— Да нет, но у нас три тысячи семьдесят единиц хранения...

— Если быть точным, три тысячи семьдесят три!..

— И помещение маленькое, — продолжал Федор тихо. — И залило нас в прошлом году, помните? Мы тогда ценности в третье хранилище таскали!

— Не таскали, а эвакуировали! — отрезала Марья Трофимовна. — И не морочьте мне голову, Федор! Сокровищ, бесценных сокровищ нет! А вы говорите, что я их не заметила! А в милицию я все-таки позвоню! Где телефон?! Где телефон, я вас спрашиваю?!

Федор пожал плечами.

Мало того, что жалко ее, так еще и стыдно до невозможности! Актерских способностей у него было на копейку, и изображать неведение давалось ему с трудом.

Скорее бы уж все кончилось. Как-нибудь, но кончилось бы!..

В успех кампании, которую они должны были осуществить вдвоем с Викторией, он не слишком верил, но ему было почти все равно — лишь бы ценности вернулись в музей, где им самое место. Даже если после этого его будут судить — значит, будут судить, недаром Олег Петрович сегодня утром, когда мать поила их чаем, высказывался в том духе, что «закон суров, но это закон»! Федор понял его слова так, что, если ничего не выйдет и его поймают прямо с этой самой спортивной сумкой, ему придется отвечать — и он ответит! Лишь бы только все кончилось.

Странным образом он совершенно не вспоминал о Светке, которая думала, что кардиган — это пеньюар, и еще говорила, что из него, Федора, ничего не выйдет. Он как-то сразу перестал о ней думать, как будто отложил на потом. Сейчас он разберется с ценностями, а уж потом со Светкой.

Олегу, который утверждал, что Светка решила отобрать у него, Федора, коллекцию и деньги Василия Дмитриевича, он не слишком поверил, но беспокойство за нее, ужасное, мучительное беспокойство, отступило, и за это ему тоже было стыдно — будто он предал старого друга!..

Светка не была старым другом, а как раз наоборот, новой подругой, но то, что он так легко выслушал все инсинуации в ее адрес, казалось ему предательством. Он еще разберется с этим, но потом, потом, не сейчас!..

— Он приехал на работу, — между тем говорила Марья Трофимовна в телефон. — Только что. Нет, никуда. Да, пожалуйста, товарищ, приезжайте быстрее! Быть может, он даст ценные показания!

Федор усмехнулся, уставившись в какую-то бума-гу. В бумаге было написано про модель города Иеру-салима, изготовленную искусником из города Бреме-на по фамилии Шольц, а в некоторых источниках — Шульц. Федор когда-то собирался диссертацию пи-сать как раз про модели Иерусалима. Это было его тайной страстью. Никто не знал, даже мать, а в отделе русского искусства его просто засмеяли бы!..

— Подойдите, — велела начальница, и он даже не понял, что она обращается именно к нему. Лишь только когда она стала махать телефонной трубкой в его направлении, а Нелечка зашипела: «Возьмите же, возьмите!» — Федор с грохотом отодвинул стул, подо-шел и взял трубку.

— Федор Алексеевич?

— Здрасти.

— Добрый день.

— Это милиция, — мстительно подсказала Марья Трофимовна и опять движением фокусника поменяла свои очки. — А как вы думали? Вот сейчас они точно во всем разберутся.

— Почему вчера отсутствовали на рабочем месте?

— А?

— Почему вы вчера на работу не пришли?

— Зуб заболел, — сказал Федор, насилу вспомнив, какую версию он выдал начальнице. — А потом я спал. Мне мать только утром сказала, что вы звонили.

— А почему вечером не сказала?

— Когда я пришел, ее не было дома. Она побежала меня искать и искала до утра.

— Ну конечно, — ироничным тоном протянула трубка. — Она вас искала, а вы дома тихо спали!.. Это уж как водится! И подтвердить, что ночью вы дома спали, конечно, некому?

Федор помолчал и вдруг вспомнил.

— Соседку можете спросить. С пятого этажа. Ващенкина фамилия. А может, и не с пятого, я точно не помню. Она видела, как я домой вернулся, и разговаривала со мной. Про мать спрашивала.

Трубка замолчала ненадолго.

— Ну, это мы проверим. А вы пока с работы не отлучайтесь!

— Да я и не собирался.

— А мы под вечер заедем. Ваша богадельня до которого часу открыта?

— Богадельня? — переспросил Федор.

— Ну, музей, музей!

— До пяти.

— Везет людям, до пяти работают! Ну, и мы к пяти заглянем. Не отлучайтесь!

Федор вернул трубку на телефон и обвел глазами сотрудниц. Они все смотрели на него, как зачарованные. Слово «богадельня» слышали все.

— Когда? — отрывисто спросила Марья Трофимовна. — Когда они приедут?

— Сказали, к пяти.

— Как к пяти?! А до пяти что?..

— Я не знаю.

— Да, но вчера мне показалось, что они... что самое главное — это найти вас, и вместе с вами сразу найдется коллекция, и честное имя нашего музея...

Федор подумал, что она абсолютно права.

Он нашелся, и коллекция нашлась, и теперь — может быть! — вместе с Олегом Петровичем им удастся спасти несколько честных имен. Музея, к примеру. И Василия Дмитриевича тоже.

Марья Трофимовна растерянно переводила взгляд с одной сотрудницы на другую, а с них на телефон.

— Как же это? — Она прижала к груди трясущиеся ручки. — Почему к пяти часам? Они же сказали, что... Как они собираются искать коллекцию, если даже приехать вовремя не могут?!

— Марья Трофимовна, — спросил Федор, — а откуда стало известно, что коллекция пропала?

— Как откуда?! Как откуда, что за вопрос?!

— Ну, мы же с ней не работаем, Марья Трофимовна. И инвентаризации не было, и к проверке мы не готовились. Как стало известно, что коллекция... пропала?

— Не пропала, а украдена! Самым беспардонным образом! Самым гадким образом! И вы еще спрашиваете, откуда мы узнали!

Она выбралась из-за стола, Федор посторонился, пропуская ее, и она засеменила мимо, все потрясая крошечными сухонькими ручками. Из-под очков у нее текли слезы, которые она не вытирала.

Нелечка, конечно, бросилась за ней, а обе Марии Викторовны накинулись на Федора:

— Нельзя же так!.. Что вы, Федя, за человек такой! Да для нее в музее вся жизнь, а вы со своим хамством!.. Она всю ночь не спала, дочка «Скорую» вызывала! А сегодня с утра опять на посту! И все из-за коллекции! И еще вы тут!..

— Я просто спросил, — вяло отбивался Федор. — Я хотел узнать, как выяснилось, что у нас украли серебро и бронзу!

— Петр Ильич велел проверить! — пискнула Мария Викторовна. — Позвонил и сказал!

— Сказал, чтобы мы проверили сохранность демидовской коллекции?! Вот просто так, ни с того ни с сего?!

— Он хотел, чтобы мы ее проверили! — поддержала первую Мария Викторовна номер два. — И все.

— А... как он просил проверить? Позвонил и сказал: проверьте коллекцию?

— Он пришел, — снова вступила номер один. — Пришел и сказал Марье Трофимовне, что обеспокоен демидовской коллекцией. Тут все и открылось!

— Ну, мы сразу же в милицию позвонили, сразу же! — подхватила номер первый. — А Петр Ильич так расстроился, что Марье Трофимовне даже выговор сделал! От расстройства, конечно же! Марья Трофимовна — такой уважаемый человек, почетный музейный работник и медаль имеет!

— Выговор? — переспросил Федор. — Какой выговор?

— Он заявил, что нужно было сначала ему сказать, а потом уж в милицию обращаться! Честь музейного учреждения, репутация и все такое! — поглядывая на входную дверь, зачастила Мария Викторовна номер один. — Очень расстроился!

Федор подумал немного.

Директор музея расстроился из-за того, что, обнаружив кражу, сотрудники вызвали милицию?! При этом он почему-то сам настоял на проверке коллекции, о которой много лет никто не вспоминал! Если настоял на проверке, значит, что-то заподозрил? Но как?! Откуда он мог узнать?! И что именно он узнал?..

— Очень, очень расстроился Петр Ильич! И Марье Трофимовне, бедненькой, попало!..

Федор потер лоб и пробормотал:

— А Тургенев так расстроился, что тем же вечером уехал в Баден-Баден.

— Да нет же, никуда он не уезжал! — зашептала Мария Викторовна номер два. — Он остался в Моск-

ве, и вчера у нас тут та-акое творилось! Вера Игнатьевна Веронике Павловне звонила и вас разыскивала!

Мария Викторовна запахнула коричневую шальку
и шмыгнула красным от холода и переживаний носом.

— Господи, что же это делается! — нараспев выговорила Мария Викторовна номер один и подперлась
ладошкой. — У нас никогда ничего не пропадало, а
тут такое!.. Это такой ужас, такой ужас!..

— Ужас, — повторил Федор Башилов. — Мне нужно позвонить.

Он выскочил в коридор, где, кажется, было еще
холоднее, чем в комнате, и свет шел из единственного
окошка в торце, захлопал себя по карманам, как ку-
рица-несушка, и тут только вспомнил, что телефон у
него забрал Гена, которому Олег Петрович велел «про-
бить» номера.

И как он мог про это забыть?!

Федор посмотрел вдоль коридора — никого не было ни с одной, ни с другой стороны. Марья Трофимовна не показывалась, и Федор решил добежать до
матери. Он выскочил на широченную мраморную лестницу с чуть стертыми ступенями и изогнутыми полированными перилами и, прыгая по-кенгуриному,
помчался вверх. На площадке кто-то курил, и его окликнули:

— Федор!

Но он только махнул рукой и помчался дальше.

Мать была на месте, и у нее сделалось испуганное
лицо, когда он распахнул дверь.

— Здрасти, Вера Игнатьевна.

— Федя, ты что?!

— Ничего, — сказал он бравым тоном. — Я телефон забыл, дай позвонить, а?

Вера Игнатьевна смотрела не просто так, а с неким смыслом, и мать, порывшись в сумке, вытащила мобильный и сунула ему в руку.

— А тебя вчера искали, — сообщила Вера Игнатьевна, шаря по его физиономии глазами. — И Марья Трофимовна Веронике звонила!

— Я знаю, — буркнул Федор. — Мам, я тебе телефон потом верну.

Он выскочил за дверь и снова помчался было, но следом выскочила мать и закричала на весь коридор:

— Федя!

Пришлось остановиться и повернуться.

— Мам, ну чего?

— Что случилось?!

— Да ничего не случилось! Говорю же, я телефон забыл!

— А кому ты хочешь звонить?

— Мам, какая тебе разница?

— Мне очень большая разница!

Они шептались посреди музейного коридора и оглядывались по очереди, как заговорщики из фильма про международных шпионов.

У Вероники было перепуганное лицо.

— Точно ничего не случилось?

— Точно, мам. Ничего не случилось.

— Федя, я прошу тебя...

— Все будет хорошо.

Он вышел на лестницу и набрал номер, который помнил наизусть со вчерашнего дня. Гена сказал ему, что это телефон, по которому можно звонить «в случае чего».

Запрокинув голову, Федор посмотрел вверх — никого, — а потом перегнулся через перила. Внизу тоже никого не было.

— Але, — отозвался в телефоне совершенно чужой равнодушный голос.

— Это Федор Башилов.

— Здорово, парень. Чего тебе?

— Я хотел сказать... ну, Олегу Петровичу хотел сказать...

— Ну, мне говори! Тебя в КПЗ, что ли, забрали?

— Не забрали. Коллекции хватились, потому что Петр Ильич, наш директор, почему-то решил ее проверить.

— Ага, — сказали в телефоне, и вдруг стало понятно, что это на самом деле голос Гены Березина. — А он часто ваши коллекции проверяет?

— Да в том-то и дело, что никогда! А вчера решил проверить. И еще, говорят, очень рассердился, когда Марья Трофимовна, начальница моя, милицию вызвала.

— Ага, — повторил голос.

— Он сказал, что для начала нужно было его в известность поставить, а уж потом ментов вызвать.

— В общем, он прав! — весело сказал Гена. — Я бы тоже рассердился, если бы ментов вызвали, а меня в известность не поставили! Ну, если б я был директором вашего музея!

Представив себе Гену Березина в роли директора музея, Федор улыбнулся. От разговора с Геной ему стало веселее, и чувствовал он себя значительно уверенней.

— Я подумал, что Олегу... то есть Олегу Петровичу, это может как-то пригодиться.

— Ты давай жди Викторию и смотри в оба! — велел Гена. — Везет тебе, парень! Если бы из-за меня такая деваха по собственной воле в неприятности ввязалась, я бы от счастья заплакал, вот ей-богу!

Федор совершенно ничего не понял.

Как — из-за него?! Что значит — из-за него?!

— Да она просто человек хороший! — зачем-то сказал он. — Энергичная такая!

— Энергичная, как же, — засмеялся Гена. — Ну, бывай пока!..

И тут из-за спины вкрадчиво спросили:

— Федор?

От неожиданности он выронил телефон, который с пластмассовым стуком упал на мрамор рядом с чьим-то не слишком чистым ботинком. Федор подобрал телефон и медленно разогнулся.

Директор музея смотрел на него задумчиво, и Федор понятия не имел, что именно он слышал из их разговора с Геной.

— Здравствуйте, юноша.

— Здравствуйте, Петр Ильич.

— Секретничаете?

Федор решил, что отпираться глупо.

— Пытаюсь.

— Вы слышали о нашем... чрезвычайном происшествии?

— Да, Петр Ильич.

— Ну-с, и ваши соображения?

Федор с тоской посмотрел на него. Директор был высокий, худой, в золоченых очках и клетчатом пиджаке с нашивками на локтях — идеальный музейный служащий высокого ранга, доктор наук, профессор, признанная мировая величина и авторитет во всем, что касалось русского искусства.

— Я не знаю, что вам сказать, Петр Ильич, — тихо признался Федор.

— Самое грустное, что коллекцию мог вынести только свой человек, — помедлив, произнес директор. — Вы это прекрасно понимаете. Кто-то, кому мы все это время доверяли! И это самое печальное. Наш музей — не только выставочные залы и запасники! Наш музей — это сообщество единомышленников, людей, для которых есть нечто более важное, чем деньги. А среди нас оказался предатель. Вы понимаете?

— Понимаю, — согласился Федор.

— Я давал вам рекомендацию в аспирантуру, — зачем-то прибавил Петр Ильич. — Вы отличный специалист, Федор Алексеевич. Мне будет обидно, если вы решите сменить работу.

— Вы хотите меня уволить?

— Пока нет. — И договорил после паузы: — И все же я не верю, что это кто-то из своих. Марья Трофимовна?! Марии Викторовны?! Ваша матушка?! Люди с безупречной репутацией, преданные своему делу, проработавшие не один десяток лет!

— Мама ни при чем, Петр Ильич!

— Я тоже абсолютно в этом убежден. Абсолютно. Я нисколько не удивлюсь, если окажется, что шум был поднят напрасно, и просто в наши описи вкралась некая досадная ошибка, и коллекция просто-напросто окажется в другом месте. Вы работаете в запасниках, Федор Алексеевич. Скажите, такое возможно?

У Федора голова шла кругом, и было очень стыдно. Так стыдно, что даже перед глазами потемнело — должно быть, от прилива крови!..

— Что же вы молчите, Федор Алексеевич?

Федор прочистил горло.

— Возможно.

— Я тоже так считаю.

Господи, думал Федор, почему так трудно?! Почему я был уверен, что это так легко — украсть и жить дальше, ни в чем не сомневаясь?! Я украл, и теперь они все это знают и выручают меня изо всех сил, каждый по-своему, а я столько лет их ненавидел и считал, что несу непосильную ношу?!

Оказалось, что непосильно нести то, что я взвалил на себя сейчас, — распроклятое чувство вины за то, что я сделал! Я обманул их, а они, вместо того чтобы броситься на меня всей сворой, пытаются меня спасти?! И почти незнакомый Олег Петрович, и мать, и Петр Ильич, и даже Виктория!

И тогда кто же я?! Кто?!

— Ну-с, желаю вам хорошего дня, — сказал директор и повернулся на каблуках, чтобы идти. — Там с вами хотели переговорить из милиции, так вы дождитесь их.

— Конечно. Петр Ильич!

— Да?

— А почему вы рассердились, когда Марья Трофимовна позвонила в милицию?

Директор остановился возле высоченной двустворчатой двери с вырезанными царскими вензелями. Остановился, снял очки, покопался пальцем в нагрудном кармане, достал замшевую салфеточку и стал протирать очки.

Федор ждал.

— Видите ли, Федор, я с самого начала не верил в то, что кто-то из наших сотрудников способен на такое. Не верил и не хотел, чтобы в дело вмешивались правоохранительные органы с их... специфическим подходом. Я уверен, что мы сами сможем все уладить, без громкой огласки и лишнего шума. Я дорожу репутацией нашего музея и людей, которые в нем работают. Это очень просто.

— Просто, — согласился Федор Башилов. — Я уйду с работы, Петр Ильич, когда все закончится. Вы меня отпустите?

Директор нацепил очки и посмотрел на него:

— Не без сожаления, Федор Алексеевич. Не без сожаления.

Поклонился коротким поклоном и исчез за высокой дверью с царскими вензелями.

Федор сбежал по лестнице на один пролет и уставился в полукруглое окно, выходившее в музейный садик, который нынче был засыпан снегом.

Лучше бы еще раз избили, подумал он. Ей-богу, лучше.

Ноша на самом деле оказалась непосильной.

В отделе русского искусства царили скорбь и отчаяние. Марья Трофимовна с ним не разговаривала, обе Марии Викторовны судорожно сморкались, а Нелечка все таращила глаза и время от времени качала по адресу Федора головой, и он сбежал от них к соседям, в отдел малых голландцев, но и там не было ничего хорошего. Все разговаривали только о краже и смотрели на Федора не просто так, а с неким смыслом.

Он вышел на улицу — это называлось «в город», хотя музей стоял в центре Москвы, а вовсе не за городом, — и в киоске купил себе сосиску в тесте, вспомнив того, вчерашнего лоточника, накормившего и напоившего его просто так.

Много лет Федор Башилов был уверен, что никто ничего и никогда не делает просто так, а только с умыслом и только в свою пользу! Отец всегда так говорил, а отцу Федор когда-то безоговорочно верил. Ему показалось, что это было давным-давно.

Он сидел на холодном парапете, отделявшем улицу от проезжей части, жевал сосиску и все время посматривал на часы. Виктория должна приехать в четыре, и он понятия не имел, как дожить до этого времени! Хоть бы скорее, и хоть бы все получилось — чтобы Петр Ильич перестал смотреть на него с таким брезгливым и отчужденным сочувствием! Чтобы Марья Трофимовна перестала потрясать в отчаянии своими сухонькими ручками, чтобы все стало как было, потому что это «бывшее» оказалось самым замечательным в жизни!

А Петр Ильич явно чего-то недоговаривает!..

Ровно в четыре часа, изнемогая от бездействия и тревоги, Федор Башилов в сотый раз выглянул из служебной дверцы в высоченный мраморный вестибюль, откуда вверх поднималась парадная лестница «в экспозицию», а вниз, как ручейки, стекали две лестнички поменьше — «в гардероб». В дни больших выставок или детских каникул здесь было не протолкнуться, очередь стояла через весь вестибюль, и уборщицам приходилось то и дело протирать мрамор, который топтали тысячи ног людей, жаждущих приобщиться к искусству. Милиция ставила турникеты, чтобы хоть как-то привести очередь в порядок, и вообще в музее творилось полное сумасшествие. Федор это самое сумасшествие очень любил.

Сегодня в вестибюле было почти пусто, только какие-то командированные тетушки решали, куда бы им пойти — в античный зал или в русскую иконопись.

— Да у меня уже ноги не ходят! — говорила одна. — Москва эта такая здоровущая!

— Не на морозе же стоять! — возразила другая. — До поезда еще три часа с гаком!

И тут появилась Виктория.

Федор не поверил своим глазам. Нет, он знал, что

она должна прийти, но почему-то совсем в это не верил.

Нет, не так.

Он знал и верил — и все равно как будто не ожидал.

Она вошла, улыбнулась охраннику Саше, который уставился на нее во все глаза, и каблучки ее зацокали по мраморному полу. В руке она несла огромную спортивную сумку.

Федору стало трудно дышать.

Как раз перед рамкой она вдруг поскользнулась на мраморе, охнула и чуть не упала. Спортивное чудище вырвалось у нее из рук, обрушилось на пол и поехало под стол, за которым охранники всегда проверяли сумки. Саша кинулся и подхватил ее.

— Девушка, осторожнее!

Тетушки перестали шептаться и тоже уставились на Викторию. Происходящее было значительно интереснее, чем античность, а заодно и русская иконопись!

— Господи, как больно!

— Вы ногу подвернули!

— Да я все время падаю! — Виктория улыбнулась охраннику сказочной улыбкой, и он улыбнулся ей в ответ — растерянной. — Вы не поверите, вот только выйду из дома, обязательно упаду!

— Держитесь за меня. Держитесь, не стесняйтесь! Может, вас отвести в медпункт?..

— Можно мне присесть?

Саша провел прекрасную барышню к креслам, стоявшим вдоль стены, усадил ее и присел рядом на корточки. Она то морщилась, то улыбалась, и видно было, что готова мужественно терпеть боль, лишь бы никого собой не обременять.

— Ну что? Если пошевелить, больно?

— Вот так больно, а вот так уже... нет!

— Осторожнее надо, девушка!

— Спасибо вам, что помогли! Я бы растянулась и вообще ногу сломала!

— Да что вы! Может, в медпункт все-таки?

Перед носом у охранника Виктория покрутила безупречной ногой в безупречном ботинке и безупречном чулочке. Охранник не отводил от нее глаз.

— А как вас зовут?

— Меня?!

— Ну, конечно, вас!

— Са... Саша, а что?

— Уже все прошло, Саша. Спасибо вам.

— А вас как зовут?

— А меня Вика, — сияя, сказала Виктория и поднялась. Охранник посмотрел на ее ногу и быстро отвел глаза. — Саш, вы не принесете мою сумку? Я сегодня в теннис играла и, наверное, колено перетрудила, вот нога и подвернулась! Во-он она, под стол уехала!

Охранник поискал глазами сумку, подошел, выудил ее из-под стола и аккуратно поставил перед Викторией.

— Спасибо вам, Саша! — прочувствованно сказала она. — В гардероб налево или направо?

— По любой лестнице вниз. Я бы вас проводил, — добавил он с сожалением, — но нам отлучаться никак нельзя.

— Спасибо, — еще раз поблагодарила коварная Виктория и равнодушно мазнула глазами по Федору, который торчал в дверях с надписью «Служебный вход». Как будто не узнала. — Мы с вами увидимся,

Саша, когда я обратно пойду! И я вам еще раз скажу спасибо!

— Не за что, — пробормотал совершенно потерявшийся Саша.

Виктория подхватила сумку и стала грациозно спускаться в гардероб, и Федор осторожно прикрыл за собой дверь.

Итак, сумка в музее. Теперь самое главное — незаметно добыть ее из гардероба. Виктория свою часть программы отыграла с блеском, и Федору осталось не провалить свою.

Он вышел из-за служебной двери и с очень деловым видом сбежал вниз по противоположной лестнице, не той, по которой спускалась Виктория. Охранник Саша тоскливо смотрел ей вслед, командированные тетки двинулись вверх по большой лестнице, и на Федора никто не обращал внимания. На всякий случай он еще раз огляделся по сторонам, пригнулся и заглянул в гардероб.

В гардеробе дежурил Иван Ильич, раньше работавший капельдинером в Большом театре и на пенсии переместившийся в Музей изобразительных искусств по причине артрита, из-за которого ему было трудно стоять. Его всегда жалели, и в дни больших выставок или школьных каникул, когда приходилось таскать сотни шуб и пальто, он получал отгулы и больничные. Сейчас народу было мало, и Иван Ильич мирно почитывал книжицу в своем уголке за шубами.

Виктория в два счета пристроила ему сумку, которую старик, кряхтя и качая головой, поставил возле деревянного ящика с отделениями, куда обычно клали пакеты и шляпы. Федор наблюдал за ней из-за поворота лестницы.

Она что-то прощебетала Ивану Ильичу, вскинула

на плечо крохотный ридикюльчик, поправила у зеркала волосы, которые вовсе незачем было поправлять, и, держась за перила, стала подниматься.

Федор подождал, когда она его минует, и сбежал в гардероб.

— Иван Ильич! Где вы?

— Кто тут? А, Федя! Чего тебе?

— У вас... телефон работает? Я свой дома забыл, а из отдела говорить не могу.

— Зазнобе, что ль, позвонить хочешь? Ну, звони, звони, чего там! Вон он телефон, на столике. В город через пятерку!

— Да знаю я, Иван Ильич!

Огромная спортивная сумка стояла почти у его ноги, и Федор испытывал неистовое желание схватить ее. Он знал, что нельзя, но все его беды были сосредоточены именно в этой сумке — взять ее, и дело с концом!

Он покрутил пальцем диск древнего желтого телефона, переложил трубку с одного плеча на другое и снова покосился на сумку.

Пока все идет как надо, только бы не испортить дела.

— Федя. — Гардеробщик показался из-за пустых вешалок, очки сдвинуты на кончик носа, в руке потрепанная толстая книжища.

«Анна Каренина», прочитал Федор Башилов.

— Федя, а чего у нас покрали-то? Ты не в курсе? Вроде из вашего отдела!

— Бронзу, Иван Ильич, и серебро.

— Тьфу ты, — плюнул гардеробщик в сердцах, так что очки подпрыгнули и он придержал их рукой, — а я думал, может, брешут!.. У нас из музея от сотворения мира ничего не воровали! Найдут, как думаешь?

— Найдут, — уверенно сказал Федор и снова посмотрел на сумку. — Наверняка найдут!

— Да нынче не люди, а супостаты какие-то пошли! Ну, на кой ляд им серебро и бронза музейная?! Ведь за копейки продадут таким же, как и сами, супостатам необразованным, а те все покидают, пошвыряют!.. А у нас ведь все в покое и порядке сохраняется еще с позапрошлого века! — Он помолчал, огорченно поглядывая на Федора поверх очков, и вдруг спохватился: — А ты чего не звонишь-то?

Федор звонил в собственную пустую квартиру.

— Я звоню, да никто не отвечает!

— А, ну звони, звони.

Иван Ильич зашаркал обратно к своему стулу, уселся, положил ногу на ногу, пристроил «Анну Каренину» и нацелился читать.

— Иван Ильич, я через вас внутрь пройду?

— А чего ж? Проходи на здоровье!

Виктория должна была выйти ровно через полчаса, и за эти полчаса Федор Башилов сгрыз все ногти.

В конце концов он налетел в коридоре на Марью Трофимовну, которая ледяным тоном объявила ему, что вскоре прибудет милиция и он к этому времени должен непременно вернуться на рабочее место.

— Раз уж вы не работаете, то хотя бы не носитесь по коридорам, — добавила она, подумав.

Сумка, которую он должен был оставить вместо той, что принесла Виктория, была у него в рюкзаке, и минут за пять до назначенного времени он вернулся в отдел. Все его тетушки потихоньку собирались домой. Нелечка, устав переживать, тихонько позевывала и закрывалась рукой. Мария Викторовна рассматривала какую-то большую книгу без всякого энтузиазма. Мария Викторовна номер два смотрела в окно, где уже засинели сумерки. А Марья Трофимовна ожесточенно писала что-то на большом желтом листе. Из всех этих занятий совершенно явно следовало, что рабочий день заканчивается, вот-вот кончится совсем и можно будет наконец-то уйти домой. А дома телевизор с любимым сериалом, чашка чаю, плед на диване — все хорошо!..

— Куда это вы собрались? — спросила Марья Трофимовна, когда Федор потянул с пола рюкзак. — Вы не можете уйти, с минуты на минуту должна приехать милиция и во всем разобраться! Или вы опять хотите улизнуть?

Федор замер и посмотрел на часы. Спине стало холодно.

— Мне только на пять минут нужно, Марья Трофимовна!

— Да вас целый день где-то носит! И еще неизвестно, какими делами вы занимаетесь! Поставьте ваш... чемодан и извольте сесть к столу.

— Марья Трофимовна, мне только на пять минут, правда! Я никуда не денусь!

— Зачем вам вещи?

— Какие вещи?

— Вот эти!

Федор посмотрел на лямку рюкзака в своей ладони и потом опять на часы.

— Я маме должен отнести, — сказал он умоляющим голосом. — Мы с ней договорились!

— О чем таком вы могли с ней договориться и зачем вам для этого вещи?!

— Она собиралась после работы в магазин, но у нее нет сумки, и она просила меня принести ей рюкзак. В магазинных пакетах носить еду очень неудобно, правда, Марья Трофимовна!

Марья Трофимовна молча смотрела на него через очки для «близи», и ему казалось, что он врет неубедительно, смешно, по-детски и никто ему не верит!

Время шло, и капающие секунды сотрясали его запястье.

— Я вернусь через десять минут!

Начальница пожала плечами.

— Н-ну хорошо, идите! Но я предупрежу охрану, чтобы из здания вас не выпускали!

— Я не собираюсь никуда уходить!

Федор подхватил рюкзак и ринулся вон из комнаты, чувствуя только, как уходит время.

Он вихрем пролетел через все этажи и коридоры, перед крохотной внутренней дверью в гардероб остановился и задержал дыхание, стараясь дышать потише. Никаких камер наблюдения в этом коридоре не было, и все сотрудники об этом знали, и Федор быстро расстегнул рюкзак, вытащил на свет божий огромную сумку, с которой некогда ездил на Селигер, дернул «молнию», открыл и запихал рюкзак внутрь, чтобы сумка не была похожа на дохлую собаку. Из-за дверцы раздавались какие-то голоса, и Федор знал, что должен торопиться. Он встряхнул сумку, чтобы рюкзак внутри не съезжал на одну сторону, выдохнул и распахнул дверь.

— ...а я вам говорю, что испачкали! Ну вот, вот посмотрите! Видите?! А вот этого ничего не было, между прочим! А теперь здесь грязь! Ужасная грязь!

— Девушка, ну что вы говорите?! Где же грязь?! Это вам просто показалось!

— Нет, неправда! Я же вижу! А тут вообще мех выдран! Что вы здесь делали с моей шубой, в этом музее?! А я думала, приличное место! И люди на вид такие хорошие! И искусство кругом! А вы мне шубу испортили!

Виктория стояла в центре вестибюля и скандалила всласть. Иван Ильич держался за сердце, тучная колышущаяся администраторша — Федор позабыл ее имя — потрясала перед носом Виктории ее шубой, смотрительница зала русского искусства в пуховом платке пыталась вразумить буйную скандалистку, и охранник, всегда сидевший на стуле возле служебного входа, тоже подтянулся и смотрел с интересом. На Федора никто не обратил внимания.

Он просто зашел в гардероб, наклонился и взял сумку. Она оказалась очень тяжелой, особенно по сравнению с той, которую он держал в руке и где был только его скомканный рюкзак.

Он аккуратно поменял сумки местами и сделал шаг в сторону служебного входа. Помедлил и оглянулся.

— Вы знаете, сколько стоит моя шуба?! Нет, хоть представляете, сколько она стоит?! Три тысячи долларов! И я подам в суд на ваш поганый музей, потому что мне ее испортили!

— Да она сумасшедшая просто! Распустили их! Три тысячи долларов, поглядите на нее! Не переживайте, Иван Ильич, ничего там нет, никакой грязи! Да она придумала все, чтобы нам нервы помотать, они теперь все такие! Все! Иван Ильич, не волнуйтесь! У него сердце больное, а эта девица его в чем-то обвиняет! Да как вы можете, девушка?! Как вы смеете говорить такое нам?! У нас в музее...

Виктория оглянулась только на одну секунду. Нет, даже на долю секунды, и снова заверещала что-то насчет шубы, а Федор сделал еще один шаг и оказался за дверцей с надписью «Служебный вход».

Голоса отдалились, и шум скандала сразу стал мелким, незначительным. Федор перевел дыхание. Серебро и бронза тяжело оттягивали руку.

На ходу доставая карточку-ключ от запасника — в прошлом году замки в хранилищах поменяли на карточные, — Федор тяжелой рысью помчался по ступенькам вниз, в полутемный коридор, который показывали в «Новостях».

Только бы никого не встретить!.. Только бы никому не пришло в голову именно сейчас поработать в запасниках!..

Отдельной охраны возле хранилищ не было, музей не мог позволить себе такую роскошь. Оглядываясь по сторонам, как вор, мокрыми от напряжения пальцами Федор вставил карточку в прорезь замка и потянул дверь.

Она не открывалась.

Он выдохнул, вытащил карточку и снова вставил. Дверь не открывалась!..

Нужно успокоиться. Нужно успокоиться, и тогда все пойдет хорошо.

Федор опустил на пол сумку, вытер о джинсы ладонь, и тут на лестнице, прямо над ним, зазвучали приглушенные голоса и послышались шаги!.. Кто-то спускался в хранилище.

Федор набрал в грудь побольше воздуху, вытер о джинсы еще и карточку и снова вставил ее в прорезь замка.

Дверь не открывалась, а шаги на лестнице были уже совсем близко!.. И тут только он сообразил, что вставляет ее другой стороной — не той, на которой была магнитная полоса. Он перевернул карточку, снова вставил — голоса все ближе, и шаги все слышнее! — и замок подмигнул зеленым, и бронированная дверь чуть-чуть ослабла в пазах!

Федор навалился на нее, чтобы быстрей открылась, подхватил сумку, протиснулся в темноту и проворно прикрыл дверь за собой.

Куда они идут?.. В это хранилище или в следующее?..

Если в это, его здесь застанут, и... и...

Не зажигая света, Федор ринулся в глубину узенького прохода, слева и справа от которого высились бесконечные полки от пола до потолка, уставленные всевозможными предметами старины. За толстыми дореволюционными стенами не было ничего слышно, и он не знал, миновала опасность или нет.

В конце прохода был стол, а на нем лампа. Под лампой лежал толстый журнал, в котором полагалось отмечать, с какой именно вещью и кто именно сегодня работал. Федор ощупью добрался до стола, пошарил по пыльной поверхности, сваливая на пол какие-то бумаги, разлетавшиеся с тихим шелестом, и зажег свет.

Место коллекции было в ряду у стены, под самым потолком. Там были натянуты красно-белые ленточки, привязанные к стульям, — должно быть, милиция натянула, обозначила «место преступления»!

Недолго думая, Федор присел на корточки перед стеллажом, расстегнул сумку, освободил ценности от газет и как попало засунул серебро и бронзу в самый низ, за ящики с какой-то посудой. Кувшин не входил, высоты не хватало, и Федор просто положил его на бок и подпер чем-то, чтоб не укатился.

Он вскочил с колен, подхватил опустевшую сумку, помчался по проходу, вернулся, чтобы выключить свет, и хранилище снова провалилось во мрак.

Осторожно приоткрыв дверь, Федор выглянул в коридор, покрутил головой — волосы лезли в глаза и мешали смотреть. Никого не было в коридоре, должно быть, те прошли дальше!.. Он вышел, закрыл за собой дверь, подождал, пока щелкнет замок, и стал подниматься по лестнице.

Руки у него немного дрожали.

В коридоре наверху тоже никого не оказалось, и ничего не было слышно за узкой дверцей с надписью «Служебный вход»... Чтобы удостовериться, что с Викторией все в порядке и она ушла, Федор выглянул в гардероб.

Иван Ильич сидел на своем стульчике за рядами пустых вешалок, вокруг него суетилась смотрительница и колыхалась тучная администраторша, и пахло то ли валерьянкой, то ли ландышевыми каплями, которые иногда принимала его бабушка. Виктории не было видно.

Все в порядке.

Все еще не веря в успех и не понимая, как это все у них получилось, Федор вернулся к себе в отдел. Сумку он засунул в стоявший в коридоре старинный шкаф с документами.

Марья Трофимовна была одна, «девочки» разошлись по домам.

— Вы не сбежали? — холодно поинтересовалась начальница, завидев его. — Я была уверена, что вы сбежите!

— Марья Трофимовна, — сказал Федор Башилов, — я сейчас спускался в хранилище. По-моему, вы что-то недосмотрели. Коллекция на месте.

Она смахнула с носа очки для «близи», которые беспомощно повисли на цепочке, и водрузила очки для «дали». И уставилась на него.

— Кто вам разрешил пойти в хранилище?!

— У меня же пропуск не забрали! Я решил... поискать сам и нашел.

— Что вы нашли?!

— Часы, распятие, поднос с кувшином, кофейник и чернильный набор. Шкатулки я не видел, но, может быть, она тоже где-то там.

— Этого не может быть, — слабым голосом сказала начальница.

— Пойдемте посмотрим, — предложил Федор Башилов.

Когда Вероника вышла из музея, было уже довольно поздно.

По всей Волхонке горели фонари — успокоительным, легким, веселым светом! — и снег валил. Целые горы белого, чистого, уже предвесеннего снега! Казалось даже, что мороз отступил, потеснился, давая место этому снегу, очистительному и густому, с которого должна начаться новая светлая жизнь.

Коллекция нашлась — эта новость моментально облетела всех оставшихся в музее сотрудников. Петр Ильич лично проверил ее сохранность. Недоставало только шкатулки, но после того, как коллекция обнаружилась, все решили, что шкатулка просто куда-то задевалась, ведь недавно прорвались трубы и ящики с ценностями пришлось перетаскивать с места на место!

Директор принес извинения милиции и назначил совещание, на котором настоятельно рекомендовал отделу русского искусства провести инвентаризацию и сделал еще кучу каких-то распоряжений, очень строгих, понятных и логичных, и, должно быть, абсолютно правильных.

Предстояли разбирательства, собрания и, возможно, даже выговоры «за халатное отношение к работе», но все это не шло ни в какое сравнение с ужасом, который вдруг отступил, сгладился, как будто снег накрыл его.

Все хорошо, повторяла про себя Вероника.

Коллекция вернулась, шкатулка найдется, Федора не посадят в тюрьму!.. Все хорошо, и все это благодаря человеку, который сегодня утром пил у нее в квартире чай с молоком!..

Умный, замечательный человек, на которого ее сын смотрел, как на бога.

Никто никогда не помогал им, и Вероника привыкла жить с ощущением, что «они сами справятся, и им никто не нужен», и чувство благодарности, восторга, почти любви к Олегу Петровичу, такому незнакомому и чужому, было для нее совершенно новым.

Раздумывая о том, как все вдруг стало хорошо, и еще о том, что нужно бы купить чего-нибудь вкусного к ужину, хотя денег маловато и до зарплаты далеко, она пошла было по Волхонке к автобусной остановке, но тут ее окликнули:

— Вероника Павловна!

От неожиданности она поскользнулась, чуть не упала и нелепо взмахнула руками. Сквозь летящий снег к ней подходил Олег Петрович Никонов. Машина с распахнутой задней дверью и освещенным салоном маячила у него за спиной.

— Добрый вечер.

— Вы меня напугали.

— Простите.

Он подошел и посмотрел ей в лицо.

— Все в порядке?

— Да. Да, конечно! А Федор вам не позвонил разве?! Он должен был позвонить, хотя у них в отделе милиция была до самой последней минуты, а я ушла, чтобы просто подозрений ни у кого не возникло, почему я так долго сижу и домой не ухожу...

— Вероника Павловна...

— Простите меня, Олег Петрович, я сама не знаю, что говорю! Я волновалась очень, понимаете?..

— Понимаю. Мне нужно с вами поговорить.

— Конечно, конечно. Давайте поговорим. Прямо сейчас?

— Если у вас нет более важных планов на вечер.

— У меня? — поразилась Вероника. — Планов?! Нет у меня никаких планов!

— Вот и отлично. Тогда пойдемте в машину. Я подвезу вас домой, и заодно мы поговорим.

— О... Федоре, да?

Олег пожал плечами.

— Если хотите, можем поговорить и о Федоре, но у меня другой вопрос. Мне нужна ваша консультация.

— Моя консультация?!

— Давайте сядем в машину, — неторопливо предложил Олег Петрович. — И все обсудим.

И взял ее под локоть.

За последние лет двадцать никто не брал ее под локоть! Петр Ильич не в счет.

Она засеменила следом за ним к громадной, словно океанский лайнер, машине, и Гена, сидевший за рулем, поздоровался с ней, как со старой знакомой, и Олег пропустил ее вперед, и она забралась внутрь, он сел рядом, и машина поехала.

Все молчали.

Вероника тихонько отряхивала подтаивающий снег с куртки и стыдилась того, что капли летят на ковры, которыми был устлан пол в этой необыкновенной машине.

Она долго возилась, и Олег Петрович ей не мешал, смотрел в окно, и наконец, угомонившись, Вероника снова начала было рассказывать, как ему благодарна за все, что он для них сделал, и что они без него совсем, совсем пропали бы, а он все молчал.

Вероника выдохлась и замолчала.

В его присутствии она чувствовала себя ужасно — пятнадцатилетней нескладной девчонкой, а не женщиной за сорок, имеющей сына-жулика!..

— Все это превосходно, — сказал наконец Олег Петрович. — Просто превосходно!

— Что... превосходно?

— Все, что вы говорите, не может меня не радовать. Я просто счастлив, что мои старания так успешно завершились. Впрочем, еще не до конца. Я до сих пор не знаю, кто и за что убил Василия Дмитриевича, куда девалась шкатулка и где мне ее искать.

— Вы думаете, что шкатулка у Федора?

— У Федора ее нет. Скорее всего, она у того, кто убил старика.

— Вы думаете, что его убили из-за этой шкатулки?

— Скорее из-за того, что было в шкатулке. Собственно говоря, ваша помощь нужна мне как раз для того, чтобы разобраться, что именно там было.

Вероника удивилась:

— Вы не знаете, что там было?!

— Знаю. Я хочу вам показать, потому что ваш сын сказал мне, что вы работаете в отделе русской иконописи.

Вероника смотрела на него во все глаза.

— Ну да. Работаю. Но какое отношение шкатулка имеет к русской иконописи?!

— Вот именно поэтому я и хотел, чтобы вы все увидели своими глазами. Впрочем, мы уже приехали.

Машина въезжала на круглый дворик, засыпанный снегом, с фонарями и византийскими колоннами, поддерживающими портик.

— Я здесь живу, — буркнул Олег Петрович, увидев ее лицо. — Только в обморок не падайте! У меня мало времени, и хотелось бы, чтобы вы все время находились в сознании.

— Что?.. — переспросила Вероника

Нет, конечно, все смотрели сериалы и еще программу на НТВ про ремонт — там время от времени показывали то французских графов, то английских герцогов, которые жили именно в таких местах. Программа программой, однако Вероника была совершенно уверена, что никаких таких мест на самом деле не существует и существовать не может, и людей, которые жили бы в таких домах, тоже не существует, и все это выдумки тех, кто снимает кино и сюжеты про ремонт.

Ну, трудно нормальному человеку вообразить, что можно жить... в Лувре! Почти невозможно.

Вернее, совсем невозможно.

Вероника старалась не смотреть по сторонам и на свое отражение в многочисленных зеркалах не смотрела тоже, ибо отражение это самой своей сутью оскорбляло окружающую роскошь и благолепие! И что-то вроде классовой ненависти вдруг кольнуло ее, и пришлось даже напомнить себе, что этот человек — не угнетатель бедных и несчастных, а спаситель ее сына и она ему «век должна быть обязана»!

В квартире она долго снимала сапоги. Маялась от сознания собственной неполноценности и одергивала голубенький свитерок, который слишком ее обтягивал — все складки в ненужных местах неприлично вылезали из него в разные стороны. И причесаться ей хотелось, и губы подмазать розовой помадкой — наверное, поживее бы выглядела, если бы причесалась и подмазала!

А потом она вдруг обиделась. Зачем она так старается? Зачем натягивает свитерок? И какая разница этому человеку, напомажены у нее губы или нет?! Может, она хочет на него впечатление произвести?! Показаться лучше, чем она есть на самом деле?!

Даже если она станет лучше в миллион раз, ему-то какая разница?! Им, живущим в Луврах, простые смертные ни к чему! И как простые смертные ничего не знают о богах, так и боги вряд ли догадываются о том, что простые смертные в принципе существуют в природе.

— Вероника Павловна, где вы застряли?

— Проходите, проходите, — сказал из-за ее спины водитель Гена. — Во-он туда, прямо, а потом налево заворачивайте! Там кабинет.

Вероника пошла прямо, а потом завернула налево и еще какое-то время шла, старательно не глядя по сторонам, и наконец дошла до единственной распахнутой настежь двери. Олег Петрович стоял посреди огромного, но тем не менее уютного пространства. Громадных размеров стол на львиных лапах царил посередине этого пространства, и вокруг были книги, море книг, от пола до потолка, и деревянная стремянка с латунными ручками, и какие-то портреты, и еще, кажется, бюро, и еще что-то, как раз в духе Лувра — почему-то Вероника зациклилась на Лувре.

— Вот что я хотел вам показать.

Небольшая икона лежала на столе, и, повинуясь

знаку Олега Петровича, Вероника подошла и посмотрела.

— Преподобный Серафим Саровский, — тут же сказала она. — Но я не знаю этого списка.

— Я знаю, что Саровский, — ответил Олег Петрович. — А больше ничего не знаю. Может, вы посмотрите получше?..

Моментально позабыв о том, что должна одергивать свитер, который выставлял ее в невыгодном свете, о ненакрашенных губах, о волосах, которые ей все хотелось причесать, о Лувре, Вероника подошла и взяла икону в руки.

От нее как будто шли тепло и свет.

Вероника взяла ее в руки и взглянула на доску. Потом перевернула и посмотрела с другой стороны.

— Откуда у вас эта икона?

— Из шкатулки.

— Выходит, шкатулка у вас?!

— Василий Дмитриевич показал мне икону, и почему-то мне очень не хотелось ее оставлять у него. Я попросил, чтобы он мне ее отдал на какое-то время. Ну, чтоб я мог показать специалистам. Мы договорились, что я верну икону через несколько дней. И потом его убили.

— Убили, — повторила Вероника.

Старец смотрел на нее с иконы внимательно и серьезно. Вероника тоже посмотрела на него внимательно и серьезно.

— До наших дней прижизненные изображения не дошли, — сказала Вероника. — По крайней мере, так считается! Он не часто соглашался на то, чтобы его рисовали. Есть даже знаменитая фраза: «Кто я, убогий, чтобы писать с меня вид мой? Изображают лики Божии и святых, а мы — люди, а люди-то грешные!»

Все позднейшие портреты написаны по памяти. Купцу Миленину из Курска преподобный сам подарил свой портрет и еще фрейлине Поликарповой, она была его духовной дочерью, но где эти изображения — никто не знает.

Вероника еще посмотрела, даже отошла в сторону с иконой в руках. Олег наблюдал за ней.

— Работа явно не новая, — наконец сказала Вероника. — Я не знаю. Нужна экспертиза, а так... трудно сказать.

— Но это может быть прижизненным портретом?

— Да говорю же вам, что их не сохранилось! — Вероника рассердилась. — По крайней мере, о них ничего не известно, и никто никогда их не находил! Понимаете?! Никто и никогда! Как икона могла попасть в шкатулку?! Кто мог туда ее положить?

— Если шкатулка принадлежала семейству Демидовых, значит, это кто-то из них.

— Или кто-то, у кого коллекция оказалась после революции. Или музейный сотрудник, который знал и о шкатулке, и об иконе! После революции иконы не жаловали, как вам известно, и вполне возможно, что ее спрятали, чтобы сохранить.

Она любовно перевернула икону и посмотрела на батюшку Серафима.

— Хорошо известно, что даже от гравюр с изображением преподобного случались чудеса и исцеления. Если это прижизненный список, вы стали обладателем сокровища, Олег Петрович.

— Я не стал, — возразил Олег. — Я просто взял ее, чтобы показать специалистам. Обладателем сокровища хотел стать тот, кто убил Василия Дмитриевича. Тот, кто заказал ему коллекцию. Собственно, вся кража коллекции затевалась только ради этой иконы.

Вероника осторожно положила преподобного на стол с львиными лапами.

— Нельзя воровать иконы, — тихо сказала она. — Это никогда не заканчивается добром.

— Василий Дмитриевич ничего ни у кого не воровал. Его... — Олег вспомнил и усмехнулся, — бес попутал.

— Вот именно. — Вероника отвернулась от изображения старца и посмотрела в окно, за которым летел снег. — Нужно все проверить. Какие иконографические изводы были самыми ранними и самыми распространенными. Но с этим тоже сложно, потому что всякие серьезные атрибуции, как правило, отсутствовали.

— Атрибуции? — переспросил Олег Петрович.

— Ну да.

— А вы тоже учились в Историко-архивном?

— Да, — удивилась Вероника, — а что?

— На документоведении?

— На архивном деле, а что такое? По иконописи я потом диссертацию защищала и стажировалась в Суриковском училище. Вас это удивляет?..

Олег Петрович ничего не ответил.

А в самом деле, что он мог ответить?.. Что в последнее время его все больше тянуло общаться с дизайнерами и выпускницами факультета международной журналистики? Что от скуки сводило зубы? Что даже в декаданс поиграть не получалось — все от скуки? Или, может, скука — это не отсутствие веселья, а отсутствие какого бы то ни было смысла?!

— Например, на портрете Серебрякова были отмечены епитрахиль и поручи, и на том портрете ему около пятидесяти лет, но никто не знает, когда он был выполнен — во время странничества и затворничества или уже после тысяча восемьсот пятнадцатого года. И здесь, видите, и епитрахиль, и поручи... Нет, Олег Петрович, все это нужно всерьез изучать.

— Я знаю. Но мне просто хотелось бы понять, не подделка ли это.

— В каком смысле — подделка? Нельзя подделать икону! Икона — она и есть икона! Но если это на самом деле прижизненный список, значит, цены ей нет.

— В каком смысле? В аукционном?

Тут Вероника рассердилась окончательно.

— Ей нет цены как святыне Русской православной церкви, — отчеканила она. — При чем здесь аукционы?! Все равно ее никогда не удалось бы продать без шума!

— Это точно?

— Совершенно! Точно так же, как то, что меня зовут Вероника Башилова и сейчас зима!

Олег неожиданно засмеялся.

В распахнутую дверь осторожно постучали, и они оба испуганно оглянулись, словно их застали врасплох за чем-то не слишком приличным.

— Олег Петрович, — позвал смущенный Гена, — там ваша мама приехала.

— Кто приехал?!

— Ирина Петровна. А нам бы с вами... по дельцу отъехать. Вы не забыли?

— Я не забыл, — пробормотал Олег Петрович. — Извините меня, Вероника, мне нужно...

— Да, да, конечно.

Он ушел, а она осталась и снова взяла в руки портрет.

— Как ты сюда попал? — тихо спросила она у

старца. — И Федька тебя украл! Что ты хотел нам сказать?..

Ничего не было слышно — такой огромной была квартира, что в эту ее часть не доносилось никаких звуков, а потом на пороге возник очень смущенный Олег Петрович Никонов и с ним прекрасная дама, очень похожая на Любовь Орлову в пору кинокартины «Весна».

— Мама, это Вероника Башилова, — представил Олег Петрович. — Специалист по русской иконописи, работает в Музее изобразительных искусств.

— На Волхонке?! — спросила дама глубоким и звучным голосом. — Господи, мы ходили туда на Декабрьские вечера. Ты помнишь Декабрьские вечера, Олег?

— Нет.

— И очень напрасно!

— Это моя мама, Ирина Петровна.

— Здравствуйте, — пробормотала Вероника. Дама была сказочно прекрасна, и Вероника судорожно одернула на себе голубой свитерок.

— Я должен ненадолго уехать, — сообщил Олег Петрович. — Надеюсь, вы с пользой проведете время. Мама, в мое отсутствие ты будешь развлекать Веронику Павловну.

— Не надо меня развлекать, — перепугалась Вероника. — Я... я лучше домой пойду. У меня сын... и вообще...

— У вас маленький ребенок? — спросила Любовь Орлова.

— Двадцать пять лет. — Вероника улыбнулась тусклой улыбкой.

— Вы так молоды, а у вас уже такой большой сын?! — не унималась дама.

— Сын большой, — согласилась Вероника. — И я немолода.

— Бросьте! — сказала дама. — Вы будете меня развлекать, пока мой сын ездит по своим бесконечным делам. Да, Олег?

— Да. — Он помолчал и добавил: — Я хотел бы, чтобы вы меня дождались, Вероника. Мне еще о многом нужно вас спросить.

— Про икону я больше ничего не знаю! Надо специалистов привлекать и экспертизу проводить!

— Но я не могу сию минуту назначить экспертизу. А вы мне должны, — напомнил Олег. Он и сам не знал хорошенько, зачем он так ее удерживает. — И потом, мы с вами учились в одном институте и наверняка почти в одно и то же время. Нам есть что вспомнить.

— Вы учились в нашем институте?!

Олег промолчал.

— Мама, извини, но я должен вас оставить.

— Это он сейчас стал такой, — доверительно сообщила Веронике Ирина Петровна. — Раньше был нормальный. А со своими деньжищами научился говорить, как падишах, хорошо хоть нас не заставляет обращаться к нему в третьем лице.

— А мог бы, — уже из коридора сказал Олег Петрович.

— Как вас зовут дома? — весело спросила Ирина Петровна. — Неужели Вероника?

— Ника.

— Вот и чудесно, Ника. Сейчас мы с вами будем чай пить и ждать моего сына. Вы давно с ним знакомы?

— С сегодняшнего утра.

— И он уже пригласил вас к себе?! Какая похвальная скорость!

— Он просто хотел со мной посоветоваться по поводу иконографии Серафима Саровского!

— Господи! — воскликнула Ирина Петровна, сложила на груди руки и возвела к небу глаза. — Наконец-то у моего сына появилась женщина, с которой можно посоветоваться по поводу иконографии Серафима Саровского! А то он все время советуется по поводу очередной поездки в Куршавель, а это так утомительно!

У Вероники голова пошла кругом.

— Я... не появлялась, — пробормотала она. — Вы все неправильно поняли.

— А хоть и неправильно, моя дорогая, — отмахнулась Ирина Петровна. — Какая разница? Самое главное, что мы с тобой сейчас будем пить чай и болтать о разных разностях.

Мать Олега Петровича привела ее в какой-то кабинетик, поменьше первого, где был чайный стол и еще отдельный круглый столик с кофейником и спиртовкой.

— Ты хочешь чаю или кофе? — деловито осведомилась красавица и, получив ответ, принялась колдовать над спиртовкой. Ника никогда не видела, чтобы так готовили кофе.

— У тебя правда такой взрослый сын? — окончательно перешла на «ты» Ирина Петровна. — Ты еще совсем девочка!

— Мне сорок пять лет.

— Сорок пять?! Ты выглядишь моложе!

— Спасибо вам большое, — глупо пробормотала Вероника, которая решительно не знала, куда ей деваться.

— Моему сыну сорок три, — с гордостью провозгласила красавица. — И правда, я отлично выгляжу?

— Правда, — искренне согласилась Вероника. — Отлично.

— Это потому, что я слежу за собой. Ты следишь за собой?

— Почти нет.

— И напрасно! Если ты не будешь следить за собой и своим здоровьем, — назидательно сказала Ирина Петровна, — превратишься в старый сухой пенек. И, кстати сказать, гораздо раньше положенного богом срока.

Ника улыбнулась слабой улыбкой.

Ирина Петровна, похожая на Любовь Орлову в пору кинокартины «Весна», ее очень смущала.

Смущала тем, что выглядела именно как кинозвезда. Смущала вольнодумными речами, обходительностью и еще перстнями, которые посверкивали на каждом пальце. Ника никогда в жизни не видела таких перстней — или это как раз и есть то, что называется в романах «фамильные драгоценности»? Камни в этих перстнях были огромные, тяжелые и сверкали как будто сами по себе, даже когда на них и не падал свет, словно подмигивали хозяйке.

— Это совсем несложно, — говорила между тем Ирина Петровна, — и все это чепуха, что после сорока начинается какое-то там увядание и проблемы со здоровьем! Нужно просто вовремя принимать меры, и никаких проблем не будет.

Из кофейника тонкой струйкой полился кофе. Тонкий, белый, прозрачный фарфор наполнился и потемнел. Ника принюхалась. Ничего на свете она не любила больше, чем запах кофе.

— Ты меня слушаешь?

— Да, да, — виновато сказала Ника. — Нужно принимать меры.

Ирина Петровна неизвестно чему засмеялась, обошла столик, села и сложила безупречные руки.

— Ты как первоклассница! Хорошо. Меры. И какие меры мы принимаем?

Ника понятия не имела, что отвечать, и маялась ужасно. В последний раз она так маялась, когда однажды на третьем курсе завалила экзамен по истории. Между прочим, не просто так завалила, а как раз потому, что у нее был в то время бурный, страстный, необыкновенный, красивый, сказочный, неправдоподобный роман.

Роман закончился — как в сказке — свадьбой.

А любовь — как в жизни — драмой.

Или нет, вдруг подумала она. Или... не драмой?.. Если бы все сложилось иначе, не было бы Федора, Олега, ничего бы не было! Даже этой красавицы с перстнями на каждом пальце не было бы в ее жизни, и запаха кофе, и головокружительного чувства вернувшейся молодости — ничего!

Тогда какая же драма?!

— А вот и меры! — весело сказала Ирина и извлекла из фарфоровой штучки, которая стояла на столе, две маленькие таблеточки.

Ника заинтересовалась:

— Что это такое?

— Препараты, которые должны быть у каждой женщины... ну-у... скажем так, не слишком юного возраста. Мы же понимаем, что мы не юные девицы!

— Понимаем, — согласилась Ника.

— А раз понимаем, то должны знать, что это «Климадинон», а это «Мастодинон». Даже в моем возрасте можно выглядеть отлично и чувствовать себя прекрасно! Никаких перепадов настроения, нервы в порядке, сон чудесный! И если про эти препараты не забывать, твоя сказочная красота навсегда останется сказочной.

— Моя... красота? — пробормотала Ника.

Никогда в жизни она не думала о себе как о красавице!

— Ну да, — легко согласилась Ирина Петровна, — а как же иначе! В определенном возрасте изменения неизбежны, дорогая. Но это просто изменения, и больше ничего, особенно если у тебя есть средства спасения! Разве я думаю о головной боли или, не дай бог, каких-то неприятных ощущениях в груди? Не нужно мучить себя. Себя нужно любить и поддерживать, как раз с помощью «Климадинона» и «Мастодинона». Это ангелы-хранители женщины элегантного возраста!

Она налила воды из графина и с любовью посмотрела на свои таблетки.

— И это не какие-то там никому не известные пищевые добавки! — Тут она фыркнула презрительно. — А проверенные и надежные препараты.

Она отправила их в рот, запила и посмотрела на Нику:

— Запомнила? Все очень просто и даже в рифму — «Климадинон» и «Мастодинон»!

Ника улыбнулась.

— Запомнила.

— Ну и отлично. Теперь давай пить кофе и разговаривать о любви.

Из разговора о любви ничего не получилось. Ника была не в своей тарелке, зато Ирина Петровна разливалась соловьем — и все про Олега. Как рос, чем болел, какой был умный в школе и как потом научные статьи писал. Какие подавал надежды — и оправдал, оправдал! Только вот семьи нет. Была, и не стало.

— И Машка от него уже отвыкла. Она как-то сразу отвыкла, очень быстро, хотя мы все время общаемся и мать этому не препятствовала, честь ей и хвала!

— Машка — это дочь?

— Ну конечно! Так что слава богу, дорогая, что ты нашлась, или, может быть, твоему преподобному слава? Ну, о котором тебя расспрашивал мой сыночек!

— Серафиму Саровскому, — сквозь зубы поправила Вероника.

У нее не было никакого восторга по поводу того, что она «нашлась», да и не «находилась» она вовсе!

Эта красивая женщина, так похожая на Любовь Орлову из кинофильма «Весна», все придумала от первого до последнего слова!

Еще Вероника маялась от того, что голубенький свитерок так некрасиво ее обтягивает, и от того, что Федор, должно быть, давно дома и ждет ее, а она сидит тут, как девушка на выданье, с мамашей «жениха» и болтает невесть о чем!

И Олег Петрович пропал так надолго! Зачем она согласилась остаться?! Впрочем, он сказал, что «она должна», и это было чистой правдой.

Очень ловко Ирина Петровна выспросила ее про Федора и про бывшего мужа, сочувственно поцокала, когда выяснилось, что никто и никогда им не помогал, и Вероника нервничала все больше и все чаще посматривала на часы.

Олег приехал только в начале одиннадцатого, очень сердитый. Следом за ним ввалился Гена, и Ирина Петровна тут же объявила, что Геночка должен отвезти ее домой, и стала шумно прощаться и целоваться с Вероникой.

— Чем вы ее так воодушевили? — устало спросил Олег, когда за матерью и водителем закрылась дверь. — Сто лет не видел ее в таком энтузиазме!

— Серафимом Саровским.

— Что?

— Вот так. Мне тоже давно пора домой, Олег Петрович. Я должна ехать. Федор, наверное, нервничает.

— Федору я позвонил, — возразил Олег Петрович, и Вероника уставилась на него во все глаза. — Слушайте, да не смотрите вы на меня так! Я позвонил и сказал, что сам привезу вас, когда освобожусь.

— Вы?!

— Если вы будете все время переспрашивать, я больше не скажу ни слова, — пригрозил он и куда-то ушел.

Вероника растерянно постояла возле входной двери — впрочем, кто их разберет, которая входная, может, вот эта, а может, соседняя, — и потихоньку двинулась в сторону комнат, и забрела куда-то не туда, и вдруг оказалась с ним нос к носу.

Он был в джинсах и белоснежной рубашке с закатанными рукавами. Вероника отвела глаза.

В ее жизни нет и не может быть никаких мужчин, особенно таких, как этот, богатых, уверенных, знающих о жизни все! Ей сорок пять лет, она толстая, бедная и работает в музее! Ей нет и не может быть никакого дела до его... джинсов!

Тем не менее почему-то именно от джинсов она не могла глаз оторвать.

— Есть хотите?

— Нет.

— Врете.

— Олег Петрович, может быть, я домой поеду?

— А вам не интересно, кто убил Василия Дмитриевича и подставил вашего сына? Совсем?

— А вы знаете, кто убил?!

— Знаю.

— Когда вы узнали?!

— Вот только что. И не я один, мы с Геной узнавали. Между прочим, прекрасной барышне Виктории и вашему сыну это очень даже интересно, и я насилу от них отвязался. Да и то не знаю, отвязался ли. Виктория — девушка напористая.

— Что значит... отвязались?

— Они собирались к нам нагрянуть.

Вероника покачнулась и ухватилась рукой за какой-то латунный столбик, оказавшийся торшером.

— Нагрянуть... к нам?!

— Ну да. Сюда, ко мне. Я так понял, что барышня поджидала Федора и, когда он вышел из музея, повезла его на свидание. Все как у нас с вами. Я тоже ждал вас с работы и повез на свидание.

— Олег Петрович, — начала Вероника умоляюще, — я вас умоляю, не нужно так со мной разговаривать! Я же не одна из ваших многочисленных поклонниц, честное слово! Спасибо вам большое за Федора, и, если нужно будет привлечь специалистов к экспертизе иконы, я непременно таких найду, и я даже не знаю, чем мне вам отплатить за Федора и за все, что вы сделали для нас, для меня...

— Есть вещи, за которые нельзя платить, — возразил он. — Кстати сказать, я сам только недавно это понял. Быть благодарным можно, а платить нельзя. Вы понимаете? И может, будем уже говорить друг другу «ты»? В конце концов, мы вместе учились и сегодня вступили в преступный сговор!

— В какой сговор?..

— Преступный! — повысил голос Олег Петрович.

В это время в глубине квартиры мелодично заиграла какая-то музыка, и Олег Петрович сказал непонятно:

— Вот видите? Что я вам говорил? А вы слушать не хотите!

— А что вы мне говорили?

— Говорил, что Виктория — очень активная девушка, вот что я вам говорил!

После этих слов Олег обошел Веронику, и она пошла за ним и снова чуть не упала, когда в огромном холле, возле входной двери увидела своего сына Федора и неуемную Викторию.

— А вот и мы! — провозгласила неуемная. — Олег, ты хотел от нас отделаться?! Ну, от Федора отделаться проще простого, а от меня — нетушки! Мы вам поесть привезли.

— Отлично, — оценил хозяин дома.

— Олег Петрович, мы просто так заехали, — забормотал Федор. — Мы сейчас уедем. Мам, привет. Вы не обращайте на нас внимания, мы сейчас же уедем. — И тут он дернул Викторию за полу ее шубки. Вероника смотрела на них и не понимала, что происходит. — Пошли! — И снова дернул. — Я тебе говорю, пошли!

— Ах, отстань, Федор! Олег должен нам все рассказать! Мы же не зря старались, коллекцию возвращали, я даже скандал закатила! Бедный старикашка из гардероба чуть не помер! И все зря?! Нет уж, так не бывает! И в магазин мы зря, что ли, заезжали? Вон сколько всего купили, и все вкусненькое!

— Ну, это понятно, — заключил Олег Петрович. — Проходите.

— Федор, возьми мою шубу. Вы знаете, Вероника

Павловна, мы в соседний дом часто приезжаем, который на углу, там у нас друзья! Но этот лучше, правда?

Вероника пожала плечами.

— Федя, — тихо спросила она у сына, — что происходит?

Он тоже пожал широченными плечами. Глаза у него блестели, волосы лезли в лицо, и выглядел он совершенно счастливым.

Ей-богу, когда он сказал ей, что украл коллекцию, ей было не так страшно!

Куда его несет, ее мальчика, ее глупого, доверчивого мальчика, который вечно попадает в какие-то ловушки?! Сначала он неистово любил отца, потом украл серебро и бронзу из музея, чтобы доказать отцу, что на многое способен, а теперь вдруг решил дружить с этими людьми?!

Он не понимает — по молодости лет и доверчивости, — что с ними нельзя дружить! Они появились в их жизни, как джинн из лампы Аладдина, появились внезапно — и так же внезапно исчезнут.

— Вероника Павловна, вы не волнуйтесь так! Олег нам все расскажет, и я отвезу Федора домой. И вас отвезу, если захотите!

— Федор, что все это значит? Зачем ты приехал... сюда? Тебя разве сюда звали?

— Ах, господи, ну конечно, нас не звали, ну и что?! Мы же хотим знать, в чем тут дело! И кто во всем виноват! А Олег уже знает. Он позвонил и сказал, что все выяснилось! Правда же, Олег?

— Истинная правда, — сказал Олег Петрович. — Ника, отстань от детей! Что ты хочешь, чтобы они тебе сказали?! Что они больше не будут? Ну, они так не скажут, и успокойся.

— Олег Петрович, вы не понимаете...

— Я, кажется, просил тебя называть меня на «ты».

— Мы с Федором уже два часа на «ты», — похвасталась Виктория. — Федор, ты любишь цыплят по-французски? Ой, вы знаете, мы прибежали в магазин, похватали первое, что под руку попалось, и убежали. Очень есть хочется.

Она подхватила с полу какие-то многочисленные, вкусно шуршащие мешки, которые Федор тут же у нее отобрал, и они оба потащились в глубь квартиры. От них остался тонкий шлейф странного аромата — пахло весной, нарциссами и талой водой.

Ника осталась с Олегом Петровичем.

— Пойдем? — предложил он. — Или ты все еще хочешь уехать?

— Это ужасно, — выговорила Ника. — Это все гораздо ужаснее, чем то, что было.

Он пожал плечами.

— Ты все равно ничего не сможешь изменить. По крайней мере, сию минуту. Они только что купили цыплят и теперь намереваются их съесть под хорошую детективную развязку. Это же очень понятно! А моя в Лондон собралась знакомиться с родителями какого-то крокодила, про которого я знаю только, что он принципиально не летает бизнес-классом!

— Маша?

Он удивился:

— Ты знаешь, как ее зовут? Ах да! Три часа наедине с моей мамочкой, конечно же!

— У тебя очень красивая и умная мать, — зачем-то сказала Вероника.

— Я знаю, — согласился Олег. — А вот и Гена.

— Здрасти, Олег Петрович. У нас тут полный кворум, как в Думе?

— У нас тут гораздо лучше, чем в Думе, Гена.

— Только двери все равно надо на замочек запирать! Кабы мне ваши денежки да ваши возможности, я бы не только охранную систему поставил, я бы себе такой «умный дом» забабахал, только держись!

— У наших соседей по даче «умный дом», — поделился с Никой Олег Петрович. — Гене это не дает покоя. Только они свет все время выключают, напряжение скачет и компьютеры виснут. Поэтому, когда они хлопают в ладоши в гостиной, в туалете спускается унитаз. А по программе должен загораться мягкий вечерний свет.

— Да ладно вам, Олег Петрович! Ну при чем тут сортир! А вот то, что вы дверь не запираете, это факт, а был бы «умный дом» — он бы сам запирал!

— Или воду спускал в сортире, — добавил Олег Петрович. — Пошли, Ника!

Пока они беседовали про соседей по даче, Федор с прекрасной барышней накрыли на стол — вернее, не на стол, а на стойку, за которой чаевничали прошлой ночью. Барышня грызла куриную ножку, а Федор жевал яблоко.

— Ну?! — оторвавшись от ножки, вопросила Виктория. — Кто убил Василия Дмитриевича и спер шкатулку?

— Мой компаньон Виктор Иванович Назаров.

Сообщение не произвело на слушателей никакого впечатления.

Виктория опять принялась за ножку, Федор пожал плечами, лишь только Вероника ловила каждое слово Олега.

— Поверить не могу, — сказал Гена. Он так и стоял в отдалении, к столу не приближался, соблюдал субординацию. — Вот честное благородное слово, Олег Петрович, не могу поверить, и все тут!

— Придется поверить.

— А зачем он это сделал?

— Я думаю, чтобы заполучить икону. Он у нас такой правильный, набожный и благородный человек.

— Набожный человек не может никого убить! — Это Вероника сказала. — Если только он на самом деле набожный!

— Да в том-то и дело, что он набожный в таком... современном смысле. Несколько лет назад Назаров по случаю приобрел антикварный секретер. В потайном ящике обнаружил письмо, где говорилось, что в демидовской коллекции, похоже, есть подлинник иконы преподобного старца, и решил, что должен ее получить. Ну, чтобы стать еще более набожным и правильным человеком. Его в Тульской области очень любят! Он там церкви то и дело реставрирует.

— Олег, ты говоришь как-то странно, — заметила Вероника. Имя Назарова ей было неизвестно, и она сразу успокоилась.

— Мы поехали по адресам, которые выяснил Гена. Федор отдал ему свой телефон, и оказалось, что с угрозами ему звонили всего с двух номеров. Один в квартире у его подруги, а другой в баре, где она работает. Все как и предполагалось.

— Светка?! — пробормотал Федор и покраснел как рак.

— Кто такая Светка? — спросила Виктория. Глаза у нее сделались колючими.

— Федор рассказал ей о том, что Василий Дмитриевич заказал ему ценности, а она натравила на него своих барбосов. Они стрясли с него деньги и собирались стрясти еще и ценности, но мы их опередили. Гена сегодня с ними поговорил по-дружески, объяснил, что такое хорошо, а что такое плохо. Перевоспитать их нам вряд ли удалось, но запугали мы их основательно. Те пять тысяч, что Федор получил от Василия Дмитриевича, они нам отдали. И при этом еще плакали от раскаяния. В общем, Вероника Павловна, они больше вас не потревожат.

— Это точно, — подтвердил Гена с удовольствием.

— Назаров приехал на Фрунзенскую, убил старика, забрал шкатулку, единственное, что его интересовало, но иконы там уже не было, он не мог этого знать! Икону незадолго до этого у Василия Дмитриевича забрал я. Он вернулся, когда понял, что ее там нет, и даже стрелял в нас! Он думал, что за иконой явился Федор, который как-то про нее прознал, и решил просто пристрелить его, и дело с концом. Все бы сошлось — нашли бы коллекцию и трупы двух преступников.

— Как — пристрелить?! — вскрикнула Вероника.

— Из пистолета. А нас оказалось много, чего он никак не мог ожидать, да и Гена у нас... профессионал. Машины моей он не видел, потому что она стояла за углом.

— Зачем ему было убивать?! Ну зачем?! Из-за иконы?

— Все просто — убил, чтобы убрать свидетеля, который знал заказчика. А на преступление решился из-за славы радетеля, — непонятно объяснил Олег Петрович. — Все очень просто. Он вернул бы православной церкви подлинник Серафима, патриарх бы его наградил, и он бы стал благодетелем и отцом родным на многие годы вперед. А для него это важно. А шум вокруг кражи ему был нужен только для того, чтобы бросить подозрение на Федора. Очевидно, он планировал его убрать с самого начала. Поэтому он позвонил в музей, когда удостоверился, что коллекция у Василия Дмитриевича.

— А откуда вы... откуда ты узнал, что это именно он?

— У Василия Дмитриевича есть система видеонаблюдения.

— И ты о ней знал?!

— Я ее ставил, — подал голос Гена. — Я когда шкатулку в антикварной лавке искал, диск из компьютера забрал. А дома посмотрел, только и всего.

— Гена ее ставил, а Назаров о ней ничего не знал, хотя мы оба были давними клиентами старика. Все просто до ломоты в зубах.

Все помолчали.

— Мне показалось, что Петр Ильич догадался, что это я украл, — задумчиво сказал Федор, — он со мной сегодня так разговаривал, что это было совершенно ясно.

— Это даже нам на руку, что ваш Петр Ильич догадывается, — сказал Олег Петрович.

— Почему? — удивился Федор.

— Потому что придется еще решать вопрос с иконой и к тому же возвращать шкатулку. Думаю, что с ней все будет проще, ну... Просто потому, что для нее не нужна огромная сумка. И заходы и скандалы, по которым такая мастерица Виктория, больше устраивать не придется!

— Да, — пробормотал Федор себе под нос. — Еще ведь шкатулка!.. А где она?

— У меня в машине, — рассматривая потолок, сказал Гена.

— Как?! Как вы... Откуда она... или вы уже?..

— Олег, ты что, его уже арестовал?! Этого твоего... Назаренко? — спросила Виктория.

— Не Назаренко, а Назарова. Виктора Ивановича. Я с ним проработал много лет, я его к старику привел! Василий Дмитриевич ему однажды Спаса Нерукотворного добыл, и он еще благодарил и говорил, что бог его не оставит. А потом взял и убил старика!..

— Олег, а как ты у него забрал шкатулку?! Выходит, он все уже знает?! Его же нужно арестовать! Да, Федя? Да, Вероника Павловна?!

Олег поморщился:

— Я тебя умоляю, не трещи ты так, ради бога!

Виктория обиделась:

— Ну и пожалуйста. Я вообще могу уйти и не слушать! Па-адумаешь, какой важный! Я ему мешаю!

Но не ушла, а уселась на высокий стульчик и подперла ладошками щеки — решила, что больше не скажет ни слова.

Вероника сложила руки на груди и стала ходить по квадратикам паркета, внимательно глядя себе под ноги.

— Олег Петрович, но ведь если этот ваш Назаров окажется в милиции и признается, что это он во всем виноват... То есть вы его заставите признаться, тогда все выплывет наружу! — Она беспомощно посмотрела на Олега, а потом на своего сына. — Ну, что Федор украл из музея коллекцию! И тогда непонятно, зачем мы ее с таким трудом возвращали! А, Олег Петрович?

— Вот именно.

— Что — вот именно?

Федор заправил за ухо вываливающуюся прядь и решительно выдал что-то в том смысле, что, если уж на то пошло, он во всем виноват, он и будет отвечать. И поэтому — если нужно — сам пойдет в милицию и во всем там признается. В смысле, обо всем расскажет.

Гена Березин фыркнул и покрутил головой.

— Олег Петрович, — Вероника перестала ходить, остановилась возле Олега и уставилась ему в лицо, — но ведь так не может оставаться! Этот ваш компаньон убил человека, и он должен быть наказан! А наказать его может только закон.

— В данном случае этим законом буду я.

— Как?!

Олегу не хотелось ничего объяснять, и он слишком устал за этот бесконечный день, и вообще устал — от непонимания, от того нового, что вдруг на него навалилось, от всех этих чужих людей, которые почему-то казались ему своими.

Он не хотел объяснять — и понимал, что придется.

— Назаров убил, потому что хотел заполучить икону. А она ему не далась. — Он улыбнулся Веронике. Ей одной. — Она сразу ушла к другому человеку, то есть ко мне. Значит, я и буду разбираться дальше.

— Но как?!

— Да очень просто. Шкатулку мы у него забрали, и Федор ее вернет в музей. Это не целая сумка серебра и бронзы, это просто большой сверток. Он принесет его в своем рюкзаке и положит в хранилище. Завтра же! Завтра же, Федор. Надеюсь, это понятно.

— Понятно, Олег Петрович.

— Назарову я предложил на выбор два варианта. Или огласка и тюрьма, всерьез и надолго, до конца дней. Или дальний скит в Белозерье, тоже до конца дней, только тогда уже никакой огласки. Просто решил человек в одночасье уйти от мира, и дело с концом. Собственно говоря, это даже красиво. — Олег поболтал в стакане виски и залпом выпил. — Я знаю его много лет, и я был совершенно уверен, что на первый вариант он никогда не согласится. Он же не знал, что я блефую!

— Как блефуешь? — не выдержала Виктория.

— Если легальное расследование, значит, господину Башилову тоже светит срок. А мне бы этого не хотелось. Нет преступления без наказания, но мне сдается, что господин Башилов и так достаточно наказан. Да или нет?

Все молчали. Федор медленно и трудно дышал.

— Виктор Иванович, разумеется, тут же согласился и на скит, и на Белозерье, а я еще уточнил, что наша служба безопасности будет его регулярно навещать, проверять, так сказать, место дислокации, поэтому в бега ему кидаться резону никакого нет.

— Но у него, наверное, есть своя служба безопасности? — тихонько спросила Вероника.

— Да нет. Он же у нас очень благородный, отец родной и вообще царь-батюшка! Все время повторял, что на все божья воля и человеков, по земле ходящих, он нисколько не боится, а боится только одного господа. Ну, вот господь все и устроил. — Тут Олег неожиданно улыбнулся. — В нашей структуре служба безопасности подчиняется мне и выполняет исключительно мои распоряжения.

— А икона?

— С иконой я разберусь сам, — твердо сказал Олег Петрович. — Вот... Вероника Павловна меня познакомит с вашим директором, и мы с ним обо всем договоримся. Я придумаю правдоподобную версию, как она могла ко мне попасть, а он сделает вид, что в эту версию поверит. Я так понимаю, он неглупый человек.

— А нельзя просто положить ее обратно в шкатулку? — спросила Виктория. — Ну, как будто она там и была?! Это же проще простого!

— Нельзя, — твердо сказал Олег Петрович. — Она там еще сто лет пролежит или вообще пропадет, не дай бог. А она... волшебная.

— Волшебная, — согласилась Вероника. — А Петр Ильич отличный специалист и человек хороший! И к Федору всегда хорошо относился.

Федор шевельнулся, хотя до этого стоял неподвижно, как каменный:

— И все равно мне придется уйти с работы.

— Ну конечно.

— Я беру тебя к себе. — Олег посмотрел на Федора. — Ты все знаешь про модусы категорического силлогизма, а остальное вполне можно выучить.

— Вы это серьезно?!

— Если ты пообещаешь мне не красть у меня столовое серебро.

Федор только молча открывал и закрывал рот.

Через две недели отчаянной борьбы с собой Олег Петрович понял, что проигрывает и должен что-то срочно с этим делать.

Вероника не шла у него из головы, и даже история с Назаровым на этом фоне померкла.

Как мальчишка, он встречал ее с работы, провожал до дому, и один раз они даже сходили в кино.

Ничего не помогало.

Тогда он привез ее к себе, и выяснилось, что она ничего не может!

— Олег, — тихонько сказала Ника, — я не могу. Ты понимаешь, что я не могу?

— Чего не можешь?

— Ничего не могу.

Он усмехнулся:

— Зато я все могу, ты не поверишь.

— Олег, я старая, некрасивая, я... сто лет ни с кем не была... Я забыла, как это бывает.

— Я тебе напомню.

Он чувствовал себя ужасно и знал, что она понимает, как ему ужасно.

Угораздило его вляпаться в эту женщину, в ее жизнь, в ее проблемы! То, что поначалу развлекало его, казалось просто приключением, которое коренным образом отличалось от всех его приключений, вдруг переросло в нечто огромное, болезненное, и Олег Петрович точно знал, что это огромное и болезненное раздавит его, если он не сообразит, что именно должен с этим сделать! По мужской привычке ему все мерещилось, что, если перевести дело в секс, все само собой как-то устроится, разъяснится и станет понятным и не слишком интересным.

Ну вот, он сделал все, чтобы свести дело к сексу, и, кажется, сейчас этот самый секс у них и случится, и дальше что?!

Что дальше?!

Нет никаких гарантий, что станет неинтересно. Нет никаких гарантий, что он сможет ее отпустить, а если не сможет, что тогда?!

Он был мастером принимать стратегические решения и никогда и ничего не боялся заранее. Он точно знал, что проблемы следует решать только по мере их поступления и глупо и не нужно думать загодя о том, что произойдет, если завтра на Бронной ему на голову упадет кирпич.

Кирпич, как писалось в одной великой книге, просто так на голову никому не падает!..

— Ты извини меня, — выдавил он из себя. От раздражения он видеть ее не мог. — Я... переоденусь. А ты, может, хочешь вина?

— Лучше водки, — хрипло сказала Ника и храбро улыбнулась. — Можно сразу пол-литра.

Он не принял ее тона, зная, что делает только хуже.

— Водка в баре, — любезно сказал он. — В холодильнике. Там же и стаканы.

— Тебе налить?

— Нет, — и ушел в ванную.

Там он выбрался из костюма, стащил рубашку, выворачивая рукава, прихваченные запонками, пошвырял все на бархатную с золотом кушетку, стоявшую у стены, и, злобно косясь на золото и бархат, которые он в этот момент ненавидел, совершенно голый стал мыть руки.

Может, и не одеваться?! Выйти из ванной прямо в натуральном виде, быстренько порешать все вопросы, связанные со страстью, которая внезапно их скрутила своей мозолистой рукой, да и все?! Не мучиться больше? В конце концов, она уже взрослая девочка, и он вовсе не обязан устилать ее ложе лепестками роз и скакать вокруг нее резвым купидоном!

Представив себя в роли резвого купидона, Олег Петрович засмеялся тоскливым хриплым смехом.

Ничего у тебя не выйдет, сказал кто-то поблизости. Ни-че-го. Не отвертишься теперь.

— Кто здесь? — спросил Олег Петрович, отлично понимая, что никого у него в ванной нет, и быть не может, и разговаривает он сам с собой, как шизофреник.

Все простоты ищешь, продолжал тот же голос. Все еще недостаточно опростился! Все бы тебе уйти целехоньким! Все мерещатся тебе не люди, а манекены!

— Какие, ...дь, манекены! — в совершенной тоске ответил неизвестному голосу впавший в своей ванной в сумрачное помешательство Олег Петрович.

Ты сдал не все экзамены, продолжал голос. Вернее, большую часть экзаменов ты пропустил, а я тебе это позволил. Ты не мучился от любви, не сгорал от ревности, не делал безумств, не тратил время на судьбоносные решения, не хватался за телефон, не страдал бессонницей, не плакал, не хохотал, не ждал утра, сомневаясь, доживешь или нет. Ты все это пропустил, ты даже не понял, отчего этот мир устроен именно так, а не иначе! Для чего ты нужен и кому ты нужен, не понял тоже! У тебя все впереди. Все открытия только начинаются.

— Я... не хочу, — тихо сказал Олег. — И не буду.

Откажись, сказал голос, и Олегу послышался в нем затаенный смех. Откажись, это так просто! Для этого и делать ничего не нужно, и купидоном скакать не придется!

Ты просто выйдешь сейчас отсюда, вызовешь ей машину и отправишь домой. Она уедет, и ты знаешь, что она уедет и ни на чем не будет настаивать, и это будет означать, что все кончилось и больше ничего и никогда не будет.

Только я больше не стану тебе помогать. Я уйду вместе с ней и буду помогать ей.

— Почему? — спросил Олег. В висках у него стучало, и свет уходил из глаз, как будто он падал в колодец.

Вот видишь, сказал голос укоризненно. Ты и этого не знаешь. Жизнь и этому тебя тоже не научила, а это так просто!.. Нельзя швырять судьбе в лицо то, что она тебе предлагает. Я-то ладно, со мной еще можно договориться, а с судьбой нельзя! Она не простит.

Мы так старались. Мы привели тебе навстречу эту женщину — единственную, с кем у тебя получится жить! Мы сводили вас осторожно, мы даже ссорились иногда, потому что не знали, как будет лучше. Мы сделали то, что должны были сделать, а ты собираешься отказаться?! Вот просто так взять и отказаться?! Ты же знаешь, что это твой последний шанс. Ну, собственно, он же и первый, потому что у всех бывает только один шанс. У нас тут никакой лотереи нету, у нас все по-честному, и никто не тянет билеты по многу раз, выигрывая напропалую! Ты хочешь объяснить *нам*, что *мы ошиблись*?! Что тебе нужно совсем не это, а что-то другое?! Какая-то другая женщина и другая жизнь?! Ты хочешь доказать *нам*, что ты умнее и лучше знаешь, что тебе нужно?! Ну, ты можешь попробовать, конечно. Многие пробовали. Результат, правда, всегда был один и тот же, но уговаривать тебя я больше не буду. Надоел.

— Постой! — выкрикнул Олег Петрович. — Постой же!

Никто не ответил ему, и стены сумеречного колодца, в который он падал, раздвинулись, и оказалось, что никакого колодца нет, и он стоит голый возле раковины, из которой хлещет вода, и зеркало запотело так, что в нем ничего нельзя разглядеть.

Олег вдруг испугался так, что похолодел затылок.

Он зажмурился и влажной ледяной рукой протер стекло. Он боялся открывать глаза, ибо был почему-то уверен, что в зеркале никого нет!..

Олега Никонова, которым он был до сих пор, больше не существует!..

И в это время в дверь тихонько постучали.

— Олег, ты меня звал?

Он распахнул глаза и уставился в зеркало, и понял, что он там, внутри, и, в общем, точно такой же, как всегда, только кожа какого-то странного, то ли серого, то ли с зеленью цвета!..

Думая только о том, что сейчас было с ним, он старательно закрутил кран, дошел до двери и пинком открыл ее. Ника негромко сказала:

— О, господи, — и отвела глаза.

— Ты не знаешь, что бывает, когда вдруг начинают слышаться голоса? — быстро спросил у нее голый Олег Петрович.

— Точно не знаю, — моментально отозвалась она, как будто это было самым обычным делом — чтобы голый Олег Никонов на пороге своей ванной спрашивал у нее о «голосах», — но, кажется, это первый признак сумасшествия.

— Я сумасшедший?

— Я... не знаю. Сейчас мне кажется, что... да. Есть немного.

Он вдруг перепугался еще сильнее.

— Тебе кажется, что я сумасшедший?!

Она помолчала.

— Если бы ты, допустим, надел штаны, мне было бы как-то уютней разговаривать.

— Какие штаны?! А, черт, штаны!..

Нисколько не смущаясь, он прошагал в гардеробную, вытащил из стопки джинсы, почему-то самые нижние, отчего вся пирамида пошатнулась и беззвучно рухнула на пол. Олег Петрович досадливо через нее перешагнул и вернулся к Нике.

— Ну, — требовательно сказал он. — И что?!

— Что? — не поняла она.

— Почему я слышу голоса?

— Не знаю. — Она пожала плечами. — Может, ты шизофреник?!

— Я не шизофреник! — заорал он в отчаянии.

— Хорошо, хорошо, — быстро сказала Ника. — Хочешь, я тебе налью валерьяновых капель? У тебя есть? Или валокордину?

Олег взялся за голову.

— Только что кто-то разговаривал со мной, — сообщил он с болезненной гримасой. — Я слышал своими ушами! Но так не бывает!

— А этот кто-то сказал что-то особенное?

— Он сказал, что нельзя швырять судьбе в лицо ее подарки! Что лотереи нет и все время вытаскивать счастливый или несчастливый билет невозможно!

Ника посмотрела на него.

— Наверное, это правильно, — произнесла она осторожно. — Если бог тебе предлагает что-то, нельзя отказываться. Наверное, его это огорчает.

— Ника, — сморщившись, как от зубной боли, начал Олег, — я не мог только что в ванной разговаривать с богом.

И они посмотрели друг на друга.

— Или... мог? — жалобно спросил совершенно сбитый с толку Олег Петрович.

— Наверное, иногда он разговаривает с теми, кому хочет что-то сказать. — Она приблизилась и тихонько потрогала его лоб. — У тебя нет температуры, и шизофрении тоже нет, если ты серьезно об этом спрашиваешь! По крайней мере, если раньше ничего такого не было, вряд ли ты только что спятил.

— Лучше бы я спятил, — сам себе сказал Олег Петрович.

Они помолчали, стоя друг напротив друга.

— Может, я пойду? — И она отвела глаза. — А то потом поздно ехать, страшно.

— Да, — решительно сказал Олег. — Езжай. Сейчас я позвоню Гене, он тебя отвезет.

— Да что ты, что ты! Не надо мне никакого Гены! — И она стала отступать по залитому ярким светом холлу. Олег исподлобья смотрел на нее. — Здесь же центр, все близко, я прекрасно на метро доеду!

— Зачем же на метро? — не двигаясь с места, вяло спросил Олег Петрович. — На машине гораздо удобнее, а так ты три часа проездишь!

— Да никакие не три! — Она зацепилась за край ковра и чуть не упала. Щеки у нее пылали. — Я заодно прогуляюсь.

Он пожал плечами.

Она добралась до середины холла и стала озираться, не в силах сообразить, какая именно дверь ведет на улицу.

Вешалки, на которой внавал висели старые куртки и валялись шапки и перчатки, не было. Грязных следов на паркете не было тоже. Обуви не было!.. Как ее найти, эту дверь?..

— Олег, а где... входная дверь?

Он показал подбородком.

— А где мое пальто? И сапоги?

Он показал подбородком на соседнюю дверь.

Ника осторожно ее открыла, сам по себе волшебным образом зажегся свет, и комната выпрыгнула из темноты, завешанная верхней мужской одеждой. По размерам комната была точь-в-точь как Никина квартира. Маясь от неловкости и унижения, она нашла свое пальтецо и сапоги, с которых на безупречно чистую плитку натекла небольшая лужица, надела пальто и стала застегивать сапоги. «Молнию», как назло, заело.

Дверь открылась, и на пороге предстал Олег Петрович.

— Лучше все же на машине, — сказал он равнодушно.

— Не нужно мне машину! — Она уже злилась и точно знала, что заплачет, как только ей удастся выскочить на улицу.

Только бы побыстрее выскочить, только бы не при нем.

Он некоторое время поизучал ее манипуляции с сапогами.

— Почему все *такие*, как ты, носят *такие* сапоги? — спросил он задумчиво.

— Такие, как мы, — это какие? — спросила Ника. «Молния» наконец подалась, поехала вверх и больно прикусила кожу вместе с колготками.

Слезы, предательские, дурацкие женские слезы унижения и боли показались на глазах.

Я не заплачу, сказала она себе. Я ни за что не заплачу.

И мне наплевать на колготки!

— Такие — это какие?! — повторила она, глядя на него. В горле стоял комок, было трудно дышать. — Старые?! Страшные?! Бедные?!

Он пожал плечами.

— В сапогах теплее, чем в ботинках, — сказала Ника и всхлипнула, но удержалась. — В них можно долго ждать троллейбуса. Через сугроб лезть удобно. И можно не покупать их каждый сезон! И носить с юбкой, и с брюками тоже! Это ты хотел у меня узнать?

— Ника, — начал Олег Петрович, чувствуя себя

отвратительно, — если ты решила, что я тебя выгоняю...

— Не-ет! — крикнула она. — Ничего я не решила! Я ухожу сама! Потому что мне надо домой! Немедленно надо домой! Прямо сейчас!

Она выбралась из гардеробной, печатая шаг, прошла мимо него и стала открывать все двери подряд. Она вдруг позабыла, какая входная.

Олег подошел и открыл нужную.

— Спасибо, — сказал Ника, протиснулась, изо всех сил стараясь не коснуться его, и с порога еще обернулась. — За все тебе спасибо, Олег! Если бы не ты, мы бы пропали, и Федор пропал, а он для меня главный человек на свете! Вот, хочешь, до земли поклонюсь?

И она отвесила земной поклон.

Он кивнул.

— Прощай, — сказала она. — Я просто слишком сильно увлеклась. Напридумывала. Больше не буду.

Он опять кивнул.

Говорить было нечего, и она побежала вниз по широкой мраморной лестнице, касаясь рукой в старенькой перчатке отполированных перил с чугунными завитушками.

Олег немного постоял на пороге, а потом с грохотом захлопнул дверь.

Вот так правильно, подумал он вяло. Вот так и должно быть. Эта женщина мне не подходит. С ней все будет слишком всерьез, *уже* слишком всерьез, а у меня... работа.

Кажется, было что-то еще, из-за чего она ему не подходит, или не было?..

Значит, так. Я не могу себе позволить ничего такого, потому что у меня... у меня... работа. Ну да, вот же еще и работа! А что у нас шло пунктом первым?

Кажется, тоже работа.

Он стоял у двери и слушал. Ничего не слышал, конечно, три слоя бронированного железа отделяли его от широкой мраморной лестницы, по которой неслась Ника, убегая от него.

Глупо было стоять под дверью, и он пошел в столовую. По дороге он все никак не мог сообразить, столовая — это налево или направо, а потом сообразил.

Столовая, громадная и пустынная, как Море Дождей на Луне, показалась ему самым холодным местом на свете. Топить, что ли, перестали?.. Он дошел до эркера, в котором стоял белый рояль, а рядом на Новый год всегда наряжали елку, пощупал огненные батареи, повернул обратно и дошел до пузатого буфета, который однажды добыл для него Василий Дмитриевич. Помнится, они оба еще очень гордились этим буфетом! Маятник качался в громадных напольных часах, взблескивал отраженным светом, и была в этом взблескивающем свете вселенская тоска и пустота, куда там Морю Дождей!

Что-то попалось ему на глаза, за что вдруг зацепилось сознание, но он не понял, что это такое.

Он насторожился, поискал глазами и вдруг увидел.

На уголке стола был организован натюрмортик. Запотевшая бутылка водки, две стопки, два соленых крепеньких огурца на хрустальном блюдечке, два толстенных ломтя черного хлеба, а сверху по куску отливающего в розовое сала, и еще синий лук колечками, приваленный к каждому куску хлеба.

Олег подошел и стал разглядывать натюрмортик. И вдруг улыбнулся растерянно. Она все поняла, хотела его подбодрить и как-то рассмешить, что ли, и дать ему понять, что все это не всерьез — кто же ест лук с салом на романтическом свидании?! Уже Олег-то Никонов не ест вообще никогда, не то что на свидании!

И пока в ванной он разговаривал с богом, она соорудила все это — для него. Чтобы утешить.

Нельзя швыряться тем, чем тебя собираются наградить, подумалось ему. Нельзя кричать — заберите у меня награду, с ней слишком много возни, и вообще страшно, я и без нее как-нибудь управлюсь, ведь управлялся до сих пор!..

Он взял увесистый бутерброд с тарелки, откусил и зажмурился от счастья — так было вкусно.

Может, еще не поздно? Может, вернуть ее?!

Ну да, да!.. Он сейчас позвонит Гене, и они поедут к ней, она его прогонит, конечно, но он умеет убеждать. Он убедит ее, привезет обратно, в это самое Море Дождей, самое пустынное место на свете, и они что-нибудь придумают. Не век же им поодиночке пропадать!

Или Гена здесь ни при чем?! Или все нужно делать самому?!

И тут ему на голову обрушился дверной звонок. Олег Петрович выронил бутерброд, помчался и распахнул дверь.

— Ну вот что, — сказала Ника. — Я вернулась, чтобы ты понял, что со мной так обращаться нельзя!

Глаза у нее горели, она сказочно, неправдоподобно похорошела, и Олег вдруг подумал, что в квартиру к нему ворвалась девчонка, а вовсе не Вероника Башилова, музейный работник и мать поганца, втянувшего Олега Петровича во всю эту историю!

— Нельзя! — крикнула она и сверкнула глазами, как ведьма. — Может, у меня сапоги какие-то не такие, — и она показала руками, какие именно не такие, — но я человек! И ты не смеешь издеваться надо мной!

— Я не издеваюсь, — пробормотал Олег Петрович испуганно, рассматривая ее. — Я хотел за тобой ехать. Гене хотел звонить...

— Поди ты со своим Геной! — Она влетела в холл и захлопнула за собой дверь с такой силой, что по всему дому прошел грохот и осел где-то на первом этаже, у охранников. — Я тебе не навязывалась!

— Не навязывалась.

— Я тебя ни о чем не просила!

— Не просила.

— Если я все придумала, то ты тоже все придумал!

— Придумал.

— Перестань со мной соглашаться, черт тебя побери!

— А что мне делать?

Она сбилась и замолчала, рассматривая его, как будто собиралась с силами.

— Я не доставлю тебе ни одной минуты лишних хлопот, — выговорила она ему в лицо с королевской гордостью и королевским же презрением и раздула ноздри. — Но сейчас ты мне должен.

— Что я тебе должен?

— Себя.

Она кинула на пол свое пальтишко, перешагнула через него и схватила Олега за руки, повыше локтей.

— Себя! — повторила она, глядя ему в глаза.

Олег Петрович пошатнулся.

— Ничего, — сквозь зубы выговорила она. — Переживешь!..

Она стиснула его шею — даже не обняла, а именно стиснула — и стала целовать куда попало, куда только доставали ее губы, горячие и требовательные, и распластала огненную ладонь у него на спине, и от этой ладони верх и вниз хлынул жар. Вот уж этого Олег Петрович никак не ожидал — словно горячая лава потекла по позвоночнику!

Впрочем, он вообще не ожидал ничего подобного!

Неловко переступив ногами, он попробовал было обнять ее, но она не далась. Она шла в атаку, и капитуляция ее не устраивала!

Она целовала его глаза и губы, и еще куда-то в щеку, очень неловко, и он сам не заметил, когда, очнувшись от изумления и всей этой нелепицы, вдруг стал ей отвечать. Она и так пылала, как ведьма на костре, и кажется, не получала от этого никакого удовольствия, а от его робких попыток разозлилась еще больше.

Ее руки метались по его плечам и груди, маленькие, крепкие, шершавые ручки, и он не мог ни поймать, ни остановить их. Там, где она трогала его позвоночник, тонкая шерстка на нем вставала дыбом, и он еще успевал этого стесняться! Во рту пересохло, и ее лихорадочно горящие глаза не отпускали его глаз. Он попробовал было закрыть их, но она приказала сквозь зубы:

— Смотри на меня!

И он стал смотреть.

Все это, наверное, больше было похоже на потасовку, чем на любовь, впрочем, какая уж тут любовь, когда дело зашло так далеко!..

Огненной ладонью она залезла к нему в джинсы, но этого ей показалось мало, и, сжав зубы, она стала тащить их с его бедер, и у нее ничего не получалось!

— Расстегнуть, — сказал он сухим, как осенний лист, ртом. — Нужно расстегнуть.

И тогда она выпрямилась и снова уставилась на него своими глазищами, а он замычал и замотал головой. За руку, как маленького, она потащила его за собой, и он не успевал за ней, так она торопилась, и идти ему было неудобно, и он никак не мог сообразить, куда она его ведет.

Она останавливалась и снова прыгала на него, не оставляя ему никакой надежды на спасение, и ее руки были везде, и в голове у него только бухала кровь, и снова показалось, что он падает в колодец, и свет уходит вверх и вдаль, и стены наваливаются на него.

— Куда?!. — наконец догадался он спросить, когда она снова потащила его. — Куда?

— В спальню! Где твоя чертова спальня?

Он сообразил не сразу, а сообразив, головой показал ей на дверь, и она снова потащила его.

В спальне было светло, и все двери распахнуты — и в гардеробную, и в ванную.

Кажется, с ним что-то случилось именно в этой ванной, и совсем недавно, только он никак не мог вспомнить, что именно.

Преобразившаяся, новая Ника, которой он не знал, толкнула его на кровать, сорвала с него джинсы и кинулась на Олега. Ему показалось, что черная молния сверкнула в воздухе — так прыгает пантера, так поражает змея. Он хотел даже от нее защититься и не смог. Он поймал ее в самый последний момент, прижал к себе, и ее одежда неприятно и тягостно поразила его измученное воображение — разве бывают пантеры в одежде?! Неловкими руками он стал стаскивать с нее тряпки, а она все не давалась, вырывалась и падала на него, и завоевывала и получала все, что хотела.

— Ника! — попросил он. — Ника, ну, пожалуйста!..

И тогда, рыча от нетерпения, она через голову стащила водолазку и еще что-то ненужное, что было на ней, что закрывало ее от него, и он почувствовал ее тело — напряженное, вытянутое, дрожащее и огненное, словно тот самый ведьминский костер теперь горел у нее внутри, сжигал внутренности.

Она показалась ему совершенным существом, гладким, стремительным и неукротимым. У нее было изумительное тело, и оправдались все самые худшие его подозрения. Когда исчезли дурацкие тряпки, так ей не шедшие, она оказалась очень женственной, погибельной, порочной.

Вдруг он подумал, что все великие художники писали обнаженных женщин именно поэтому — чтобы избавиться от наваждения, сделать его публичным, потому что в одиночку выносить это было почти невозможно.

— Ты меня убьешь, — пробормотал он, закидывая голову.

— Так тебе и надо!

И он знал, что она права — так и надо, только так и надо, и невозможно по-другому, и все другое просто обман, пустышка!..

Он не понял, когда ее буйство приостановилось, и она задышала чаще, и звериные когти вдруг убрались, и остались только проворные и сильные женские руки, которые ласкали его. Он не понял, когда прекратился поединок и они оказались вместе по эту сторону вселенной!..

Теперь он готов был разорвать ее на части, и приходилось строго контролировать себя, чтобы на самом деле не разорвать, и он вроде бы контролировал, все время опасаясь, что ему не хватит сил.

И в какой-то момент их действительно не хватило.

Я больше не смогу. Я умру, ну и пусть.

Если это единственная оставшаяся у меня возможность, значит, так тому и быть.

Его пантера, превратившаяся в женщину, кусала его за плечо, кажется, больно, и в ушах звенело, и он точно знал, что будет дальше, — впрочем, никто не знает, что случается, когда небо падает на землю, потому что живых после этого не остается и некому рассказать!

Теперь он поймал взглядом ее глаза и больше не отпускал, и даже придержал руками ее голову, чтобы она не смела их отводить, и он сказал то, что имело для него значение, то, что стало очевидным именно в эту секунду.

— Только ты, — сказал он.

И на миг все остановилось, и потом понеслось вскачь, все ближе и ближе к пропасти, за которой неизвестно что — ведь никто не знает, что случается, когда небо падает на землю! Его не пугала пропасть, и не пугало вообще ничего, и он мимолетно удивился, что эта женщина так долго от него пряталась, и когда, ударив в последний раз, замерло и развалилось на мелкие кусочки сердце, он точно знал, что все это — не зря. Неспроста.

Он не отказался. Нельзя плевать судьбе в лицо!..

Когда он стал соображать, выяснилось, что лежат они почему-то не на кровати, а на полу рядышком и Ника, свернувшись калачиком и отвернувшись от него, тяжело дышит, и он даже испугался, что она плачет.

— Ника?!

— Все нормально, — глухо сказала она. — Сейчас я встану и пойду в ванную.

— Мы что, свалились с кровати?

Ее безупречная женственная спина дрогнула, должно быть, она пожала плечами.

— Наверное.

— Я не заметил.

— Я тоже не заметила.

Тут он вдруг подумал, что должен все ей объяснить.

Все сразу и желательно так, чтобы было понятно раз и навсегда. Олег Петрович, как любой нормальный мужчина, терпеть не мог объяснений!..

— Ника, — начал он и закинул руку за голову. Что-то ему там мешало, и, пошарив, он вытащил из-за головы ее лифчик, черненький и довольно поношенный. Олег держал его за лямку, и он болтался у него перед носом, как дохлая крыса. Ника вдруг стремительно приподнялась, выхватила у него лифчик и затолкала за себя.

Щеки у нее стали пунцовыми.

— Ника? — очень удивился Олег Петрович.

— Я не хочу с тобой разговаривать, — сказала она, как ему показалось, совершенно равнодушно.

— Почему?

— Потому что не о чем.

Он растерялся. Он только что все собирался объяснить ей — раз и навсегда! А она не хочет слушать?!.

Приподнявшись на ковре — он следил за ней изумленно, — она неловко потянулась и стала за угол тащить с кровати громадное, тяжеленное английское покрывало. Рукой она прикрывала грудь.

— Что ты делаешь?!

— Я не хочу, чтобы ты меня видел.

— Да ведь я уже видел!

Она на него даже не взглянула. Рука ничего не прикрывала — это вообще была странная затея, такой маленькой ручкой пытаться прикрыть такое сказочное изобилие, и он потянулся и ухватил ее руку и отвел, чтобы видеть грудь.

Это было очень красиво. Самое красивое из того, что он когда-либо видел.

Ника налегла на покрывало, на пол беззвучно посыпались подушки, украшавшие королевское ложе, покрывало съехало и накрыло ее почти с головой.

— Да что ты делаешь-то! — рассердился Олег Петрович.

Не отвечая, она проворно поползла под покрывалом к кровати и поднялась спиной к нему. Жесткая ткань горбилась и ломалась на ней острыми складками. Волоча складки, она переступила через него, дошла до двери в ванную, скрылась за ней и в проем вышвырнула покрывало. После чего дверь захлопнулась и слышно было, как мощно загудела в кране вода.

Олег еще полежал, потом поднялся, сгреб покрывало в огромный ком и зашвырнул его на ложе. И прислушался. Вода все гудела.

— Ника! — крикнул он во все горло. — Ника, вылезай!

Она не отвечала, и, нацепив джинсы, он ушел из спальни в столовую. Столовая — это налево или направо?

Бутыль с водкой уже отпотела и была вся в мелких капельках воды, изморосью покрыта. Он открутил пробку и налил себе примерно две трети стакана. Отсюда не было слышно, что происходит в ванной, но он уже все и так понял.

Она вознамерилась его бросить, вот что.

Она использовала его и решила бросить.

Одним движением он махнул водку, вернул стакан на стол и захрустел огурцом. Маятник громадных часов качался, взблескивал на свету. Белые шторы подрагивали на высоченных окнах.

Бросить?! Бросить его?!.

Он услышал ее, когда она подошла совсем близко. Услышал и обернулся.

Конечно, она уже оделась!.. Даже пальтишко нацепила, чтобы у него уж точно ни в чем не оставалось никаких сомнений. А у него и не оставалось.

— До свидания, — лживым голосом сказала Ника. — Я поеду.

Олег Петрович задумчиво посмотрел на нее, потом налил себе еще водки, уже почти стакан, и спросил:

— Опять будем препираться из-за Гены или ты сразу на метро?

— На метро. — Она достала из кармана перчатки и натянула, как забаррикадировалась.

— Воля твоя, — сказал Олег Петрович.

Она еще постояла, словно не в силах уйти, а он ничем ей не помогал — не выгонял и не уговаривал остаться, просто стоял и молчал, и глаза у него были бешеные.

Пауза затягивалась.

Ника взяла со стола стакан, отхлебнула водки, как воды, утерлась перчаткой и пошла прочь из столовой. Олег слышал, как она возится с сапогами, а потом бабахнула входная дверь.

Он скривился, помотал головой и допил водку.

Два года спустя

Он вошел в собор, где торжественно и празднично пылали высокие белые свечи и у каждой колонны стояли вазы с белыми и алыми розами, перевитыми золотистыми лентами. И пахло как-то особенно и тоже празднично, то ли еловыми лапами, то ли воском, то ли розами — тонко-тонко.

Он вошел и остановился, не в силах сделать ни шагу, потому что *орган играл*, и это было уж совсем нереально, как в сбывшейся сказке.

Он стоял в наполненном органными переливами соборе, которые лились на него со всех сторон, как будто исходили из стен, будто древний камень дышал этими звуками, — и понятия не имел, что ему делать дальше. Он моментально обо всем забыл.

Он никогда не думал, что все сбудется — да еще так точно, до самой последней мысли, до самой последней запятой, и теперь не понимал, что с этим делать. Он не умел это пережить.

У какого-то модного писателя он прочитал однажды, что, когда сбывается мечта, человек ничего не чувствует. Он тупо стоит и тупо думает — вот мечта сбылась. Ну, вот же она сбылась, а ты стоишь и ничего не чувствуешь, скотина! Давай чувствуй, ну что ты, ей-богу!..

Федор Башилов чувствовал всего так много, что это не помещалось ни в голове, ни в сердце. Он даже дышать стал открытым ртом, как после марафона.

И орган играл, словно по заказу.

Впрочем, с некоторых пор Федор Башилов стал думать: может, и впрямь по заказу?.. Ему так хотелось, чтобы орган играл, и он так живо себе это представлял, ну, вот же он и играет — все правильно, все так и должно быть.

Вернее, только так и может быть.

В цветном стекле отражались язычки свечей, и казалось, что стекло плавится и пылает, и в невообразимой вышине летел Иисус, раскинув руки, как будто обнимая все пространство собора, и Федор Башилов, закинув голову, вдруг удивился тому, что у Него такое молодое и доброе лицо, и еще немного насмешливое.

Он рассматривал Иисуса и заговорщицки Ему улыбался, и даже стал что-то шептать, чтобы Тот услышал, и какой-то старик, ставивший свечку в приделе Богоматери, покосился и покачал головой.

Федору было наплевать на него. Он стоял так довольно долго, и шея затекла, и в глазах поплыли черные точки — то ли от глупых слез, то ли от того, что он так долго стоял, закинув голову, и тогда, осторожно держась за спинки высоких скамеек, он стал пробираться поближе к проходу. Там никого не было, и он сел, крепко взявшись за спинку впередистоящей скамьи — просто чтобы чувствовать руками что-нибудь твердое, понятное и земное.

Просто чтобы не сойти с ума.

Народу в соборе было совсем мало — служба начиналась только в пять часов, и органист, должно быть, просто репетировал рождественский канон. Какой-то мальчишка, по виду студент из Сорбонны, усердно молился, и дама в шляпке с вуалью сидела в первом ряду, сложив на коленях руки в черных перчатках.

Федор и на скамейке пристроился так, чтобы видеть летящего под куполом Иисуса.

Так много хотелось Ему рассказать, и почему-то Федор был уверен, что именно в этот момент Он слышит и видит его, и разделяет его восторг, и так же, как и сам Федор Башилов, двадцати семи лет от роду, знает, как прекрасна жизнь, как огромна, как беспредельна — и конечна!..

Федор точно знал, что Иисус видит, как он Ему благодарен за то, что с ним случилось.

Они разговаривали так довольно долго, и Федору было приятно, что Иисус посмеивается над ним с таким пониманием — никто никогда не понимал и никогда уж не поймет его так, как летящий Иисус именно в эту минуту, именно в этом почти безлюдном соборе, где так празднично играет орган и пахнет еловыми ветками и розами!..

Федор очнулся от того, что рядом с ним произошло какое-то движение, и на соседнее сиденье опустился давешний старик, ставивший свечу в приделе Богоматери.

Он очнулся и не понял, что все кончилось. Время, отведенное ему, истекло.

— Pardon, — увидев его лицо, пробормотал старик по-французски. — Я вам помешал.

— Да нет, — тоже по-французски ответил Федор, — это ничего.

Он знал, что ему повезло — он поговорил с Ним, не сказав и тысячной, миллионной доли того, что хотел сказать, но у него *были* эти несколько минут, должно быть, самые важные в жизни!..

— Я не забуду, — пообещал он Тому, кто только что говорил с ним.

— Вы не француз? — тихонько удивился рядом старик, и Федор отрицательно покачал головой.

Ему не хотелось разговаривать.

— Это Дидье, — помолчав, продолжал словоохотливый старик. — Наш органист. Он глуховат на левое ухо, но это ему нисколько не мешает. Слышите, какой пассаж?

Федор кивнул.

— Во время войны мы с ним жили на набережной, в той стороне, — и старик махнул рукой куда-то в стену собора, — в соседних квартирах, и часто прибегали сюда. Мать Дидье, мадам Матран, говорила, что Господь убережет Францию от врагов, не позволит злобным помыслам одержать верх, и мы подолгу сидели тут, рассматривали Иисуса и думали — как же Он не позволит, когда Он всего лишь изображение, набранное из цветных стеклышек?

Старик тихонько засмеялся, а Федор снова запрокинул голову и стал смотреть вверх.

— Понадобилось много лет, чтобы мы поняли. Для того чтобы верить, нужно приложить много душевных и умственных сил. Вы со мной согласны?

Федор пожал плечами.

Он верил просто так — потому что только что говорил с Ним, и все, что было сказано, удивительно укладывалось в душе, находило свое место, заполняло пустоты, как недостающие части мозаики, вдруг в одночасье сложившиеся в некое прекрасное целое.

Да и никакое не целое!.. Так, уголок, пятачок. Сложился ма-аленький кусочек картины мира, но и это еще вчера казалось невообразимым, невозможным.

Конечно, многое, почти все, так и осталось непонятым, недоспрошенным, недосказанным, но Федор подозревал, что по-другому и быть не может.

Отсюда, снизу, увидеть картинку целиком невозможно, да и не нужно. Все станет ясно и понятно, когда ты взглянешь на мир... с высоты, как глядит Иисус, раскинувший руки и улыбающийся насмешливой и странной улыбкой.

Ты все увидишь. Но не сейчас. Подожди пока. Поживи. Порадуйся.

Невидимый органист Дидье, который был глуховат на левое ухо, решил, наверное, проиграть все, что он готовил для рождественской службы, потому что грянула следующая кантата, и понеслась вверх, вверх, и задрожала в мозаичных стеклах и в пламени длинных белых свечей.

— Я расскажу вам притчу, — сказал старик, и Федор Башилов посмотрел на него с удивлением. У старика был решительный вид. — Я сам впервые услышал ее именно в этом соборе, как раз во время войны. Я хочу рассказать вам. У вас понимающее лицо.

Старик говорил негромко, орган почти заглушал его, и Федор крутил головой, все приближая и приближая ее к собеседнику, чтобы лучше слышать.

— Однажды по пыльной дороге шел путник и за поворотом, на самом солнцепеке, в пыли, увидел человека, тесавшего огромный камень. Человек тесал камень и плакал очень горько. Путник спросил у него, почему он плачет, и человек сказал, что он самый несчастный на земле и у него самая тяжелая работа на свете. Каждый день он вынужден тесать огромные камни, зарабатывать жалкие гроши, которых едва хватает на то, чтобы кормиться. Путник дал ему монетку и пошел дальше, и за следующим поворотом дороги увидел еще одного человека, который тоже тесал огромный камень, но не плакал, а был сосредоточен на работе. И у него путник спросил, что он делает, и каменотес сказал, что он работает. Каждый день он приходит на это место и обтесывает свой камень. Это тяжелая работа, но он ей рад, а грошей, что ему платят, вполне хватает на то, чтобы прокормить семью. Путник похвалил его, дал монетку и пошел дальше, и за следующим поворотом дороги увидел еще одного каменотеса, который в жаре и пыли тесал огромный камень и пел радостную, веселую песню. Путник изумился. «Что ты делаешь?!» — спросил он. Человек поднял голову, и путник увидел его счастливое лицо. «Разве ты не видишь? Я строю храм».

Орган затих на секунду, как будто вздохнул, а потом звуки усилились, переплелись и хлынули лавиной.

— D'accord, — сказал старик, помолчав. — Вот так-то. Все дело в подходе. Можно всю жизнь убиваться над собственной тяжкой долей и угробить на это все отпущенное время. А можно... радоваться тому, что тебе дано. Вот так-то.

Он поднялся, чтобы идти, и Федор встал, чтобы пропустить его.

— Извините меня, — попросил старик, выбравшись в проход. — Я стал очень болтлив в последнее время.

— Это не страшно.

Старик улыбнулся молодой странной улыбкой, махнул рукой и побрел к выходу. Федор проводил его глазами и плюхнулся на скамейку.

Все дело в подходе?.. Только в нем и больше ни в чем? Так просто?! Вот так — просто?!

Орган доиграл, последний, самый торжественный и значительный аккорд задрожал под куполом и растворился, как будто стены вобрали его в себя, и сразу стало слышно, что собор живет обычной, земной жизнью: какие-то девчонки громко шептались по-французски, никак не могли решить, куда поставить свечи, толкали друг друга локтями, и на рюкзаках у них позвякивали жуткие хвостатые амулеты. За алтарем кто-то закашлялся. Туристы с трудом разбирали выбитые в сером камне даты. Каноник в белом стихаре, неся под мышкой растрепанную папку, бодро прошел под колоннами. Из-под стихаря у него выглядывали джинсы и остроносые мотоциклетные ботинки на толстой подошве.

Федор Башилов закинул голову и посмотрел вверх.

Все дело в подходе, подумалось ему.

Он встал и пошел к женщине в шляпке, которая сидела в первом ряду. Заслышав его шаги, она оглянулась, и лицо ее озарилось улыбкой, стало еще красивей.

— Ты здесь? — радостно спросила она. — Мне так повезло. Тут сейчас был настоящий органный концерт!

— Я слышал.

Женщина поднялась, взяла его под руку, и они вдвоем пошли по проходу. Задрав голову в шляпке с вуалью, она рассматривала изображение летящего Иисуса, и стук ее каблучков отдавался от древних стен.

Сказать или не сказать, думал Федор. Поймет или не поймет?..

То, что он пережил, было слишком огромным, и он не знал, как сказать об этом словами, но и промолчать было невозможно! Он должен был поделиться, и ему казалось, что она поймет его, не может не понять. Он был счастлив именно этим мгновением и тем, что именно она с ним рядом, и он хотел разделить это только с ней.

— Мам, — шепотом сказал он и поплотнее прижал к своему боку тонкую руку в черной перчатке. — Я... когда вошел... сразу увидел... и орган играл, и я, знаешь...

Он сбился и замолчал. Говорить было нечего.

— Что? — спросила мать. — Подожди, дай я брошу монетку!

И она остановилась возле деревянного ящика для пожертвований и стала рыться в сумочке. Федор сверху смотрел на нее.

Он не сможет никому и ничего рассказать, даже

ей. Он пережил это один, вернее, *они пережили это вдвоем с Ним*, и это навсегда останется только между ними.

Мать ссыпала в прорезь горстку монеток и опять взяла его под руку.

— Ты хотел что-то мне рассказать?

— Со мной вдруг заговорил какой-то старик, пока я тебя ждал, — сообщил Федор. — Представляешь? Он рассказал мне притчу про каменотесов. Я тебе... потом расскажу.

На улице было влажно и не по-зимнему тепло, и с Сены вдруг прилетел плотный, пахнущий водой ветер, подхватил полы пальто, растрепал волосы. Мать остановилась и поправила на нем шарф, как будто он все еще учился в шестом классе и мог простудиться и пропустить четвертную контрольную!

В этот момент Федор так ее любил, что просто не знал, что с этим делать. Ну, просто понятия не имел, куда ему поместить любовь, которая решительно не умещалась у него внутри!

Он смачно поцеловал ее в щеку, прямо поверх вуали, и потом еще раз, в другую, и еще раз.

— Федя! — Она засмеялась и посмотрела ему в лицо. — Ничего не случилось?

Так много всего случилось, и он не мог ей рассказать!.. Он никому не мог рассказать.

Поэтому он просто взял ее под руку, они перешли улицу и на бульваре повернули вниз, к реке.

— А где твоя жена?

— В кафе. А твой муж пообещал, что подъедет чуть попозже.

— Куда подъедет?

— Да к нам сюда, на Левый берег! У него с утра какие-то партнеры, но меня он на встречу не позвал. Велел ехать за тобой.

— Он звонил, — весело сказала мать и с нежностью тронула свою сумку — видимо, именно там был телефон, по которому ей звонил муж, и она вот так его приласкала. — И никаких партнеров, Федька! Он все хлопочет из-за той иконы, хочет показать ее во Франции. Петр Ильич должен прилететь, он же здесь выставку организует, а икона в экспозицию не вошла, тематика другая! Исследования еще не закончились, ты же знаешь! А Олег хочет, чтобы ее показали просто так, отдельно от всей выставки, а для этого нужен зал, охрана и всякое такое! У него же идефикс, что она необыкновенная и волшебная, и ему хочется, чтобы ее видело как можно больше людей! Вот он и встречается с Мишелем Пазалем, еще, по-моему, с Болонже.

Федор подумал секунду:

— Пазаль — министр культуры?

— Ну да. А Жак Болонже — как раз специалист по русской иконописи. И еще Олег угрожал мне ужином в «Ритце», сегодня.

— С этими двумя гавриками?

— Нет, — смутившись, как девочка, сказала Ника, и длинные ресницы дрогнули под вуалью. — Романтическим. Он угрожал мне романтическим ужином.

— Сдохнуть от вас можно, — заметил нежный сын. Радость переполняла его, пенилась в крови, как шампанское.

— Ну, а твоя жена? Почему она не с тобой?

— Она сказала, что не пойдет, потому что не любит католические храмы и ничего не понимает в органной музыке. — Он вдруг захохотал во все горло. — Представляешь?!

— И ничего особенного, — сказала мать, не разделяя его веселья. — Вполне возможно. Зачем ты над ней смеешься?

Он смеялся не над ней, а просто от счастья. И пусть никто и никогда его не поймет, это — не беда, не беда! Главное, что он сам понял.

— Мама!.. — Федор Башилов ну решительно не знал, как ему выразить любовь, а нужно было срочно выражать, и, подхватив мать, он провальсировал немного по тротуару.

Прохожие оглядывались и улыбались.

— Федор, что с тобой?!

— Ни-че-го, — произнес он по слогам. — Ничего особенного. Просто мне смешно, что Вика не любит католические храмы! Как можно любить или не любить... храмы? И какая разница, какой именно храм, если Он все равно там?

— Кто он? — живо спросила мать. — Твой старик со своей притчей?

— Он не старик, — весело возразил Федор и толкнул перед матерью стеклянную дверь ресторанчика. Внутри пахло кофе и какой-то вкусной едой. — Вот это я теперь точно знаю.

— Ты же сказал... старик? И зачем мы сюда зашли?

— Где-то здесь должна быть моя жена. И сюда приедет твой муж. Или ты хочешь, чтобы он искал тебя по всему Рив-Гошу?[1]

Шарманка на улице заиграла вальс, какая-то парочка, держась за руки и громко разговаривая, протиснулась мимо них к выходу, и лихой официант с подносом, уставленным кофейными чашками и стаканами, по-гусарски сказал его матери:

---

[1] Рив-Гош — Левый берег.

— Pardon, madam!

— Я что-то ее не вижу.

— Мама, найди самую красивую девушку в зале, это и будет моя жена!

— Господи, да что такое, — совсем рядом капризно выговорила Виктория, — я машу, машу, а меня как будто никто и не видит!..

Федор повернулся — она оказалась у него за плечом, сияющая от счастья, что он наконец пришел, розовощекая, вкусно пахнущая, неправдоподобно красивая, и он наклонился к ней и поцеловал.

Поцеловал всерьез, как целовал, лишь когда они оставались наедине, да и то нечасто. И была в этом поцелуе вся любовь, на которую он был способен, и радость оттого, что еще ничего не кончилось, а пожалуй, только началось, и оттого, что шарманка играет вальс, и пахнет кофе, и в сутолоке и толчее парижского кафе они вдруг остались одни в мире.

И она отвечала ему с серьезной и страстной поспешностью, словно они на самом деле были одни, словно для нее это было так же важно, как и для него, и она хотела сказать ему нечто такое, чего не могла сказать раньше.

Он ничего не видел и не слышал, он только знал совершенно точно, что она отвечает ему и чувствует то же, что и он.

И еще в этом поцелуе были все обещания, которые он мог ей дать, и одно, самое главное, — пока мы здесь и пока мы вместе, смешно и глупо страдать из-за того, что камень, который мы обтесываем, слишком велик и неудобен.

Пока мы здесь и пока мы вместе, мы будем радоваться тому, что нам дано.

Я еще не знаю, получится ли у меня и у тебя, я еще не знаю, хватит ли мне мудрости и сил, но одно знаю точно: Он в меня верит, и я никак не могу Его подвести.

Не могу и не хочу. Он ведь так понятно все мне объяснил!..

Его сильно дернули за руку, и чей-то голос сказал со сдержанным возмущением:

— Федор, прекрати безобразничать!

Он оторвался от своей жены, но еще некоторое время таращился на нее совершенно бессмысленным взором, а потом вздохнул и оглянулся.

У матери был смущенный вид, даже вуалька дрожала, зато официант громко и одобрительно провозгласил:

— C'est magnifique![1] — и поаплодировал немного, а Федор с ним расшаркался.

— Дамы! Давайте уже сядем, а то мы собрали очередь желающих пройти на выход! — И он подхватил обеих под ручку и стал протискиваться к окну.

Виктория сияла и тихонько пожимала ему пальцы — так, чтобы мать не заметила.

— Господи, — пробормотала мать, — а я и не знала, что ты такой... безобразник! Вика, почему ты его не перевоспитываешь?!

— Да ладно, мама, — пробормотал Федор Башилов, — не переживай. В конце концов, все дело только в подходе!

---

[1] C'est magnifique — это великолепно.

Литературно-художественное издание

Татьяна Устинова

КОЛОДЕЦ ЗАБЫТЫХ ЖЕЛАНИЙ

Ответственный редактор *О. Рубис*
Редактор *Т. Семенова*
Художественный редактор *Д. Сазонов*
Технический редактор *Н. Носова*
Компьютерная верстка *И. Ковалева*
Корректоры *О. Степанова, З. Харитонова*

В оформлении переплета использована иллюстрация
художника *В. Нартова*

ООО «Издательство «Эксмо»
127299, Москва, ул. Клары Цеткин, д. 18/5. Тел. 411-68-86, 956-39-21.
Home page: **www.eksmo.ru**   E-mail: **info@eksmo.ru**

Подписано в печать 23.08.2007.
Формат 84×108 $^1/_{32}$. Гарнитура «Таймс». Печать офсетная.
Бумага тип. Усл. печ. л. 18,48.
Доп. тираж 8000 экз. Заказ № 1333.

Отпечатано с готовых диапозитивов
в ОАО «Рыбинский Дом печати»
152901, г. Рыбинск, ул. Чкалова, 8.

Мᴀᴩᴎᴎᴎᴀ
Ꭺᴧᴇᴋᴄᴀᴎдᴩᴀ

Новая книга мастера

www.eksmo.ru

Дарья ДОНЦОВА

С момента выхода моей автобиографии прошло три года. И я решила поделиться с читателем тем, что случилось со мной за это время...

В год, когда мне исполнится сто лет, я выпущу еще одну книгу, где расскажу абсолютно все, а пока... Жизнь продолжается, в ней случается всякое, хорошее и плохое, неизменным остается лишь мой девиз: "Что бы ни произошло, никогда не сдавайся!"